Le printemps cette année-là

LES ÉDITIONS QUEBECOR
Une division du GROUPE QUEBECOR INC.
225, rue Roy est
Montréal, Qué. H2W 2N6
Tél.: (514) 282-9600

Distributeur exclusif:
AGENCE DE DISTRIBUTION POPULAIRE INC.
955, rue Amherst
Montréal, Qué. H2L 3K4
Tél.: (514) 523-1182

Dépôts légaux, troisième trimestre 1980:
Bibliothèque nationale du Québec et
Bibliothèque nationale du Canada
ISBN 2-89089-057-0

Le printemps cette année-là

Suzanne Ratelle-Desnoyers

PROLOGUE

Charles Grandmont descendit prestement l'escalier et se retrouva dans la cuisine, où la jeune fille de la maison s'affairait autour de la table du déjeuner. Une forte odeur de café flottait dans l'air. Du jambon et des œufs pétillaient sur le poêle de fonte alimenté de bûches de bois. Il salua May Téwisha, qui était devenue depuis la mort de sa mère, l'automne précédent, la nouvelle maîtresse de maison. Elle leva vers le visiteur un visage rayonnant, un regard vif et lumineux qui lui alla droit au cœur. «Comme elle est jolie et racée, songea-t-il en la contemplant. Mais quelle horreur, à son âge, de se vêtir de noir! Si seulement elle pouvait abandonner le deuil...»

Il se dirigea vers la fenêtre à carreaux, égayée de jolis rideaux blancs à volants, et fixa longuement le ciel, les sourcils froncés. De lourds nuages gris menaçaient d'éclater d'un moment à l'autre. «J'irai inspecter les chantiers après l'orage, se dit-il. Après tout, rien ne presse à ce point.»

Il détourna la tête, d'un simple regard balaya la pièce et vit que rien n'avait changé. D'où il était, il pouvait également apercevoir le salon, une petite pièce bien ordonnée où personne n'allait jamais, et la chambre d'Allan Téwisha, qui formaient avec la cuisine les trois pièces du rez-de-chaussée. En haut, deux chambres d'une propreté impeccable, mais dépourvues d'artifices, et une salle de toilette sans baignoire ni eau chaude complétaient l'étage. Cette maison de bois perdue dans une forêt de conifères était pour Charles Grandmont un havre de détente. Depuis dix ans, depuis le jour où il avait acheté cette étendue de forêt destinée à la coupe du bois, grâce à l'entremise de la maison de courtage pour laquelle il travaillait à l'époque, il venait ici régulièrement deux ou trois fois par année visiter les chantiers, et son contremaître, l'Indien Allan Téwisha, le recevait chez lui avec hospitalité.

Il était arrivé la veille au soir seulement, et Allan, immédiatement, l'avait entretenu des problèmes courants. Pendant tout ce temps, la jeune fille vaquait à ses occupations, et pas une seule fois elle ne s'était immiscée dans leur conversation. Marie Téwisha, sa mère, une jolie Blanche de bonne éducation, lui avait transmis les belles manières, et May avait appris qu'il n'était pas convenable pour une femme de se mêler à la conversation des hommes quand ceux-ci parlaient de leur travail.

Ce matin, Charles était seul avec elle, car Allan partait à l'aube, et il avait le goût de bavarder un peu. Depuis un an, il avait beaucoup pensé à elle, et très souvent, même à l'ouvrage, le visage de May avec ses beaux yeux noirs en amande formait une jolie vision dans sa mémoire.

Il était perdu dans ses pensées quand elle l'invita à passer à table. Une conversation polie s'engagea entre eux. Après un temps, elle demanda:

— Comment va votre travail à Montréal, Monsieur Grandmont?

— La compagnie de construction Grandmont, Girard et Desjardins a fort bonne réputation ce printemps, dit-il avec emphase. Nous avons obtenu d'excellents contrats. Actuellement, trois chantiers d'envergure sont en marche. Donc, du pain sur la planche pour plusieurs mois à venir.

— Ici aussi, papa est très satisfait de l'année qui se termine. En somme, vous êtes un homme prospère, Monsieur Grandmont.

Il se mit à sourire et pendant qu'elle fixait son regard sur lui, elle songeait que tout chez cet homme reflétait l'abondance. On sentait qu'il était né pour réussir dans la vie. Il était grand, fort d'épaules et vêtu avec une élégance qui vous coupait le souffle. Dans ce visage viril, au profil volontaire, ses yeux surtout retenaient l'attention. Ils étaient bleus; aussi bleus qu'un ciel d'hiver par temps sec. Et May adorait les yeux bleus... surtout lorsqu'ils étaient un peu canailles comme les siens.

— Et comment vont les familles de vos frères? s'informa-t-elle d'une voix un peu précipitée, comme pour compenser le silence qu'avait créé ce trop long regard posé sur lui.

— Je ne les ai guère visitées ces derniers temps. Je n'en ai pas eu le temps. Mais je crois que tout le monde va bien. Jacques est fort occupé, lui aussi. Il a débattu quelques causes récemment qui ont fait les manchettes des journaux. Quant à sa femme, Julie, elle doit poursuivre son petit train-train mondain. Dieu! qu'elle me fait souvent penser à ma femme Lilian. Elles ont plusieurs traits en commun, ces deux-là! Elles sont toutes les deux d'une inutilité indécente. Dommage qu'elles ne se soient jamais comprises. Lilian ne parlait pas un traître mot de français et Julie ne sait pas l'anglais.

C'était la première fois que May entendait Charles parler de sa femme. Elle savait bien qu'il était un homme marié, qu'il était séparé depuis plusieurs années et qu'il n'avait jamais eu d'enfants de son épouse américaine, car elle avait déjà surpris une petite conversation à ce sujet entre son père et sa mère. Quand, par la suite, elle avait questionné sa mère pour en savoir davantage, celle-ci lui avait répondu:

— Cela ne nous regarde pas. Je n'ai pas à étaler la vie privée des gens, surtout lorsque ces derniers nous en soufflent un mot sous forme de confidences.

Comme elle n'était pas habituée aux confidences, May se sentit mal à l'aise. Elle se déroba à son regard et s'informa des enfants de son autre frère, le docteur Louis-Philippe.

— L'aîné, Marc, est un beau petit diable avec ses trois ans. Quant à la petite Hélène, elle ressemble beaucoup à sa mère, Céline. À mon avis, elle sera calme et douce.

— Et le bébé? N'ont-ils pas eu un bébé, l'hiver dernier? Est-ce une fille ou un garçon? demanda-t-elle vivement.

Charles se mit à sourire. Les jeunes filles n'oublient jamais rien de ces détails. Lors de son dernier passage, à l'automne, il lui avait sans doute mentionné que sa belle-sœur attendait un troisième enfant, mais il ne se souvenait même plus de lui avoir souligné ce fait divers.

— C'est une petite fille. Elle se prénomme Isabelle et elle est pleurnicharde. Elle se met à hurler dès que je la prends dans mes bras. Elle semble avoir peur de tous les hommes, à l'exception de son père à qui elle sourit spontanément.

Le déjeuner se termina sur ces propos. May se leva et desservit la table. Une pluie drue tombait depuis quelques minutes et tambourinait sur les vitres. Charles rejoignit la fenêtre et étudia de nouveau le ciel. D'ici une demi-heure, à ce rythme-là, les nuages se videraient de leur contenu. Alors, il pourrait emprunter la jument de May et se rendre aux chantiers.

— Combien de temps croyez-vous demeurer parmi nous, Monsieur Grandmont? s'informa May, qui lavait la vaisselle.

— Pas plus de trois jours, dit-il sans se retourner. Impossible, à cette époque de l'année, de m'absenter davantage du bureau.

Elle n'ajouta pas un seul mot, et, quand il la regarda, son visage avait perdu sa gaieté. Une profonde tristesse s'incrustait dans ses traits. Il en ressentit tout à la fois du chagrin et de la joie. Il ne lui était donc pas indifférent, et cette constatation le réjouit. Mais comme elle lui était suffisamment chère, il n'aimait pas la voir plus longtemps aux prises avec des idées sombres.

— Si nous parlions de vous, dit-il d'une voix fort engageante. Qu'avez-vous fait tout l'hiver?

Un brouillard de mélancolie de nouveau remplit les yeux de la jeune fille.

— Je croyais que l'hiver ne finirait jamais. Vous ne pouvez pas vous imaginer combien l'absence de maman a été difficile à supporter. La solitude, ici, en pleine forêt, est pire qu'ailleurs. Papa aussi a été bien taciturne. Il y a des jours où il n'a pas parlé du tout. Je me suis retrouvée bien seule. L'annonce de votre venue nous a beaucoup réjouis, papa et moi. Vous êtes notre premier visiteur depuis les fêtes... et vous ne restez que trois jours, ajouta-t-elle d'une voix qui ressemblait à quelque chose de douloureux.

Il en eut le cœur tout bouleversé. Quelques instants passèrent où il éprouva de la difficulté à ne pas se sentir coupable. Néanmoins, il retrouva son aplomb et demanda:

— Mais votre amie, Thérèse Girard, la fille du marchand général, n'est pas venue vous rendre visite?

— Oh! si. Elle est venue, même très souvent, et chaque fois j'en ressentais du réconfort... jusqu'au jour où elle m'a appris qu'elle se mariait prochainement.

— Pourquoi n'êtes-vous pas heureuse de son mariage, May?

Quelques secondes s'écoulèrent où elle parut un peu songeuse.

— Je me suis bien mal exprimée, expliqua-t-elle. Son mariage avec le professeur Claude Gagnon me fait très plaisir. Ils sont follement épris l'un de l'autre et je suis très heureuse pour eux. En définitive, ce n'est pas leur mariage qui me chagrine, mais leur départ.

— Comment, ils ne s'installent pas au village?

— Non, l'automne prochain, Claude n'enseignera plus ici. Il sera professeur à Montréal.

Elle se tut et baissa les yeux, s'isolant dans un silence qui exprimait un certain désarroi. Après la disparition de Marie Téwisha, le départ de Thérèse signifiait pour May la solitude, la solitude la plus totale. Après la mère, l'amie. Deux départs, coup sur coup. Quand on a dix-huit ans, un regard de feu, un appétit de vivre qui veut tout dévorer, la solitude ne peut être une amie au visage sympathique. La solitude. Quel mot terrible! Quel mot pitoyable! Pour Charles, il avait la signification d'une plaie, d'une infirmité, qu'on assume, mais qu'on n'accepte pas. Après le départ de sa femme, Charles avait été pendant toute une année un homme seul. Dieu! ce qu'il avait pu haïr la solitude. Ensuite, il s'était fait une raison, puis le cœur s'était cicatrisé et il avait eu quelques liaisons. Quelques noms de femmes dans son agenda avaient retenu pendant quelque temps son attention, mais à part Madeleine Martin, son ex-secrétaire, joli petit rayon de soleil dans sa vie, il n'avait pas véritablement croisé l'amour sur les sentiers où il s'était aventuré, et la solitude comme une ombre gênante le suivait partout. Toutefois, il pressentait maintenant que tout allait changer...

Appuyé contre le montant de la fenêtre, il contemplait la silhouette de May, qu'il ne voyait cependant que de dos. Ses yeux s'attardèrent sur la taille élancée de la jeune fille, vagabondèrent ensuite sur la nuque qui retenait un lourd chignon, lui prêtant l'apparence d'une jeune fille plus âgée. Puis il admira la ligne longue et gracieuse du cou. Souple comme celui d'un cygne. Charles détourna les yeux et les souvenirs les plus saugrenus surgirent de sa mémoire. May avait huit ans, la première fois où il la vit. Il lui avait offert une poupée, et, pour le remercier, elle avait enroulé ses petits bras minces autour de son cou et s'était serrée contre lui. Il n'avait jamais oublié ce petit corps tout chaud contre le sien. À dix ans, en apercevant la voiture de Charles sur le chemin de terre battue, elle avait couru vers lui, le visage tout ensoleillé, lui souriant à pleines dents. Cette fois, on était en septembre et May allait sur ses quatorze ans et demi, lorsque Charles fit coïncider l'inspection des chantiers avec la rentrée des classes et profita de son retour pour déposer May et son amie Thérèse Girard au pensionnat de Mont-Laurier. Charles avait confié les jeunes filles aux bons soins de la Mère supérieure, lorsqu'il vit May revenir vers lui en courant pour le remercier à nouveau. Elle lui avait tendu la main et avait souligné, avec le plus délicieux des sourires:

— Ce fut très agréable de faire le voyage avec vous, Monsieur Grandmont.

— Le plaisir a été pour moi, May. Avec deux adolescentes bavardes et pleines de charme, aucun homme ne peut s'ennuyer.

Elle avait souri. Il avait pressé sa main dans la sienne, et pendant quelques secondes leurs yeux demeurèrent suspendus. Il avait lu sur ses lèvres légèrement entrouvertes un certain frémissement. Il se souvenait encore, en cet instant, de tout le mal qu'il avait éprouvé pour ne pas les embrasser, ces petites lèvres gourmandes.

Le dernier souvenir de May qui le visita remontait à l'année dernière à la même date. Oh! Dieu du ciel, quel souvenir! Ce souvenir était encore en lui aussi vif qu'un brasier. Jamais, de toute sa vie, il ne l'oublierait! Il détourna la tête et se mordit les lèvres pour ne pas percevoir dans toutes les fibres de son être cette sensation brûlante qui le parcourait dès qu'il laissait son esprit revivre ses images.

Cette fois, il était entré dans la maison d'Allan Téwisha et avait aperçu dans l'embrasure de la porte Marie Téwisha, qui reposait dans son lit. La tuberculose finissait son œuvre. Dans ce visage décharné, livide, deux grands yeux verts, couleur d'eau, lui souriaient, lui souhaitant la bienvenue.

— May est à la rivière, dit-elle péniblement. Elle sera si heureuse de vous revoir.

Charles avait couru vers la rivière comme un tout jeune homme vers son premier amour. Arrivé à destination, il contourna une touffe de conifères, et, dissimulé derrière l'un d'eux, la vision qui s'offrit à lui lui coupa le souffle. May avait terminé sa baignade et cueillait des fleurs sauvages, tout en se laissant tranquillement sécher par les chauds rayons du soleil.

Adossé à sa fenêtre, Charles passa la main sur son front. L'émotion grandissait en lui, il revivait la scène dans tous ses détails. À présent, il était certain que Dieu, dans toutes les merveilles de sa création, n'avait rien réussi de plus beau qu'une belle fille de dix-huit ans. La splendide féminité de May soutenait sa théorie. La perfection des lignes, la fermeté de ce corps éclatant de jeunesse, cette teinte dorée de la peau, tout était chez elle une merveilleuse révélation. La cheville était fine, la jambe longue et mince et la cuisse appétissante. Très longtemps, ses yeux s'étaient fixés sur son joli petit derrière provocant, s'attardant avec désir sur la toison brune. Il avait également reluqué son ventre lisse, sa taille mince et son dos droit, que vint soudainement masquer par un geste intrépide de la tête une abondante chevelure d'ébène. La poitrine de May, oh Dieu, quelle splendeur! Jamais il n'avait vu de sa vie, pourtant agitée, de poitrine plus excitante que la sienne. Deux seins en forme de poire, très fermes, qui dressaient les pointes avec une arrogance altière.

Charles regarda le ciel et sentit sous ses tempes les battements rapides de son cœur. Encore en ce moment, il se demandait où il avait puisé le courage pour ne pas courir vers elle, l'étreindre dans ses bras et parcourir ce magnifique petit corps de baisers. Il estimait ce jour-là que, pour faire marche arrière et l'appeler dans le lointain, pour lui laisser le temps d'enfiler une robe, afin de ne pas l'intimider dans sa nudité, il avait fait preuve d'héroïsme.

Aujourd'hui, pour Charles Grandmont, le temps de l'héroïsme était terminé. Cette belle enfant, il l'avait toujours eue dans la peau. Dès la première rencontre, elle avait tenu dans son cœur une place de choix. Au début, sans s'en rendre compte, il avait choyé la petite fille comme si elle avait été la sienne. À l'adolescence, cet amour s'était brusquement transformé. En vieillissant, il y eut chez May un changement que Charles ne parvint pas tout de suite à identifier. Elle était réellement différente des autres jeunes filles. Il attribua cela à son hérédité indienne. Ce n'est que lorsqu'elle eut seize ans qu'il comprit combien il se dégageait d'elle une sensualité dévorante. Elle suscitait constamment en lui le désir. Il était épuisé de jouer le jeu du chat et de la souris. Maintenant, il s'était juré qu'elle serait sienne, qu'elle lui appartiendrait. Et quand Charles Grandmont, opiniâtre et persévérant comme il l'était, jurait d'obtenir quelque chose, c'était bien rare qu'il n'y parvenait pas. Alors, il jugea que le moment était venu de passer aux actes. Néanmoins, comme il était un homme d'affaires avisé et un virtuose de la diplomatie, il procéderait avec habileté. C'est alors qu'il dit, le plus naturellement du monde:

— Pourquoi ne viendriez-vous pas vivre à Montréal, vous aussi?

— L'idée m'est venue, dit-elle en levant vers lui un regard pur et naïf, mais je n'ai aucune parenté là-bas et je ne connais personne... Papa ne voudra jamais.

— Et moi, May? Je pourrais vous héberger. Ce n'est pas la place qui manque chez moi.

Elle se mit à sourire.

— Je crois que votre belle-sœur, Madame Céline, serait fort étonnée de me voir arriver dans votre maison du boulevard Gouin.

— Je ne parlais pas de ma maison au bord de la rivière, où vivent Louis-Philippe et Céline, mais de mon appartement de la rue Sherbrooke.

Sur les lèvres de May, le sourire s'éteignit instantanément.

— Monsieur Grandmont, vous n'y pensez pas! Cela ne serait pas convenable.

— Je t'en prie, May, cesse de m'appeler Monsieur Grandmont. J'ai l'impression d'être un horrible vieillard.

Le cœur de May eut un soubresaut. Il l'avait tutoyée comme autrefois, avant qu'elle ne devînt une jeune fille. Il s'approcha d'elle, prit sa main et la porta à ses lèvres, et, sans détacher son regard des beaux yeux noirs, il se mit à caresser ses doigts de mille petits baisers. La poitrine de May se souleva, et elle se mit à respirer plus rapidement. Soudain, elle eut peur qu'il se rendît compte à quel point elle était troublée. Elle savait que ce n'était pas bien vu pour une jeune fille distinguée de laisser paraître toutes ses émotions.

— Je t'aime, May, dit-il doucement. Je voudrais que tu viennes vivre avec moi et que tu deviennes la compagne de ma vie. Vois-tu, ma belle enfant, la solitude pour moi aussi est devenue insupportable. Il y a déjà huit ans que ma femme m'a quitté. Elle est retournée à New York pour vivre avec son ex-fiancé. Elle ne m'a jamais aimé, ajouta-t-il tristement.

— Oh! Charles, c'est impossible!

Dans un élan de son cœur, elle l'avait appelé par son prénom comme elle le faisait si souvent quand elle pensait à lui.

— Qu'est-ce qui est impossible? demanda-t-il.

Elle baissa les yeux pour ajouter d'une toute petite voix:

— C'est impossible... de ne pas vous aimer.

Quelle enfant délicieuse elle était! Il ne put résister davantage au bonheur de la serrer contre lui. Il entoura sa taille de ses bras puissants et ses lèvres cherchèrent avidement les siennes. Une joie charnelle très intense assaillit la jeune fille. Dans ses veines coulait un sang bouillant. Dans un instant, ses jambes ne la porteraient plus. Mais les remords, comme une seconde nature tout aussi impérieuse que la première, vinrent la rapatrier. Doux Jésus! Charles était un homme marié! Cela n'avait aucun sens moral.

Elle essaya de se dérober à ses caresses, mais en vain. Charles, les bras entrelacés, emprisonnait son corps. Il releva la tête et mit cartes sur table.

— Tu auras dix-neuf ans dans quelques semaines, ma chérie, et moi, j'en ai trente-huit bien sonnés. Il y a déjà toute une année que j'avais formé le rêve que tu sois mienne. Que tu sois ma compagne de vie. Le décès de ta mère a quelque peu perturbé mes plans. J'ai dû laisser s'écouler le temps, car tu n'aurais jamais quitté ton père à cette époque. Presque toute une année s'est passée. À présent, ne comprends-tu pas qu'il est temps pour moi de vivre une vie normale avec une femme à mes côtés? Je veux fonder une famille. Avoir un fils. Un fils de toi, ma chérie. Un être robuste et fier qui prendra un jour ma relève. Je veux également avoir d'autres enfants pour que la vie palpite autour de nous.

Sans ciller, May regardait Charles fixement et demeurait comme inhibée. Un long moment, son esprit fut incapable de formuler la moindre pensée. Pourtant, au creux de sa poitrine, un couteau ne cessait de labourer son cœur.

— Charles, dit-elle dans un souffle, tu es marié!

— Je ne pourrai pas t'offrir le mariage, ma belle enfant, ça je le sais. Mais je te comblerai comme une princesse. Et si un jour je retrouve ma liberté, je te jure sur la tête de nos enfants que je t'épouserai devant Dieu.

Elle hocha la tête, telle une poupée mécanique. Finalement, avec difficulté, elle murmura:

— Et si ta femme revenait, Charles? Que ferais-tu?

— Tout est définitivement mort entre nous. Elle ne reviendra jamais.

Elle releva vivement la tête comme si la léthargie qui l'enveloppait l'avait brusquement quittée.

— Comment peux-tu en être si sûr? dit-elle d'une voix précipitée.

— Une petite fille de six ans l'unit à tout jamais à cet homme.

Elle se détacha de lui et s'appuya contre la table, complètement anéantie par tout ce qu'elle venait d'entendre. Son cœur lui disait qu'avec Charles le bonheur atteindrait des dimensions exaltantes, mais son esprit lui rappelait, en ce 25 avril 1928, dans la belle, pure et catholique Province de Québec, que tout cela était insensé, que tout cela était de la pure démence.

ELLE ET LUI

I

May fit taire sa conscience, relégua dans quelque coin perdu tous les principes religieux inculqués si soigneusement dans son enfance et tout au long de ses années de pensionnat, et, par-dessus tout, ordonna à sa mémoire de ne plus faire surgir à tout instant le souvenir de sa mère, sinon ce regard couleur d'eau, ce doux regard de sa mère la ferait mourir de honte.

* * *

Et May vint rejoindre Charles Grandmont.

Pour la première fois de sa vie, Charles comprit véritablement toute l'ampleur du mot «bonheur». Tout de suite, May se révéla une compagne délicieuse, une amante remarquable. Aucune femme n'avait éveillé en lui des sentiments aussi pénétrants, aussi fougueux que ceux que May lui inspirait. Auprès de Charles, tout au long de ces heures de joie très intense, May vibrait d'une sensualité qui laissait Charles assouvi, totalement heureux et satisfait. Plus tard, dans les moments où l'esprit refait surface et s'interroge, il reconnaissait également en elle, avec plaisir et fierté, une jeune femme cultivée, pleine de charme, de délicatesse et d'imagination. Il savait maintenant que pour lui la vie s'écoulerait doucement, agréablement, et que jamais il ne ressentirait ni l'ennui ni la lassitude, et cela, aussi longtemps qu'il en serait ainsi.

Quant à May, elle vivait comme dans un rêve. L'anneau d'or que Charles enfila à son doigt lorsqu'elle mit pied dans l'appartement de la rue Sherbrooke lui apportait la garantie suffisante de l'authenticité des promesses qu'il lui avait formulées trois semaines auparavant. Et cette alliance qui brillait à son doigt, lui laissant l'impression d'être une jeune mariée, n'était-elle pas en soit une nouvelle preuve d'amour?

Autour d'elle, tout lui apparut merveilleux. D'abord, ce fut la joie de découvrir l'appartement avec ses pièces vastes et confortables que Charles avait richement meublées et égayées de fleurs pour souligner son arrivée. La décoration, réalisée par une certaine Madeleine Martin, en faisait une oasis de beauté et d'élégance. Puis Montréal, cette grande et belle ville anonyme, qu'elle parcourait chaque jour avec tant de plaisir et de curiosité. La première fois, Charles l'avait guidée lui-même à travers les artères de la ville, en prenant bien soin de lui montrer les rues des magasins. Devant leur nombre, elle demeura ébahie, et, les yeux rivés aux beaux étalages des vitrines, elle déclara:

— Je les visiterai tous, les uns après les autres!

Charles ne put s'empêcher de rire.

— Alors, ma chérie, tu en auras pour des mois.

Comme elle semblait véritablement au bord de l'extase, il ajouta:

— Tu me feras le plaisir de te monter une garde-robe respectable. J'aime les femmes élégantes.

Elle eut un regard vif et lumineux.

— Je me sens de taille à te satisfaire, dit-elle en ronronnant de plaisir.

Charles se montra d'une générosité excessive. Elle n'avait jamais eu autant d'argent dans son sac à main. Mais comme l'abondance ne figurait pas dans ses habitudes, la joie fit place à un certain malaise. Néanmoins, les mois de mai et juin s'écoulèrent à visiter les magasins. Elle était ravie d'entendre Charles la féliciter de son bon goût. Ses achats semblaient lui plaire. D'ailleurs, elle les faisait avec beaucoup de discernement. Tout de suite, elle sut qu'elle préférait la qualité à la quantité.

Sa première déception survint à la fin de juin lorsqu'elle s'aperçut qu'elle n'était pas encore enceinte... Elle voulait tant lui faire plaisir.

Avec l'arrivée de juillet, la vie se compliqua légèrement. Charles avait formé le projet d'emmener May en vacances à la mer pour une dizaine de jours, tout en passant par la métropole américaine. Il en avait préalablement discuté avec ses collègues, et, pour la première fois depuis la fondation de leur compagnie, chacun à tour de rôle devait profiter d'une courte période identique de vacances en été. May, enchantée de ce projet de voyage qu'elle considérait un peu comme un voyage de noces, déploya un enthousiasme presque puéril à la préparation des bagages.

Cependant, quelques jours avant la date prévue pour les vacances de Charles, François Desjardins tomba subitement malade, et le médecin lui prescrivit sur-le-champ un repos de trois semaines. Charles, peiné surtout pour May, qui s'en faisait une joie, annula le départ et remit à l'automne le voyage en question. Ils ne pouvaient s'absenter deux à la fois et laisser Denis Girard seul à la direction des chantiers. May accepta la décision de Charles sans laisser paraître la peine qu'elle ressentait et admit dans les circonstances qu'il n'y avait aucune autre solution.

L'absence de François engendrait, de plus, un surcroît de travail pour les deux autres collègues. Leurs journées s'étiraient démesurément. Charles n'arrivait guère chez lui avant les dix heures du soir. May connut alors la solitude de n'avoir point d'amie avec qui il eût fait si bon bavarder à l'occasion. Thérèse lui manquait beaucoup. Thérèse la seule amie véritable qu'elle eût jamais.Un mois encore à passer avant qu'elle n'arrive. Tout un long mois! Selon Charles, l'ennui chez les femmes était un bien mauvais conseiller. Il se rappelait combien Lilian s'ennuyait à Montréal et... elle était partie. Aussi, à la mi-juillet, lorsque Louis-Philippe, Céline et leurs enfants se rendirent visiter les parents de Céline à l'île d'Orléans, Charles, aussitôt, décida d'installer May sur le boulevard Gouin. La présence de Mathilde et de Bernard Lemieux, les domestiques de la maison, ne pourrait qu'égayer le séjour de la jeune femme. Mathilde était d'agréable compagnie, et May, déjà, l'affectionnait beaucoup.

Depuis quelques semaines, lorsque la domestique venait faire l'entretien de l'appartement, May, ce jour-là, s'abstenait de sortir. Pour tous les Grandmont, Mathilde n'était pas une domestique comme les autres. Elle s'intégrait parfaitement à la famille. Sa belle éducation, ses manières délicates, sa vive intelligence la cataloguaient dans une classe particulière. Pour toutes ces raisons, il ne faisait aucun doute non plus dans l'esprit de Charles que Mathilde connaissait sa vie privée, ses fréquentations, le genre de vie qu'il menait, et cela, depuis le jour où il avait délaissé sa grande maison pour s'installer à l'appartement. Le lit en désordre, les draps défaits, la salle de bains en piteux état prouvaient tant de choses... Ce jour-là, Charles avait laissé sur la table de chevet une note qui disait: «La discrétion est l'une des qualités que j'apprécie le plus, Mathilde. Ne l'oubliez jamais.» Et elle ne l'avait jamais oublié. Pour cette seule raison, Charles appréciait Mathilde à sa juste valeur. Aussi, quelques jours avant l'arrivée de May, il crut bon et préférable de mettre Mathilde dans la confidence. Il retarda son départ pour le bureau et lorsque la domestique entra dans l'appartement, il la pria de venir le rejoindre au salon. Il avait à lui parler.

Elle prit place dans le fauteuil de velours bleu de style Louis XV, et, les mains nouées sur son tablier blanc d'une propreté impeccable, elle porta avec attention ses yeux sur Charles. Elle le regardait et il lui semblait qu'elle n'avait encore jamais vu ce costume beige qui lui seyait à merveille. Sa chemise blanche au col bien amidonné formait un joli contraste avec sa peau déjà basanée. Des reflets dorés jouaient dans ses cheveux, et on était encore qu'au printemps. «Quelle mine resplendissante il a! Il a dû passer une bien belle petite nuit!» pensa-t-elle. Mais, cette fois, Mathilde se trompait. Tout ce bonheur lui venait essentiellement de l'attente de May.

Il prit place sur le canapé d'en face, croisant ses longues jambes et, tranquillement, se mit à lui parler de May. Quelques minutes plus tard, il terminait en lui disant:

— Je ne voudrais pas que vous souleviez en son âme une crise de conscience. Je connais suffisamment les femmes pour savoir qu'elles ont toutes une peur irraisonnée de l'enfer et de l'opinion publique. Ne lui parlez surtout pas de religion, ni de convenances. Vous comprenez, Mathilde, dit-il sur un ton de confidence, j'aime terriblement cette jeune fille et je ne veux pas la perdre. Je voudrais vous demander aussi d'être très gentille avec elle; ça ne devrait pas vous être bien difficile, puisque vous l'êtes avec tout le monde. Oh! n'oubliez pas, fit-il en se levant, de dire à Bernard de venir rafraîchir l'appartement. Je veux que tout soit impeccable pour son arrivée.

Pendant qu'il parlait, Charles avait lu la réprobation dans les yeux café au lait de Mathilde. Elle n'approuvait pas sa conduite, c'était lisible sur ce visage naturellement serein, mais ça lui était bien égal. Il ne cherchait pas à avoir son approbation mais bien sa participation. Tout de suite, au fond de son âme, Mathilde s'était rebellée. Personne ne l'obligerait à manifester une complicité tacite avec le mal, et elle ne tenait pas du tout à être gentille avec cette fille sans principes. Mais le premier matin où elle vit May venir l'accueillir à la porte avec tant de gentillesse, ses bonnes résolutions, bien malgré elle, s'étiolèrent les unes après les autres. Le charme, la naïveté, la candeur de May la conquirent et vinrent troubler l'ordre de ses pensées. La pitié la submergea, et bientôt elle se sentit basculer dans une mer d'indulgence. Et maintenant, comment ne pas être agréable avec une enfant si désarmante de fraîcheur? Devant la tasse de café que May lui avait préparée, Mathilde demanda aimablement:

— Mais quel âge avez-vous, Mademoiselle Téwisha?

— Dix-huit ans.

— Saviez-vous que vous pourriez être ma petite fille à moi!

Le visage de May s'éclaira.

— Ma mère vous ressemblait, Madame Mathilde. Elle avait une voix aussi douce que la vôtre. Elle regardait les gens avec les yeux pleins de bonté, exactement comme vous.

May fixa son regard sur sa tasse et ajouta d'un ton voilé:

— Je ne voudrais pas que vous me jugiez mal. Cela me ferait de la peine si vous aviez une bien mauvaise opinion de moi.

Soudain, Mathilde se sentit profondément troublée, comme si on lui avait mis l'âme à nu. Le rouge lui vint aux joues et elle eut honte d'avoir été si peu charitable dans ses pensées. Elle s'entendit dire:

— Je n'ai pas à vous juger, May. Dieu seul peut sonder les cœurs. Vous avez sûrement une raison, des motifs pour agir comme vous le faites.

— Oh oui! répondit May. Je l'aime tant!

«Pauvre petite, elle n'a plus de mère. Cela se voit», pensa Mathilde.

C'est après cette conversation que naquit une vive amitié entre les deux femmes, et qui, au fil des semaines, se transforma chez Mathilde en une affection presque maternelle.

Ainsi que Charles l'avait prévu, le séjour de May à la campagne, dans la grande maison du bord de l'eau, loin des rumeurs du centre-ville, dont elle n'avait pas encore l'habitude, et entourée des domestiques, lui fut salutaire. May retrouva son sourire et son entrain.

Durant cette période, Montréal fut accablé de chaleurs humides, presque insupportables. L'après-midi, à l'ombre des arbres, Mathilde et May se détendaient tout en se rafraîchissant d'une boisson glacée. Elles poursuivaient là d'interminables conversations. Ainsi, May apprenait au fil des jours à mieux connaître la famille de Charles et les rapports que ce dernier entretenait avec chacun. Les enfants de Céline, Mathilde en parlait si fréquemment que May, sans les avoir jamais vus, les aimait aussi.

Un jour où elle se promenait en chaloupe sur la rivière en compagnie de la domestique, May devint songeuse. Après un long silence, elle leva les yeux vers Mathilde et dit:

— Hier soir, Charles m'a informée qu'il devra bientôt renseigner la famille à mon sujet. Vous qui les connaissez bien, croyez-vous, Mathilde, qu'ils comprendront?

Mathilde retint son souffle. C'était justement ce genre de question qu'elle redoutait tant. Les yeux de May demeurèrent très longtemps suspendus aux siens. Finalement, elle se déroba au regard suppliant de la jeune femme pour s'isoler en elle-même. Après une longue période de réflexion, elle déclara:

— Ils sont bons,et leur cœur est généreux. Mais ils ont des principes, beaucoup de principes... et des préjugés aussi. Qui n'en a pas? Ma pauvre enfant, nous vivons une époque où personne ne peut s'écarter beaucoup des lois religieuses ou sociales sans être considéré comme marginal. C'est ainsi, voyez-vous! Les Grandmont ne forment pas des exceptions. Tous les gens bien pensent de cette façon. Alors, si vous voulez sincèrement mon avis, je ne crois pas qu'ils comprennent facilement.

May hocha la tête et baissa les yeux, en proie à une profonde tristesse.

— Charles a promis de m'épouser si jamais il redevenait un homme libre, murmura-t-elle. Tous les dimanches à l'église, je prie le Seigneur pour qu'Il trouve une solution à notre problème.

Mathilde soupira.

— Vous n'êtes pas la seule à prier, ma chère enfant!

— Oh! Mathilde, implora May, surtout, ne priez pas pour qu'un jour nous soyons séparés.

II

Au début d'août, Thérèse et Claude annoncèrent à May et à son compagnon leur prochaine arrivée. Tel que convenu quelques mois auparavant, les nouveaux mariés partageraient avec eux l'appartement de la rue Sherbrooke en attendant de trouver un logement à leur convenance.

May, aussitôt, prépara la chambre d'amis, mit la main à la pâte et remplit la glacière de victuailles, non sans attendre fébrilement ses premiers invités.

Au goût de la jeune femme, les jours précédant leur arrivée s'étirèrent en longueur et passèrent bien lentement. Finalement le dimanche fatidique arriva. Charles et May se rendirent à la gare accueillir leurs amis. Puis ils les ramenèrent à la maison.

— Quel appartement splendide tu as! s'écria Thérèse en le visitant.

May approuva en riant.

— Oui, il est magnifique, en effet! Charles l'a meublé comme on meuble un palace.

Le tour du propriétaire terminé, ils s'installèrent confortablement dehors sur la terrasse, laquelle, en cette période de l'année, était abondamment fleurie de géraniums et de pétunias multicolores, alors qu'une partie des murs de briques qui formaient l'enceinte étaient recouverts de vigne, et cette végétation luxuriante laissait l'impression d'un jardin en plein ciel.

Charles servit à chacun des boissons rafraîchissantes. Heureuse, May observait ses invités, tout en soulignant à Thérèse combien elle avait été impatiente de la retrouver après deux longs mois d'absence.

La conversation presque aussitôt se divisa en deux groupes, et les jeunes femmes bavardèrent entre elles, se racontant réciproquement les événements de l'été. Et, tout au long de leur bavardage, leur comportement ne cessait de refléter une joie partagée d'être à nouveau réunies, car aussi loin que remontaient leurs souvenirs, c'était la première fois qu'elles étaient séparées pour une période aussi longue. Plus tard, quand Charles se leva pour remplir les verres, Thérèse refusa même une demi-portion, prétextant qu'il y avait de l'alcool dans la limonade et que le médecin lui avait interdit d'en boire.

May, surprise, la dévisagea et lui demanda si elle était malade.

— Non, ma femme n'est pas malade; elle attend tout simplement une petite fille pour le mois de mars, répondit Claude, fièrement.

À cette réponse, May demeura interdite, et des yeux ronds d'ébahissement se braquèrent sur son amie.

— Mes félicitations, dit Charles en serrant la main du futur père. Il se baissa et embrassa Thérèse en lui souhaitant la plus jolie petite fille qui soit!

— May, tu ne dis rien? reprit-il, devant l'air toujours ahuri de sa compagne.

Mais elle ne semblait rien entendre, et ce n'est qu'au bout d'un moment qu'elle s'évada de son mutisme pour lancer carrément:

— Non, ce n'est pas vrai!

May désespérait à présent d'être un jour enceinte. Chaque mois, ses espoirs s'évanouissaient. Et Charles qui voulait tellement un fils.

Si elle avait été seule avec elle, elle n'aurait éprouvé aucune gêne à lui demander son secret, car il était maintenant évident qu'ils connaissaient, eux, la manière, et ce petit «truc», peut-être très simplet, Charles devait tout bonnement l'ignorer. Mais elle n'en parla point: c'eût été inconvenant de le faire.

— Comme je suis contente pour toi! explosa-t-elle subitement, en se jetant dans les bras de son amie.

Puis elle embrassa également Claude et le félicita chaudement. C'est alors que Charles vit des larmes perler sur les cils de sa compagne. Il fut le seul, cependant, à comprendre leur signification réelle. Toutefois, elle dut trouver une explication fortuite à ces larmes subites, bien que pour les dissimuler elle s'efforçât ardemment de sourire.

— Je suis tellement émue, voilà maintenant que je pleure! allégua-t-elle, légèrement mal à l'aise.

Charles vint à sa rescousse, sortit son mouchoir et lui tamponna les yeux tout en faisant des gestes drôles, à la façon d'un magicien. Elle le regarda, se mit à sourire, et sa tristesse, comme il l'espérait, se dissipa.

Jusqu'à l'heure du souper, les deux jeunes femmes ne parlèrent plus que de layette.

— Dès que vous aurez loué un appartement, je t'aiderai, Thérèse, à l'installer. Il ne faudra pas trop te fatiguer. Toi, quand j'y pense, une future mère! fit-elle, maintenant tout à fait remise de ses émotions.

Claude, qui venait de prêter l'oreille à leur conversation, souligna:

— Si nous pouvions trouver rapidement un logis de quatre à cinq pièces, à prix abordable, et pas trop loin du collège où j'enseignerai, nous serions comblés.

— Je vous laisserai ma voiture la semaine prochaine, aussi souvent que mon travail me le permettra; ainsi, vous pourrez vous déplacer plus facilement.

Claude, visiblement gêné, accepta avec une certaine hésitation la proposition de Charles. Il fut également convenu que May les accompagnerait dans leurs recherches ce qui lui fit, bien sûr, un très grand plaisir.

Après la soirée, quand ils se retrouvèrent seuls dans l'intimité de leur chambre à coucher, May, qui songeait toujours à ce petit «truc très simplet», épilogua très ouvertement avec son compagnon et l'exhorta à en discuter lui-même avec Claude, espérant fortement qu'à l'aide d'une nouvelle recette elle deviendrait enceinte à son tour. Charles, comme elle le craignait, ne voulut rien entendre, mais, toutefois, la rassura en disant qu'il n'existait pas d'autres «trucs» que de faire l'amour tel qu'ils le faisaient eux-mêmes.

— Et si ma mémoire est bonne, affirma-t-il, nous avons fait plus souvent l'amour ensemble, jusqu'à maintenant, que je ne l'ai fait avec Lilian en six ans de mariage. Écoute-moi, May; n'y pensons plus! Cela ne servira à rien d'autre qu'à nous faire de la peine!

Or, malgré ce conseil pertinent, elle mit du temps à s'endormir, et n'y parvint finalement qu'après avoir déversé sur l'oreiller le trop-plein de son chagrin.

* * *

Le lundi matin, alors que Claude était allé rencontrer le directeur du collège où il devait enseigner, les deux femmes se retrouvaient seules, à la grande satisfaction de May. Depuis l'arrivée de son amie, elle évitait avec préméditation un sujet qui, pourtant, lui tenait bien à cœur; il s'agissait, bien sûr, de son père. Aussitôt, elle s'informa de lui, et Thérèse lui souligna qu'elle lui avait rendu visite avant son départ, que tout allait bien, et que cousine Éva prenait bien soin de lui et de la maison. Non rassurée, May baissa le ton, comme si quelqu'un pouvait les entendre, et dit d'une voix inquiète:

— Se doute-t-il de quelque chose?

— Non, je ne crois pas! Il m'a longuement parlé de toi, et, comme je partais, il a murmuré entre ses dents: «Charles devra se chercher pour l'automne une autre secrétaire que ma fille. Sa place est ici avec moi!»

— Il a dit ça!

Ah! mon Dieu, il avait dit ça! Et son sang ne fit qu'un tour dans ses veines.

Thérèse secoua la tête et profita encore de l'occasion pour lui répéter qu'elle s'était bien volontairement fourrée dans un tel pétrin.

— Ah!... soupira May, si tu savais combien j'aurais préféré au moins mille fois lui dire la vérité que d'inventer toute cette histoire de secrétaire. Je t'assure que j'ai pourtant bien essayé... mais il n'était pas prêt à l'entendre. Après le départ de Charles, en avril, je lui ai tout bonnement mentionné que Monsieur Grandmont était un homme charmant, qu'il me plaisait bien. Sais-tu ce qu'il m'a répondu? «Oublie-le, il n'est pas un homme pour toi.» Et, vois-tu, j'avais promis à Charles de venir le rejoindre au début de mai. Que voulais-tu que je fasse? Il n'y avait pas tellement d'autres solutions... et j'ai choisi après réflexion celle qui, pour l'instant, présentait le moins d'inconvénients.

— Et Charles, est-il au courant de tes manigances?

— Non! Penses-tu! Il ne sait rien de tout ça.

Thérèse parut si étonnée qu'elle en était comique à voir, et May se mit à sourire de son expression.

— Et il ne t'a pas questionnée sur la façon dont se sont déroulées les explications avec ton père? demanda-t-elle, les yeux agrandis.

— Bien sûr! Il a même paru surpris d'apprendre que papa ne s'était pas objecté à mon départ.

— Qu'as-tu fait pour détourner ses soupçons?

— Je ne m'en souviens plus!... Oui, ça me revient, dit-elle en souriant. C'est la sonnerie du téléphone qui m'a sauvée! Par la suite, il ne m'en a plus reparlé. Grâce au ciel, il a dû oublier; il ne savait plus trop où mettre la tête, cet été, tant il a été débordé d'ouvrage.

— Quel phénomène tu es, May! Au moins, es-tu heureuse dans toute cette vie compliquée? demanda Thérèse, dont la simplicité était la principale qualité.

May offrit à son amie un visage illuminé d'un remarquable sourire. Son regard pétillait d'une vibrante sincérité quand elle avoua:

— Oui, très heureuse. Si tu savais combien nous nous aimons, Charles et moi... Nous ne pourrions jamais vivre l'un sans l'autre...

Soudain, son regard se voila tristement.

— Néanmoins, poursuivit-elle, la seule ombre dans ma vie est de n'être pas mariée comme tu l'es! Rien ne me ferait plus plaisir que d'épouser Charles devant Dieu, de porter officiellement son nom... et d'avoir un bébé, moi aussi.

Thérèse hocha longuement la tête: évidemment, elle la comprenait! Puis, tout en causant, elle dut lui avouer, bien maladroitement d'ailleurs, que, malgré la promesse formelle qu'elle lui avait donnée de garder le secret au sujet de cette union avec Charles, elle avait dû, par la force des choses, en informer sa mère.

— Tu comprends, quand elle a su que je venais habiter chez toi plutôt que chez mon frère, elle m'a questionnée en long et en large; un interrogatoire en règle, ma chère! Tu la connais, on ne lui passe pas des lièvres pour des lapins!

— Et qu'a-t-elle dit, quand elle a su? dit May, retenant son souffle.

— Rien!... Elle était là, incapable de prononcer le moindre son.

May fronça les sourcils: après tout, que pouvait-elle faire d'autre? Néanmoins, il fallait réagir, trouver vite une solution, car c'était l'évidence même qu'un jour ou l'autre tout le village saurait... Et May déjà, les doigts crispés sur sa tasse, entendait les rumeurs: «Une putain!... La fille de l'Indien a léché les bottes du patron... Elle s'est vautrée dans la boue... la salope..!» Voilà, désormais, ce que l'on dirait d'elle... cent lieues à la ronde. Oui, il fallait faire vite, il fallait sur-le-champ élaborer une idée, et la seule qui la laverait de tout soupçon était celle-ci: qu'elle soit mariée!

— Dis-moi, Thérèse, ta mère sait-elle que Charles est marié?

— Non... Je ne crois pas. En tout cas, je ne le lui ai jamais dit!

Et les yeux de May se mirent soudain à briller de joie. Assitôt, elle conjura Thérèse d'écrire à sa mère afin de lui annoncer son prétendu mariage, mais Thérèse refusa catégoriquement, soutenant qu'elle était incapable d'un tel mensonge. Acharnée comme May l'était, il lui en fallait bien davantage pour la désarçonner; aussi, elle insista, supplia même, la larme à l'œil, et, à la fin, ne trouvant plus d'objection valable, Thérèse consentit à y réfléchir.

— Tu as raison, nous prendrons le temps de réfléchir, opina May comme si elle lui eût laissé un libre choix. Ça me paraît plus sage, vu les circonstances, que j'obtienne le consentement de Charles. Après tout, c'est lui, le marié!

Elle ébaucha un sourire puéril.

— Et puis, ce serait une bonne chose aussi, ajouta-t-elle, que mon père soit également mis au courant...

Mais, à l'idée de devoir renseigner son père, son cœur se mit à s'agiter. Ouf! Elle préféra pour l'instant ne pas y songer.

Et le soir même, au souper, on tint conseil et Charles partagea l'avis de May.

— C'est définitivement le moyen le plus sûr, affirma-t-il, d'empêcher les mauvaises langues de potiner. Ensuite, qui, parmi les villageois, pourra vérifier l'exactitude de ce prétendu mariage, à part May et moi, puisque nous nous serons mariés le mois dernier dans la plus stricte intimité?

Cet argument, qui tirait Thérèse d'une fâcheuse position, fut le plus valable de tous et clôtura le débat.

* * *

Dès le lendemain, le trio se précipita à la recherche du logement en question avec ardeur et espérance. Le premier soir, au retour, rien de passionnant n'avait retenu leur attention. Cependant, la confiance régnait sans restriction; demain, ils trouveraient sûrement!

Les jours suivants se passèrent comme le premier. Aucun logis convenable ne leur était offert; ils étaient soit trop grands, soit trop petits, et lorsque les dimensions plaisaient, c'était le prix qui ne convenait plus. L'enthousiasme s'émoussa graduellement, pour s'éteindre complètement le vendredi, lorsqu'ils revinrent bredouilles à l'appartement de la rue Sherbrooke.

Également préoccupé du sort de ses amis, Charles, qui sortait du bureau en ce samedi midi, remarqua soudain que, sur la porte de la maison d'en face, une pancarte «Logement libre à louer» était nouvellement affichée. Il s'y précipita aussitôt et demanda à voir les lieux. Une heure plus tard, accompagné des principaux intéressés, il revenait visiter. La délibération fut rapide car le logement était attrayant et le prix raisonnable. Aussi, le bail se signa sur-le-champ.

La semaine suivante, le jeune couple explora les magasins afin de meubler les pièces de première importance. Les achats terminés, Claude s'affaira immédiatement au nettoyage du logis, tandis que Thérèse et May arpentaient à nouveau les magasins afin de trouver à bon compte le tissus nécessaire à la confection des tentures et des rideaux. En parcourant les annonces classées, May dénicha pour son amie une machine à coudre d'occasion. Aussitôt, elles se lancèrent toutes deux à corps perdu dans la couture. À la fin du mois, l'installation était pratiquement terminée, au grand soulagement de tous.

* * *

Ce dernier dimanche d'août, en rentrant de l'église, May se laissa choir sur le premier fauteuil du salon, si fatiguée qu'elle n'arriva plus à se relever.

Charles haussa les épaules.

— Tu es surprise? C'était à prévoir, il me semble! Ça fait exactement trois semaines que tu travailles, sans relâche, du lever au coucher...

— Et toi? répondit-elle vivement, ça fait exactement quinze ans que tu suis le même régime, et tu n'as pourtant pas l'air d'un moribond!

— Justement! J'ai un certain entraînement que tu n'as pas, que tu n'auras probablement jamais et que, par chance, tu n'as pas besoin d'avoir.

May lui lança un regard ombrageux.

— Tu crois que je n'ai jamais travaillé de ma vie, hein?

— Je n'ai pas dit ça... Euh, peut-être!... Jamais aussi intensément, en tout cas, crut-il bon d'ajouter. La preuve? Regarde-toi, tu es à bout!

— Qui s'occupait de maman, jour et nuit, quand elle était mourante? Et tu n'appelles pas ça du travail intense? dit-elle, d'une voix mordante.

— Oui, en effet!... Mais tu avais l'air d'une moribonde, aussi, déclara-t-il.

Maintenant, elle le regardait furieusement. Il se mit à sourire.

— Comme tu es soupe au lait! dit-il.

Il jeta un coup d'œil à sa montre et ajouta doucement:

— Il n'est que dix heures et quart; si tu allais t'allonger un peu? Après, ça ira mieux!

— Enfin, un conseil pertinent et charitable, dit-elle, en se relevant si péniblement qu'on eût pu croire qu'elle avait cent ans.

Mais en atteignant le pas de la porte, elle se retourna en se tenant la hanche et demanda d'une voix lasse, à peine perceptible:

— À quelle heure joues-tu au tennis avec Claude, cet après-midi?

— De deux à quatre mais je désire être au Club une demi-heure à l'avance.

— Alors, ne me laisse pas dormir plus tard que midi. Je peux me fier à toi?

— Comme d'habitude, chérie!

* * *

May s'isola dans sa chambre alors que Charles, après avoir retiré son veston et sa cravate, enfila un pull-over et se dirigea vers la galerie avec son journal. L'air de la matinée était frais en l'absence du soleil: en effet, celui-ci n'atteignait cette partie de la maison que sur l'heure du midi et y demeurait jusqu'au crépuscule.

Charles s'installa confortablement sur une chaise de jardin et allongea ses jambes sur celle d'en face. Il alluma une cigarette, prit son journal, le feuilleta lentement et, à son habitude, s'attarda aux pages financières. La sonnerie du téléphone le tira de ses calculs. Vivement, il se précipita vers l'appareil de la cuisine. La voix de cousine Éva lui parvint au bout du fil si péniblement qu'il eut du mal à l'entendre, et ce n'est qu'après maintes répétitions qu'il comprit qu'elle désirait parler à May. Celle-ci, fort heureusement, ne dormait pas encore; il lui dit précipitamment:

— Cousine Éva est au téléphone et désire te parler.

Le visage de May devint aussi pâle que le drap, et ses lèvres tremblèrent légèrement. Elle sauta en bas du lit et courut vers l'appareil. Charles la rejoignit, visiblement inquiet lui aussi. Aussitôt, elle s'enquit de la raison qui motivait cet appel. Un long moment, suspendue à l'appareil, elle écoutait fébrilement, et Charles, qui la connaissait bien, lisait l'affolement dans son expression. Finalement, elle entrouvrit les lèvres et dit, bouleversée:

— Comme vous avez bien fait! Il faut absolument faire venir le médecin, et tout de suite. Surtout, ne vous préoccupez pas de lui, vous m'entendez!

Sa voix était nerveuse, ses gestes saccadés. Elle regarda l'heure; certes, il était trop tard pour prendre le train du jour. Charles, anxieux, exigea des explications. En quelques mots, elle lui résuma l'affaire: son père avait eu hier un accident. Un coup de hache lui avait ouvert la jambe, formant une large entaille qui, en plus de le faire terriblement souffrir, avait beaucoup saigné. Puis elle ajouta en direction de son interlocutrice, mais sur un ton plus calme cependant:

— Cousine Éva, si le médecin ne pouvait venir le voir immédiatement, informez-vous des soins à lui donner en attendant sa visite. N'oubliez surtout pas de mentionner qu'il souffre beaucoup! Moi, j'arriverai demain par le train. Maintenant, je vous en prie, ne le laissez plus seul tant que je ne serai pas là.

Quand elle ferma l'appareil, elle était d'une pâleur extrême. Une vive inquiétude la terrassait. C'était la première fois, à sa connaissance, que son père était blessé. Jamais, non plus, il n'avait été malade, et le froid de l'hiver n'avait aucune emprise sur lui. Pour May, il n'était pas tout à fait un homme comme les autres. En plus d'être son père... il était aussi un Indien, un être fort de race supérieure, doté, par quelques pouvoirs bénéfiques, d'une certaine invulnérabilité à toutes ces faiblesses inhérentes à la nature humaine.

Et Charles, qui la voyait défaillir peu à peu, s'écria:

— Assieds-toi un moment, je t'en prie, sinon tu vas t'évanouir!

Et il se précipita au salon et revint avec un verre de cognac.

— Bois! Ceci te remettra d'aplomb.

Elle avala son verre d'un trait, en grimaçant. Aussitôt, elle sentit des sueurs moites couler sur son corps et porta la main à son front.

— Mon Dieu! ma tête tourne... Charles, j'ai la nausée!

Il la souleva prestement et la dirigea vers la salle de bains, où elle vomit tout son déjeuner. Puis il l'aida à regagner son lit. Il ouvrit la fenêtre à sa pleine grandeur; un courant d'air frais s'installa immédiatement, et elle se sentit revivre lentement.

— Te sens-tu mieux maintenant? demanda-t-il, angoissé, tout en s'asseyant à ses côtés.

— Oui, ça va, merci. Je ne sais pas ce qui s'est passé. Tout à coup, le cognac m'a levé le cœur.

Elle respirait à pleins poumons, et ses joues presque aussitôt se colorèrent.

— Alors, pourrais-tu me donner plus de détails au sujet de cet accident? Ton père s'est-il blessé... lui-même?

Il prononça cette phrase si banalement qu'elle ne s'y attarda pas dans son bouleversement.

— Oui, dit-elle. La hache a glissé de ses mains et le coup a rebondi sur sa jambe... Pauvre papa, il souffre beaucoup! Il a été incapable de dormir; sa blessure élançait terriblement. Heureusement, cousine Éva a su maîtriser l'hémorragie en lui bandant la jambe... J'espère que la plaie ne s'infectera pas! S'il fallait qu'il perde la jambe, Charles, qu'est-ce qu'il deviendrait?

Elle s'était brusquement redressée sur son lit; un profond désarroi affolait son regard. Il lui tapota l'épaule et dit d'une voix rassurante:

— Ne t'énerves pas comme ça, May! Ce n'est pas la première fois qu'un tel accident se produit aux chantiers. Ton père a une robuste constitution; il va s'en sortir avec de bons soins médicaux.

Elle hocha la tête. Son regard était lointain.

— Je prendrai le train demain matin. En arrivant à Mont-Laurier, je me rendrai directement chez le docteur Dumoulin pour le prier de venir l'examiner au plus tôt, si ce n'est pas déjà fait.

Charles approuva et dit, légèrement embarrassé:

— J'aimerais bien t'accompagner, mais je ne peux vraiment pas m'absenter cette semaine: j'ai trop à faire. Je te rejoindrai la semaine prochaine et je ferai en même temps la visite des chantiers.

Sa voix se fit plus volontaire pour ajouter:

— Ton père est si têtu qu'il ne faut rien laisser au hasard. Sois ferme avec lui et vois à ce qu'il reçoive les meilleurs traitements... Tu m'entends, May? Les meilleurs traitements!

III

Allan Téwisha fumait sa pipe distraitement. Son regard traversait la fenêtre et rejoignait la clairière où deux chevaux couraient dans l'enclos. Assis dans la chaise berçante, la jambe allongée sous d'énormes bandages, l'Indien subissait, silencieux, ce misérable état d'immobilisation. Cependant, quiconque le connaissait bien aurait pu lire dans ses yeux noirs qu'il était d'une humeur exécrable.

Éva dressait la table pour le souper. Seul le crépitement des grillades de lard sur le feu rompait le silence de la pièce. Soudain, la porte de la cuisine s'ébranla brusquement, laissant apparaître une jeune femme si élégante que les résidents de la maison demeurèrent muets d'étonnement.

Allan posa sa pipe et tendit les bras à sa fille. May se précipita vers lui et l'embrassa affectueusement. Puis elle s'agenouilla à ses côtés, et il prit ses mains entre les siennes et les baisa religieusement. À la fois ému et heureux, il murmura pour elle toute seule:

— Ces trois lunes sans ma petite fleur du printemps m'ont paru une éternité...

Les yeux de May s'embuèrent de larmes. Finalement, en s'efforçant, elle réussit à sourire et s'informa:

— Et puis, mon petit papa, comment va cette jambe?

— Le médecin est passé ce matin.

— Oui, je sais, répondit-elle. Je suis arrêtée à son bureau en descendant du train, et il m'a répété tous les conseils qu'il te faudra suivre pour guérir rapidement.

L'Indien eut un geste dédaigneux.

— Y m'a cousu la jambe avec du fil et une aiguille comme si la peau pouvait pas se coller toute seule. Pis y a étendu un liquide brun. Comment y a appelé ça, Éva?

— Du désinfectant, dit savamment la cousine.

— C'est ça, du désinfectant! Y a jeté toute sa bouteille sur la chair vive. Cette cochonnerie-là, ça brûlait comme du feu! Après, y était pas encore content, y a fallu qu'y m'enveloppe la jambe avec du coton, et maintenant, regarde ce que ça a l'air: un tronc mort!

— Et, reprit May qui s'était mise à sourire de son langage coloré, il t'a ordonné de laisser ta jambe allongée et t'a défendu de marcher pendant trois jours, jusqu'à sa prochaine visite.

Allan Téwisha plissa les yeux sombrement, et May sut, à cette attitude, qu'il se hérissait.

— Bah! y faut pas trop s'occuper de tout ce qu'y disent, les docteurs. Avec eux, la moitié du monde passerait sa vie couché.

La jeune femme pointa son index et secoua la tête.

— Nous allons suivre à la lettre, mon petit père, tous les conseils du docteur Dumoulin. Crois-moi, c'est la seule façon de guérir vite!

L'Indien saisit sa pipe, se renfrogna et fit la sourde oreille. May déposa sur la joue rêche un tendre baiser. Puis elle se leva pour aller embrasser sa cousine.

— Comme tu es belle, ma petite May! J'ai eu du mal à te reconnaître avec toutes ces belles toilettes. Tu as l'air d'une grande dame. Ta mère serait si heureuse si elle te voyait ainsi.

May se sentit subitement mal à l'aise. Vraiment, ce n'était pas le moment de mêler sa mère à tout ça!...

— Vous croyez, cousine Éva?... Moi, je ne sais pas, dit-elle.

Mais elle pensa: «J'en douterais.» Retrouvant vite son aplomb, elle ajouta:

— Je vous remercie de tous ces bons soins que vous avez prodigués à mon père.

— Mon Dieu, n'en parlons pas! C'est la moindre des choses. Je suis si bien dans cette maison, et ton père est si peu exigeant.

May esquissa un sourire de satisfaction. Eh bien, tant mieux si elle se plaisait chez son père! Et, tout en jetant un coup d'œil sur la table (elle avait une de ces faims), elle se trouva soulagée d'un poids très lourd.

— Je vais aller déposer ma valise dans ma chambre, et nous pourrons nous mettre à table puisque le souper est prêt, dit-elle en reluquant les grillades de lard.

Elle empoigna sa valise et se dirigea prestement vers l'escalier.

— Quand Charles doit-il venir? demanda Allan, sans quitter des yeux cette petite robe bleu pâle qui se mouvait gracieusement sur la hanche.

— La semaine prochaine, je crois!

— J'espère que tu lui as dit de s'trouver une nouvelle secrétaire, l'été est quasiment fini.

Elle ne répondit pas, mais retint son souffle, et le père ajouta, les yeux toujours fixés sur sa fille:

— À t'voir vêtue comme une princesse, y doit offrir un bon salaire. Y aura donc pas de difficulté à t'remplacer!

May baissa les yeux, et un lot de sang lui colora les joues. Sans tarder, elle disparut dans l'escalier.

* * *

Les journées suivantes s'écoulèrent sans que May pût se retrouver seule avec son père. Elle désirait lui dire la vérité et tout lui expliquer de sa vie avec Charles, mais la présence de cousine Éva ne facilitait guère les confidences.

La semaine d'après, Allan eut la permission de marcher, sans toutefois faire d'excès.

Le mardi, la journée était radieuse, et dans l'après-midi l'Indien requit le bras de sa fille pour une petite promenade jusqu'à la rivière. Il apporta avec lui sa canne à pêche, histoire de taquiner la truite, alors que May, elle, s'équipa de courage.

Ils traversèrent le chemin de terre battue et pénétrèrent lentement dans la forêt, empruntant le petit sentier ombragé. Allan, tout en s'appuyant sur sa fille, marchait péniblement, et celle-ci le priait de se reposer.

— Ça va, ça va! Cette gueuse de jambe, même si elle est pesante comme du plomb, elle est mieux de s'y faire et d'guérir au plus vite, j'en ai assez! dit-il, refusant même de s'immobiliser quelques instants.

Soudain, il cessa de grogner, leva la tête en plissant les yeux et embrassa d'un long regard ce paysage familier qui l'émerveillait toujours.

— Ma petite fille, reprit-il après un long silence, y a ben longtemps que nous avons pas marché ensemble dans ce beau paradis. Quand tu étais une enfant, tu me suivais partout. Te souviens-tu?

— Oh! si, papa, je me souviens comme si c'était hier. Dans la forêt, on se sent à l'abri du temps. La vie évolue sans se transformer: en tout cas, jamais au point de ne plus la reconnaître. Je retrouve aujourd'hui les mêmes sentiers où je courais enfant. Ici, les pins sont plus hauts et plus robustes, et là, les épinettes ne forment plus qu'une épaisse agglomération, mais ils sont toujours là avec une splendeur inégalée. Ici, je redeviens la petite fille d'autrefois et je me sens chez moi.

— T'es de ma race, May! Nous pensons, toi et moi, d'la même façon. La vie a d'l'importance que pour les choses qui demeurent.

Soudain, il se tut, s'immobilisa, et May, qui le connaissait bien, l'imita, présumant qu'il avait flairé la présence d'un animal. Toutefois, sans même l'avoir aperçu, son ouïe d'une finesse remarquable avait saisi le bruissement à peine perceptible. Il sut l'identifier et indiquer sa position.

— Un lièvre est derrière nous, à une quinzaine de pieds environ.

May, qui n'avait rien entendu du tout, retourna vivement la tête et vit le petit animal dressé ingénument sur ses pattes de derrière et à demi dissimulé sous les buissons. S'il avait eu son fusil, le tuer n'était plus pour lui que l'ombre d'un détail.

Elle sourit à son père.

— Tu es un grand chasseur! Sûrement le plus grand de toute la race!

Venant de sa fille, l'hommage était ultime. Aussi, une lueur de fierté enflamma son regard.

Finalement, ils atteignirent la rivière où l'eau d'un calme miroitant était d'une limpidité cristalline. Allan prit place sur une souche, allongea avec précaution la jambe malade sur le sol, garnit l'hameçon d'un appât et d'un geste ample du bras lança habilement la ligne très loin de la berge.

May, plus anxieuse que jamais, retrouva son rocher. Son cœur tambourinait fortement dans sa poitrine, et sous ses aisselles de grands cercles humides mouillaient sa blouse. Au bout d'un long moment de silence, elle interpella son père:

— Papa, j'ai beaucoup de choses à t'expliquer, fit-elle courageusement.

Il la regarda, songeur, et prêta l'oreille comme il savait si bien le faire. Mais les mots se comprimaient dans sa gorge, et, impuissante, elle ne parvenait pas à les prononcer. D'un geste saccadé, elle brisait en mille miettes la branche morte qu'elle tenait entre ses doigts.

Allan plissa des yeux interrogateurs.

— Qu'y a-t-il, May, de si terrible à expliquer pour en devenir aussi nerveuse?

— Je t'ai menti effrontément et ce n'est pas facile à avouer, murmura-t-elle, les lèvres tremblantes.

L'Indien retourna brusquement la tête, et son visage se durcit. Son profil était de bois. Malgré tout, elle poursuivit vaillamment:

— Je n'ai pas été la secrétaire de Charles Grandmont...

D'une voix brutale, il s'écria:

— T'as fait quoi à Montréal, tout l'été, alors?

— Je partage la vie de Charles comme une femme partage la vie de son mari.

La colère fit blêmir le visage de l'Indien.

— Ma fille, une putain! La maîtresse du patron!

May se souleva d'indignation

— Non! Je ne suis pas sa maîtresse, je suis comme sa femme... Nous avons échangé des promesses entre nous. Il m'a juré qu'il n'y aurait jamais aucune autre femme dans sa vie et que je serais sa compagne pour toujours... Je lui ai fait le même serment!

— Ouais, ben, qu'y t'épouse! cria Allan rageusement.

— Tu sais bien qu'il ne peut pas m'épouser... Il est déjà marié.

Un silence lourd comme l'orage tomba entre eux. Elle ferma les yeux, essayant de puiser au fond de son âme les mots susceptibles d'attendrir son père.

— Écoute, papa, fit May, suppliante. Tes parents à toi ne se sont jamais épousés devant Dieu, et pourtant ils ont été unis toute leur vie... Et tu les as toujours estimés...

L'Indien fixa sa fille avec un regard sombre comme la haine et hurla en sa langue maternelle le trop-plein de sa colère. Point besoin de connaître celle-ci pour comprendre la teneur de ses paroles et May n'eut qu'à observer ses yeux et l'expression de son visage pour tout saisir, d'un seul coup.

Sans aucune transition, ni même une pause de la voix, il poursuivit en français:

— Te sers jamais de l'exemple de tes grands-parents pour t'excuser. Y étaient, eux, d'une race courageuse et héroïque. À eux seuls, y valaient toute une colonie de Blancs. Oui, toute une colonie de Blancs réunis! Toute leur vie, y se sont débattus pour survivre. Même s'y ont pas réussi à conserver ce pays comme qui était nôtre, y faut pas croire qu'y ont refusé le combat. Plus d'la moitié de mes frères y ont laissé leur peau. Ah oui! y étaient très courageux, tes ancêtres, ma fille! Et mets-toi ben dans la tête que, d'après nos coutumes, y étaient mariés. S'il te plaît, te compares pus jamais à eux! Avec ta lâcheté et ton manque de courage, y rougiraient de savoir que tu portes leur nom.

Se sentant maintenant impuissante à convaincre son père, un flot de larmes brouilla soudainement son regard et se déversa sur ses joues. Elle gémit sans aucun orgueil.

— Je l'aime, papa, Je l'aime tant! Jamais je ne pourrai vivre sans lui... Il est toute ma vie!

— Ça suffit pour aujourd'hui! J'veux pus rien entendre, j'rentre à la maison.

Allan se leva avec l'aide d'un morceau de bois, refusant l'aide de sa fille, et emprunta le chemin du retour.

Ce soir-là, May s'enferma dans sa chambre sans souper. Allan non plus n'avait pas faim. Èva mangea seule, sans s'expliquer, toutefois cette absence d'appétit de part et d'autre.

* * *

Le reste de la semaine se déroula dans le silence le plus absolu. Le père ne regarda plus sa fille et l'ignora complètement. May, de nature moins indépendante, éprouvait une grande difficulté à supporter cet isolement, si bien que sa santé s'en trouva fortement compromise. Elle vomissait après la moindre absorption d'aliments et passait de longues heures au lit, pouvant à peine se tenir sur ses jambes. Toutefois, voyant ses malaises s'éterniser, Allan, sans le laisser paraître, était fort inquiet à son sujet. Aussi, il envoya Éva au village téléphoner au médecin.

C'est pendant l'absence de la cousine que Charles fit son apparition. Il descendit de voiture et vit Allan qui sortait de l'écurie. Bien que claudiquant encore légèrement, ce dernier affichait une mine resplendissante, et Charles, tout en se dirigeant vers lui, souriait, heureux de le voir si bien portant.

* * *

— Bonjour, Allan, Je suis réconforté de constater que votre jambe est presque guérie! J'étais très inquiet à votre sujet, et comme j'ai dû m'absenter de Montréal, May n'a pu me rejoindre pour me donner de vos nouvelles.

Le visage de l'Indien demeura impassible, mais il lança avec toute la froideur dont il était capable:

— J'vous remercie, Monsieur Grandmont, de l'intérêt que vous m'portez et spécialement de celui que vous avez manifesté à ma fille l'été dernier.

Devant cette arrogance injustifiée, le visage de Charles s'assombrit sur-le-champ. Allan Téwisha s'approcha de son visiteur, et celui-ci put lire dans ses yeux de jais une sourde colère, teintée de mépris.

— Jamais on m'a trompé à ce point, Charles Grandmont! Y a fallu que ce soit vous, un homme que j'estimais et considérais comme un ami. Vous êtes un lâche et j'vous méprise pour avoir attiré ma fille comme secrétaire et vous en être servi ensuite comme maîtresse.

Charles fronça les sourcils, crispa les mâchoires et dut faire un puissant effort pour se contenir.

— Je ne comprends rien à ce que vous me dites, articula-t-il, sans desserrer les dents. Je n'ai pas eu votre fille comme secrétaire et May n'est pas ma maîtresse.

L'Indien le fixa d'un air incrédule.

— Qu'est-ce qu'elle a fait à Montréal, tout l'été, hein?

— May avait promis de venir partager ma vie en mai. Nous avions échangé mutuellement des promesses, et depuis je la considère comme ma femme et ma compagne. De toute façon, avant de venir me rejoindre, elle a dû vous mettre au courant de nos projets. Je voulais vous en informer moi-même, mais elle a beaucoup insisté pour que ce soit elle qui le fasse.

Allan, perplexe, baissa les yeux, cherchant à discerner la vérité. Depuis le temps qu'il connaissait Charles, celui-ci s'était toujours montré d'une loyauté sans équivoque. Par contre, May avait menti, puis avoué le méfait. Était-il possible que, après avoir passé l'été à vivre ensemble, il ne se fût pas aperçu des manigances de sa fille? Il décida de lui accorder le bénéfice du doute et crut bon de changer d'attitude.

— Je m'excuse d'mon emportement, dit-il avec toutefois une certaine méfiance. J'vous croyais de connivence avec elle dans cette histoire de secrétaire.

— Je ne comprends pas, dit Charles sèchement. Qu'est-ce que cette histoire de secrétaire?

— Ma fille m'a dit après votre visite de Pâques que votre secrétaire vous quittait pour la période de l'été et que ça vous dépannerait si elle acceptait d'venir la remplacer pour la saison.

La lumière jaillit soudain dans son esprit, et il se reprocha aussitôt son manque de perspicacité, car jamais, à sa souvenance, May ne lui avait formulé de réponse précise et claire au sujet de cet entretien qu'elle avait dû avoir avec son père avant de venir le rejoindre. Un remous de colère le souleva au plus profond de lui-même, d'avoir été dupé aussi facilement.

— Je comprends votre réaction et je partage, en ce moment, l'irritation qui vous habite. Je ne sais pas pourquoi May a dissimulé la vérité, Allan, mais je réprouve tout autant que vous cette façon d'agir. Elle était donc chez moi sous de fausses représentations, et, sans votre consentement, elle partageait ma vie. Ce n'était pas la règle du jeu. Elle devra s'expliquer devant nous.

L'Indien sortit sa pipe de sa poche, la bourra, l'inséra entre ses lèvres et l'alluma.

— Charles, j'admets pas pour autant qu'elle vive avec vous!

La réponse était directe, on ne peut plus! Charles le fixa longuement et hocha la tête; non pas qu'il acceptait la défaite — il ne pourrait plus désormais vivre sans May — mais il s'expliquait volontiers la révolte d'un père en de telles circonstances. C'est sous cet angle-là qu'il s'engagea à débattre sa cause.

— Votre point de vue est très compréhensible. Croyez-moi, je suis désolé que nous en soyons là. J'aurais préféré discuter de toutes ces choses avec vous dans une ambiance plus amicale, plus détendue... Je n'aurais pas dû me fier à May et je le regrette. Entre hommes, il est toujours plus facile de s'entendre.

Sans le quitter des yeux, l'Indien écoutait d'une oreille attentive, sachant bien que Charles était fin causeur et plus habile encore. Il le remarqua dans cette façon rusée qu'il avait de contourner le problème.

— Vous savez toute l'estime que j'ai pour vous, dit Allan en poursuivant son idée, mais si elle devenait votre femme, Madame Grandmont, j'veux dire, tout serait différent.

Charles sourit. Une lueur de victoire adoucit son regard.

— Déjà, au village, les rumeurs vont bon train au sujet de notre prétendu mariage.

Et il lui expliqua tout. Allan, stupéfait, demeura bouche bée.

— Ne soyez pas étonné outre mesure, reprit-il. D'ici quelques années, je pourrai l'épouser officiellement.

Il fit une pause. Un certain malaise le parcourut, du fait qu'il devait dévoiler sa vie privée, mais dans un tel cas certaines explications s'imposaient. Toutefois, c'est sur un ton confidentiel qu'il ajouta:

— Je suis allé à New York au début de la semaine; certaines affaires importantes... J'avais également reçu, quelques jours plus tôt, une lettre de ma femme, me priant de la rencontrer. Dans cet entretien que nous avons eu, elle m'a avoué être atteinte d'une maladie incurable. D'après les médecins, m'a-t-elle dit, il ne s'agirait plus que d'une question d'années ou de mois... C'est à ce triste sujet... du point de vue légal... qu'elle désirait me parler.

Après cette déclaration, un silence écrasant se glissa entre eux. Charles alluma une cigarette. Après quelques bouffées, la détente se produisit.

— Ce n'est pas très emballant, murmura-t-il, de fonder ses espérances sur le malheur des autres.

— Non! répondit Allan abruptement.

Ils marchèrent côte à côte. La tension entre eux se dissipa, et l'air soudain devint plus respirable.

— Où est May...? demanda Charles, visiblement gêné... Il y a presque onze jours que je ne l'ai vue...

— Elle est dans sa chambre... elle est malade, ajouta Allan d'un ton soucieux.

Il interrompit le pas et fixa Charles gravement.

— J'suis très inquiet de sa santé; aussi, j'ai envoyé Éva au village appeler le médecin.

Charles s'alarma.

— Elle est si malade que ça?

— Elle vomit sans arrêt depuis cette querelle au sujet de toute cette affaire... Ma pauvre p'tite fille est malade... et c'est ma faute, murmura-t-il d'une voix brisée.

Charles se précipita dans la maison. May, qui avait reconnu sa voix, atteignait les dernières marches tout en s'appuyant péniblement sur la rampe, tant elle était faible. En l'apercevant, elle lui tendit la main et s'écria:

— Enfin, te voilà! Comme tu m'as manqué, mon amour!

Ils se retrouvèrent aussitôt enlacés dans une longue étreinte et s'embrassèrent intensément. De très longs baisers... afin de combler la solitude de l'absence... pour oublier cette insupportable absence. Maintenant un bonheur infini les enveloppait, et rien d'autre n'avait de l'importance. Bien que l'œil restât impassible, Allan assista aux retrouvailles légèrement troublé et se rendit compte que leur amour était profond. Sa pensée se perdit dans le temps et rejoignit sa femme, l'amour qu'il avait vécu avec elle... Désormais, il ne s'objecterait plus à celui de sa fille... c'est ainsi, aussi simplement que ça, qu'il comprenait la vie! Mais il la protégerait!

Charles parcourut sa compagne d'un œil attentif, et une vive inquiétude le gagna.

— Bon Dieu, ce que tu es pâle, May! Tu dépéris! Je vais aller chercher le docteur Dumoulin afin qu'il t'examine à fond. Je ne veux pas te perdre, ma chérie!

Il l'aida à s'asseoir dans la berceuse. Alors, elle leva vers lui ses beaux yeux sombres.

— N'en fais rien, mon amour... J'attends un enfant... Oui, je suis enceinte! fit-elle en inclinant la tête.

Voyant sa stupéfaction, elle se mit à sourire.

— Ceci explique ces nausées qui me soulèvent l'estomac depuis quinze jours. Quand je suis allée chez le docteur Dumoulin pour lui demander de venir voir papa, je lui ai parlé de tous ces malaises. Il m'a examinée, et ensuite m'a confirmé que j'étais enceinte.

Charles crut un instant qu'il allait exploser. Était-ce possible? Avait-il bien entendu? Il tremblait de tous ses membres quand il s'agenouilla auprès d'elle.

— Répète-le pour voir si j'ai bien compris! Répète-le, je t'en prie, répète-le!

May approuva dans un sourire mouillé de larmes.

— Oui... C'est bien vrai!... Nous allons avoir un enfant. Dis-moi que tu en es très heureux! Après tout, nous ne sommes pas réellement mariés...

Il couvrit son visage et ses mains de mille baisers.

— Mariés ou pas, je suis fou de joie, ma petit chérie! Je n'espérais plus un jour connaître un tel bonheur: celui d'avoir un fils!

— Ou une fille, souligna May.

— Non, c'est un fils! Je le sais... Après tout, c'est moi qui l'ai fait!

Charles se releva, saisit Allan et lui donna l'accolade dans son exaltation.

— Vous avez entendu, Allan? Je vais avoir un fils! Moi, Charles Grandmont, il m'aura fallu attendre la fin de la trentaine pour avoir un fils. C'est incroyable! N'est-ce pas que c'est incroyable?

L'Indien se laissa choir sur une chaise et murmura pour lui seul:

— Ma mère a dit un jour que les astres étaient brouillés à ma naissance. J'vais finir par y croire!

Plus tard, quand le calme revint dans la maison, le père et la fille se regardèrent un long moment en silence. Puis Allan baissa les yeux, anéanti, dérouté, et finalement haussa les épaules en signe de capitulation. À ce geste de profonde indulgence, May dédia à son père son plus doux sourire.

— Mon fils s'appellera Tommy! Sera-t-il assez digne, lui, de porter le nom de son grand-père?

Allan, ému, regarda tendrement sa fille. Il se leva, se pencha sur elle et l'embrassa. Dans ce baiser venait de se conclure le pacte de la paix et d'une heureuse complicité.

Néanmoins, la nuit lui avait porté conseil, et au matin, lorsqu'il se retrouva seul avec Charles, il lui dit d'un ton haché et résolu:

— Dans cette union, aucune de vos lois ne protège ma fille. Si un jour vous la délaissiez avec son p'tit sur les bras, j'crois que j'serais capable de vous tuer, Charles!

L'œil était dur et l'attitude intransigeante. Charles savait bien qu'il ne badinait pas, et, sans déroger son regard du sien, il lui répondit avec la même fermeté:

— La plus puissante garantie est à mes yeux celle qu'elle porte dans son ventre... Ne vous inquiétez pas, Allan, aucun homme ne pourrait délaisser une femme comme May... à moins, bien sûr, d'être fou!

IV

Jamais encore la chasse aux canards n'avait été excellente comme celle-ci. Les frères Grandmont et leur ami Pierre Dussault descendirent de voiture, satisfaits, heureux et détendus comme des écoliers en vacances. Jacques ouvrit le coffre arrière de son automobile, et, devant l'amoncellement de gibier, une fois de plus ses yeux pétillèrent d'orgueil et de plaisir. C'était toute une chasse!

Les mains dans les poches, sifflant une rengaine entre ses dents, Pierre rejoignit les autres, admira à son tour et recalcula à haute voix:

— Nous avons tué trois fois plus de canards que l'automne dernier!

— Mais te souviens-tu du brouillard et de la pluie qu'il faisait, aussi, l'année dernière? souligna Charles. Et, en plus de ne rien voir, nous étions au fond de nos caches plus trempés que les canards sur le lac.

Le visage réjoui à l'évocation de ces souvenirs d'hier, il ajouta en riant:

— La pluie mise à part, on s'était quand même bien amusés!

Louis-Philippe, flottant dans ses vêtements de chasse, approuva, et son regard se fondit dans le temps.

— Entre nous, y a-t-il de plus beaux voyages au monde qu'une excursion de chasse ou de pêche? Pas de sonnerie de téléphone, pas le moindre dérangement, personne pour nous rejoindre; la sainte paix dans le calme le plus parfait, énonça-t-il en savourant presque ses paroles.

Déjà, les autres approuvaient d'une légère inclination de la tête, et maintenant une certaine nostalgie s'étalait sur leurs visages à la pensée que cette excursion si longuement attendue était désormais chose du passé. Combien de coups de téléphone avait nécessités la préparation de tout ce petit week-end? Car, étant tous les quatre absorbés par la vie et ses exigences, il leur avait fallu planifier des semaines à l'avance cette déviation à leur programme. Ainsi, chacun d'eux, en plus du plaisir réel que lui procurait ce sport, y trouvait aussi une sorte d'évasion, une certaine liberté de mouvement à faire seulement ce qui lui plaisait. Et voilà que maintenant ces belles heures de détente avaient fondu aussi rapidement qu'un bloc de glace sous le soleil des tropiques.

Par la fenêtre de la cuisine laissée légèrement entrouverte, parvint aux oreilles de Céline le bavardage des hommes; elle sut alors qu'ils étaient de retour. Se précipitant à la fenêtre, elle constata avec bonheur qu'ils étaient là, tous les quatre, et bien portants. Aucun accident regrettable n'était donc survenu durant cette excursion, ce qui l'avait tracassée au point de l'empêcher de fonctionner normalement. Elle soupira d'aise, avertit les autres, et la maisonnée tout entière accourut dehors.

— Dieu du ciel! Je n'ai jamais vu autant de canards de ma vie! s'écria-t-elle, demeurant figée sur place.

— Nous non plus! d'ajouter fièrement son époux qui, allongeant le bras, lui encercla la taille.

Plus élégante que jamais, Julie, perchée sur ses hauts talons, finalement arriva et roula elle aussi des yeux ronds d'étonnement.

— Mais qu'est-ce que nous allons faire de tout ça?

Jacques, jaloux des yeux qui la contemplaient, lui embrassa la joue et opina en riant:

— Nous allons les partager et nous n'en aurons chacun que le quart de ce que tu vois.

— Julie, si vous croyez en avoir trop de votre part, je me ferai un plaisir de vous dépanner, déclara le notaire en badinant.

Aussitôt, Jacques protesta d'un geste de la main.

— Merci de ton grand cœur mais nous les dégusterons tous, l'un après l'autre.

— Et, crois-moi, vieux frère, c'est la seule façon de savoir s'ils sont tous des petits frères, ces canards-là! lança Charles ironiquement.

On se mit à rire et on se relança les plaisanteries jusqu'au moment où Céline, songeant à son rôti, s'excusa et se précipita vers la cuisine. Jetant un coup d'œil à sa montre, Pierre s'étonna de l'heure et signifia qu'il devait quitter à l 'instant puisqu'il avait promis à sa femme d'être de retour à la maison pour le souper. On fit sur-le-champ le partage des oiseaux, tout en discutant de la chasse de l'automne prochain. Comme il s'apprêtait à partir, Charles l'invita à le suivre dans le pavillon et lui remit une enveloppe blanche scellée, tout en lui disant confidentiellement:

— Certaines circonstances de ma vie m'obligent à réviser la donation de mes biens. Cette enveloppe que tu garderas dans ton étude contient mes dernières volontés, s'il m'arrivait de disparaître subitement. Ce testament annule celui que j'ai fait antérieurement.

Le notaire acquiesça et demanda avec un léger sourire interrogateur:

— Tu te sens bien?

— En pleine forme, mon vieux! Je ne me suis jamais si bien porté!

* * *

Après le départ de Pierre Dussault, Charles suivit Louis-Philippe et Jacques dans la maison, mais fit un court arrêt à la cuisine, où Céline s'activait à la préparation du repas.

— Mathilde et Bernard doivent-ils rentrer tard de Saint-Jean?

— Non, je les attends d'une minute à l'autre.

Elle fixa son beau-frère, et son visage s'égaya d'un éclatant sourire. Tant de douceur valait bien la beauté sophistiquée de Julie, reconnut-il, dans un simple regard.

— Tu ne peux pas t'imaginer le plaisir que tu leur as fait en leur prêtant ta voiture pour la fin de semaine. Ils sont partis hier matin tout heureux comme des enfants.

— Tant mieux s'ils ont pu en profiter, répondit-il pensivement.

Et, d'un pas ferme, il se dirigea vers la bibliothèque, où il téléphona à son appartement de la rue Sherbrooke. À plusieurs reprises, la sonnerie résonna, en vain; personne ne répondit. Il vérifia l'heure: près de sept heures; l'heure du souper, et May n'y était pas! Il composa le numéro une deuxième fois. Non, il ne s'était pas trompé; effectivement, il n'y avait personne! Une vive inquiétude soudain le bouleversa. Serait-elle malade? Il réfléchit quelques instants et finalement composa le numéro des Gagnon. La voix calme de Thérèse lui arriva au bout du fil, réconfortante. Après les mots d'usage, il s'enquit aussitôt:

— Je suis à la recherche de May. Par hasard, serait-elle chez vous?

— Non, elle n'est pas ici. Mais rassurez-vous, elle est partie avec Mathilde et son mari à Saint-Jean. Ils l'ont invitée avec insistance, et, à la fin, elle s'est laissée convaincre de les accompagner.

Il étouffa tant bien que mal un soupir de soulagement, remercia Thérèse de l'avoir libéré de ses craintes et raccrocha parfaitement heureux de la tournure des événements. C'est d'un pied léger qu'il quitta la pièce pour rejoindre ses frères au salon. Un gin l'attendait sur la table à café. Il se cala au fond d'un fauteuil, et, longuement, encore émoulus d'enthousiasme, ils bavardèrent tous les trois de leur excursion. Quand la conversation s'éteignit, Charles se tourna vers Louis-Philippe mais, devenu subitement hésitant, porta d'abord le verre à ses lèvres comme pour se donner du courage, puis osa dire:

— Quel est le meilleur accoucheur de la ville de Montréal?

— Pourquoi? Tu attends un enfant? demanda Jacques en riant.

— Oui, c'est pour le printemps! Ça ne se voit pas?

C'est en toute humilité que le médecin énonça sur un ton plein d'humour, croyant bien, lui aussi, qu'il s'agissait d'un conseil pour un ami:

— Moi y compris, nous sommes au moins une bonne dizaine de réputés!

— Pourrais-tu me suggérer un nom, à part le tien, bien sûr, pour me faciliter la tâche?

— Le docteur Pierre Tremblay, à l'hôpital Notre-Dame; Rolland Vaillancourt, à la Miséricorde; Jacques Gagné, à Saint-Luc...

Charles leva la main et l'interrompit:

— Ça suffit! Et quel est le meilleur, selon toi?

— Connaissant mieux le docteur Tremblay que les deux autres, mon choix se fixerait naturellement sur lui.

Il le remercia sans toutefois ajouter l'ombre d'une explication, et, pendant un long temps, il demeura perdu dans ses réflexions. Louis-Philippe et Jacques se regardèrent, surpris, et à la fin haussèrent les épaules d'incompréhension. Néanmoins, le comportement étrange de Charles jeta un froid entre eux, mais celui-ci ne semblait pas s'en soucier, buvant son verre silencieusement et paraissant s'en délecter à chaque gorgée. Pour alléger l'atmosphère, Louis-Philippe crut bon de diriger la conversation sur des choses anodines.

— Il y a un bon moment que tu n'es venu à la maison, dit-il avec un certain malaise.

Charles acquiesça dans un hochement de tête et ajouta nonchalamment:

— L'été a passé si vite... et puis j'ai travaillé ces derniers mois comme jamais encore dans ma vie. François Desjardins est tombé malade: absent presque trois semaines. Denis a pris quelques jours de vacances et avec cinq chantiers à diriger en même temps, je n'ai eu guère le temps de faire autre chose. Ah oui! j'oubliais... À deux reprises, j'ai dû me rendre à New York discuter avec un client, et pendant ce temps mon contremaître à mes chantiers du Nord a eu un accident...

— Ouf! Arrête, lança Jacques, tu m'essouffles!

Louis-Philippe fronça les sourcils et soupira.

— Pourquoi travailles-tu ainsi? Je ne te comprends pas!

Charles le fixa dans les yeux.

— Que veux-tu que j'y fasse? Il y a certains moments dans la vie où on se trouve littéralement débordé sans le vouloir.

Jacques parut réfléchir.

— Peut-être manquez-vous de personnel?

— Bon Dieu, non! Nous avons engagé deux secrétaires supplémentaires, un troisième comptable, deux ingénieurs. Nous dépassons les cent cinquante employés. C'est toute une armée à diriger; ça, je peux vous le jurer!

— Cent cinquante employés! reprit le médecin, ahuri. Eh bien! je ne voudrais pas être à ta place, obligé de payer tous ces salaires-là!

Charles esquissa un sourire. Non, il ne le voyait pas à sa place, lui non plus, car sans l'ombre d'un doute la compagnie serait vouée irrémédiablement à la faillite. Avec son âme d'artiste, il n'avait pas hérité de la plus petite parcelle d'un tempérament d'homme d'affaires, ne sachant même pas tenir ses comptes personnels. Tout le monde savait, et lui aussi, que plusieurs patients lui devaient de l'argent, mais il ignorait le montant et surtout qui le lui devait. Le moins que l'on pût dire, c'est qu'il n'était pas ce qu'on pouvait appeler un collecteur encombrant.

Plongé dans ses pensées, Jacques se mit à sourire et leur dévoila ses réflexions.

— Quand je pense qu'un jour notre père me confiait que Charles était, de nous trois, le moins avantagé parce qu'il n'avait pas, lui, de profession pour gagner sa vie. Il en ferait toute une tête s'il te voyait aujourd'hui avec tes centaines d'employés!

Charles soupira.

— Je l'ai bien déçu dans la vie! Pauvre papa! D'abord, mes études universitaires interrompues. Ensuite, mon mariage avec une Américaine, et, finalement, ma séparation. Heureusement qu'il avait eu la chance d'avoir deux autres fils pour combler ses vœux.

Sans s'en rendre compte, il venait de diriger la conversation sur un terrain glissant, et Jacques, perspicace pour deux, n'était pas pour laisser filer pareille occasion. Il demanda aussitôt:

— Lors de tes récents séjours à New York, par hasard, aurais-tu rencontré Lilian?

Charles s'en mordit les lèvres, alluma une cigarette et dit très brièvement, avec une certaine froideur dans la voix:

— Oui, je l'ai vue!

Toutefois, après un moment de silence, constatant qu'un mur de glace se dressait à nouveau entre eux, il se ravisa mais pour ajouter presque à contrecœur:

— Sa santé est déficiente, son moral est également affecté; elle est constamment sous les soins d'un médecin. Cependant, ça ne l'empêche pas encore de sortir, ni de recevoir à ses heures.

Et, percevant l'autre question qui se lisait déjà sur leurs visages, il y répondit sans qu'on ait eu besoin de la lui poser.

— Entre Lilian et moi, il n'y aura jamais de rapprochement possible!

Heureusement, Céline les convia pour le souper. Ce changement de pièce fut salutaire et détendit l'ambiance qui, une fois de plus, se viciait.

Attablée, Julie s'extasia en dégustant sa première bouchée de viande.

— Quand je pense que c'est la dernière fois que nous mangeons du bœuf pour au moins deux semaines.

— Pourquoi? Vous n'aimez pas le bœuf, Jacques et toi? demanda Louis-Philippe, amusé, devinant le sous-entendu évident de cette constatation.

— Nous aimons le bœuf, mais ma femme a une préférence marquée pour le canard, lança Jacques.

Sans prononcer un seul mot, Julie lança à son mari un de ces regards de biais, qui, lui, ne contenait aucun sous-entendu possible; aussi, Jacques comprit aussitôt qu'il était préférable de ne pas insister sur ce sujet brûlant s'il voulait déguster ces canards. C'est alors qu'il se tourna vers Charles et se crut en meilleure posture en dialoguant avec lui.

— Il y a une quinzaine de jours environ, je t'ai croisé sur la rue; tu sortais d'un restaurant. Je t'ai salué, en vain!

— Vraiment? Je ne me rappelle pas t'avoir vu.

— Moi, ça ne me surprend pas! Tu étais beaucoup trop préoccupé de la très jolie fille qui était à ton bras pour remarquer ton vieux frère.

Enfin, l'occasion rêvée de leur parler de May! Il désirait le faire le soir même, mais il ne savait pas trop comment s'y prendre pour introduire le sujet. Pourtant, il n'était pas du genre timide! Et voilà que Jacques, sûrement sans s'en douter, avait dirigé habilement la mise en scène. Comme il ouvrait la bouche, il vit Julie se soulever d'indignation.

— Jacques! Tu as dû faire erreur. Charles est un homme marié! Il a beaucoup trop de principes pour s'afficher ainsi avec n'importe qui!

— Oh! mais je te ferai remarquer, ma femme, que ce n'était pas n'importe qui! Elle était jeune, remarquablement jolie, mince, élancée, avec de beaux grands yeux noirs. Élégante et d'un chic, ma mère, à t'en rendre jalouse!

— Comme tu l'as bien vue, dit Louis-Philippe, entrant dans le jeu. Quelle description! Elle était vraiment si jolie? Tu devrais nous la présenter, Charles, on saurait contempler, nous aussi...

— Louis-Philippe! s'écria Céline, à son tour contrariée. C'est ignoble de ta part d'encourager les suppositions malveillantes de ton frère.

— Voyons, ma femme! On peut bien s'amuser un peu sans toujours imaginer le pire. Je connais Charles, voilà quelques années déjà! Et je sais aussi bien que toi qu'il n'est pas homme à se galvauder. Jacques a dû confondre!...

L'oreille attentive, le visage impassible, Charles poursuivit son repas sans laisser transpirer ses sentiments. Néanmoins, une certaine tristesse l'envahit, puis le mépris et la colère le soulevèrent, et, en l'espace d'une seconde, il se mit à les détester tous furieusement. Comment pouvaient-ils être aussi étroits d'esprit? Absolument incapables de concevoir que, bien qu'étant marié, il demeurait malgré tout un homme comme les autres avec tout ce que cela comportait de passions et de soif d'aimer. À l'instant même, il se jura irrémédiablement que jamais ils ne sauraient rien de sa vie. Jamais! Ah oui, il tiendrait parole!

Un bruit d'automobile le tira de sa colère. Il se leva et vérifia à la fenêtre. Enfin, les voilà! Mathilde et Bernard arrivaient! Comme il avait hâte de déguerpir de là! Ça puait trop la pudibonderie, et il en avait la nausée. Il s'excusa, prit congé sans plus d'explications et se dirigea à leur rencontre, car eux, qui connaissaient bien sa vie, connaissaient avant tout la signification du mot «bonté».

* * *

Au bruit d'une clé qui se débrouillait malhabilement dans la serrure, May, en toilette de nuit, courut ouvrir la porte, sachant bien que c'était Charles qui arrivait. Mais quand elle l'aperçut avec son veston, sa cravate, ses souliers propres et quelques oiseaux qui pendaient au bout de ses bras, elle s'esclaffa moqueusement:

— Tu as l'air d'un vrai chasseur!... Si mon père te voyait!

— Je n'avais pas du tout l'intention d'arriver ici avec mes grosses bottes, mes «britches» et ma chemise à carreaux. J'ai fait ma toilette dans le pavillon avant de partir, dit-il d'un ton sec qui semblait mal supporter la moquerie.

Mais déjà elle ne l'écoutait plus, se contentant de se blottir contre lui, d'embrasser d'abord la fossette de son menton et de couvrir ensuite son visage de baisers. Il n'en fallait pas davantage pour chasser de lui toute agressivité. Il se dérida et se mit à sourire.

— J'ai la vague impression que ma petite chatte s'est ennuyée de moi...

Elle lui tira une mèche de cheveux, précisant que s'il l'appelait encore ainsi elle tirerait plus fort. Il capitula sur-le-champ, ayant une peur horrible de devenir chauve à longue échéance, mais elle ne lâcha prise seulement après qu'il lui eut déclaré qu'il s'était ennuyé d'elle à en mourir et qu'il l'adorait aussi.

— Mais pourrais-je déposer les canards dehors sur la galerie? dit-il, tenant toujours ses bras écartés pour ne pas souiller du sang des oiseaux sa nouvelle chemise de nuit. Mes mains me seraient tellement plus utiles ailleurs!

Finalement elle se détacha de lui et jeta un coup d'œil sur les trois canards qu'il tenait par les pattes.

— Grosse chasse! observa-t-elle, ironique.

Aussitôt son front se plissa d'indignation.

— Ah non! Au moins, toi, tu vas me croire! J'ai fait quatre arrêts avant d'arriver ici. Six canards à chacun de mes collègues; ils ont de bonnes familles. Trois aux Gagnon, et, finalement, trois aussi à Monsieur Neilson, notre voisin d'en bas.

— Et seulement trois pour nous! fit-elle avec une moue de petite fille.

— C'est suffisant! Mon frère a toujours déclaré qu'une femme enceinte devait avoir une alimentation variée. «Un peu de tout», disait-il.

Sans se soucier plus longtemps de la mine contrariée de sa compagne, il déposa au frais le restant de sa chasse et se rendit ensuite à la salle de bains se laver les mains. Puis, en passant devant leur chambre à coucher, il y déposa son veston et retira aussi sa cravate, mais, n'étant pas encore habitué au décor de la pièce, il tressaillit. Effectivement, depuis la veille de son départ, couvre-lit, rideaux et tentures neufs rajeunissaient la pièce avantageusement. Évidemment, préférant éviter de se mettre dans l'embarras, il n'avait demandé aucune explication à ce renouveau et admettait, bien sûr, qu'ainsi tout était plus frais, plus simple et plus conforme au goût de sa compagne. Mais l'instant d'après, quand May lui présenta la note, il perdit subitement le sourire et réprima juste à temps certaines exclamations qui auraient pu être interprétées contre lui.

— Avec cette nouvelle décoration, je me sens enfin chez moi dans ma chambre, dit May, parcourant son œuvre avec des yeux satisfaits, sans toutefois le prévenir, bien-entendu, qu'elle avait la ferme intention de faire disparaître peu à peu l'ombre de Madeleine Martin, celle qui jadis avait décoré l'appartement.

Comme Charles se trouvait de biais avec elle, il lui glissa un regard furtif et eut soudain la très vive impression que toutes ces modifications ne s'arrêteraient pas là. Mais, à l'instant même où il formulait ces pensées, elle l'inonda d'un sourire éclatant, ce qui eut pour effet de lui faire avaler la facture une deuxième fois. D'un bras vigoureux, il enlaça sa taille, qui commençait à s'épaissir, et la dirigea vers le salon tout en lui exprimant, encore une fois, le plaisir qu'il avait de la savoir heureuse dans leur maison.

Plus fatiguée de sa fin de semaine qu'elle ne le croyait, May s'effondra littéralement sur le canapé, en face de la cheminée. Charles y déposa quelques bûches et alluma le feu. Il alluma en même temps une cigarette et se versa un cognac.

— Tu désires quelque chose?

— Non, merci! dit-elle en s'allongeant confortablement.

Il avala une gorgée, se tourna vers May, et, un moment, fut saisi par la belle image qu'elle lui offrait. À demi étendue sur le canapé, habillée, plutôt déshabillée dans cette jolie chemise de nuit vaporeuse et diaphane d'un rose tendre, elle était tout à fait à son goût. Ses longs cheveux noirs retombaient sur ses épaules et encadraient le visage où de grands yeux noirs légèrement bridés se fixaient sensuellement sur lui. Ainsi, elle était «remarquablement jolie»: l'expression était juste. Jacques l'avait bien choisie.

— Tu es vraiment heureux de ton excursion de chasse? demanda-t-elle en lissant entre ses doigts une mèche de cheveux.

Il ne répondit pas tout de suite, désirant avant tout faire le point entre les bons moments et les autres...

— Tes frères et ton ami sont revenus aussi enchantés que toi?

Charles hocha la tête et vint s'asseoir à ses côtés. May lui tailla une place en ramenant sous elle ses pieds chaussés de mocassins de lapin confectionnés du temps où elle vivait chez son père.

Un feu ardent crépitait maintenant dans la cheminée et augmentait inconfortablement la chaleur de la pièce. Machinalement, il déboutonna son col et remonta ses manches de chemise, alors que son esprit, dès qu'il s'immobilisa, vagabonda aussitôt dans la salle à manger, revivant scène après scène le déroulement de cet entretien avec les siens. Ah non! il ne l'oublierait pas de sitôt, cette conversation qui maintenant le remplissait d'amertume. Il en déduisit que c'était ça, la bourgeoisie, et que les membres de sa famille en étaient, eux, des exemples types qui se complaisaient dans leur petit monde très confortable, encadré de principes sous la bannière desquels ils vivaient presque dissimulés. Et si par hasard la tentation chez eux devenait trop intense, il suffisait d'agir dans l'obscurité, à l'insu de tous, afin de ne pas perdre la face et de garder bonne conscience. Et ces bons petits bourgeois croyaient surtout dur comme fer que ceux qui ne marchaient pas dans leurs traces constituaient les résidus de la société. Naturellement, il fallait les bannir et, bien sûr, les éviter comme la peste.

Par contre, il n'était pas sans savoir, parce qu'il avait de l'instruction, un certain rang social et surtout un portefeuille bien garni, que la société en général était plus conciliante à son égard. Dans certains cas, même, quand le portefeuille pesait si lourd ou que le rang social voltigeait dans les sommets, on fermait définitivement les yeux sur tout...

Mais ses frères et belles-sœurs ne frayaient pas dans les sentiers de la haute bourgeoisie et toute leur conception de la vie reposait avant tout sur les principes religieux. Alors, s'ils avaient su qu'il vivait en marge de l'Église dans l'adultère le plus sordide, eh bien! il devenait un homme contaminé... à éloigner d'eux... de leurs enfants particulièrement... au cas où ça s'attraperait! De tout ceci, il avait maintenant une horrible certitude.

Il sortit nerveusement de sa poche son paquet de cigarettes, et, en même temps, le bout de papier sur lequel était inscrit le nom du médecin mentionné par son frère glissa sur son pantalon. Il le saisit et le tendit à May, lui soulignant qu'elle devrait le consulter sans tarder. Elle lut le nom du médecin et déposa le papier froissé sur la table à café.

— Très bien, je téléphonerai à son bureau dès demain. Je présume qu'il t'a fallu renseigner ton frère à notre sujet, conclut-elle.

Charles eut l'air sombre, se leva et tourna en rond.

— Non! J'ai failli cependant en avoir l'occasion, mais je me suis vite aperçu que ni lui ni le reste de ma très digne famille n'étaient suffisamment évolués pour comprendre notre situation.

Et il lui raconta en détail la scène de la salle à manger. May écouta d'une oreille attentive son récit et en déduisit elle aussi que, sans une bénédiction religieuse, la famille Grandmont, tout comme la sienne si sa mère avait vécu, était beaucoup trop puritaine pour accepter un jour cette sorte d'union. Elle essaya de camoufler de son mieux sa déception.

— Mon chéri, je le regrette pour toi car je sais combien tu es uni à ta famille... Il faut tout de même faire la part des choses en admettant que nous formons l'exception à la règle générale... et comprendre et surtout ne pas tenir rigueur à ceux qui ont tendance à oublier les exceptions...

En dépit des paroles résignées qu'elle lui adressa, il demeura sur ses positions. Elle s'efforça de sourire afin de dissimuler sa propre amertume. Néanmoins, c'est avec une douceur persuasive qu'elle ajouta:

— Charles, cela a-t-il tellement d'importance, puisque toi et moi nous nous aimons et que maintenant nous formons une famille?

— Non, cela n'a aucune importance! Je suis déçu, voilà tout!

May se leva, lui tira la main, bien décidée à lui faire oublier cette profonde déception. Mais debout, face à lui, grâce à la transparence de sa chemise de nuit, le feu de la cheminée traçait un profil tout à fait suggestif et invitant. Après deux jours d'absence, c'était bien assez pour qu'il devançât ses désirs.

Sans bruit, comme si elle avait eu la légèreté d'une plume, il la souleva dans ses bras, l'amena dans la chambre et la déposa sur le lit avec douceur.

— May, dit-il en se penchant sur elle, si tu veux, je peux divorcer et t'épouser civilement...

Elle haussa les épaules.

— Le mariage civil n'est qu'une simple formalité et personne n'y croit. Pour nous, catholiques, il ne signifie rien. Si un jour nous nous unissons, ce sera à l'église et devant Dieu.

Il hocha la tête, n'insista pas et ajouta:

— Dans mon cœur, tu es réellement ma femme. Ces derniers temps, j'ai réfléchi à l'avenir. Comme futur père de famille, j'ai cru bon de réviser mon testament. Aujourd'hui, j'ai remis au notaire Dussault une enveloppe contenant mes dernières volontés s'il m'arrivait de mourir rapidement. Cette maison ainsi qu'une somme substantielle te reviendraient pour que vous puissiez vivre confortablement, toi et l'enfant.

— Oh! Charles... tu es vraiment trop bon! Merci, mon chéri, murmura May, le visage ruisselant de larmes.

Il se pencha sur son ventre légèrement arrondi et embrassa comme il faisait d'ailleurs chaque soir son fils avec tendresse. Quand il releva la tête, il vit dans ses yeux qu'elle avait follement envie de lui, et, parce que son désir était aussi vif que le sien, il la posséda sans tarder.

V

Jamais l'hiver ne sembla plus magnifique que celui de 1929, bien que décembre fût sombre, janvier, glacial et février, enneigé. Charles rentrait chez lui le soir harassé, mais heureux de retrouver la chaleur d'un vrai foyer, alors que May, radieuse, arrondissait à vue d'œil.

Un doux matin de fin de mars, telle une source des bois, pure et cristalline, le printemps jaillit sur la terre avec toute la nouveauté et l'émerveillement dont lui seul est capable. Un soleil téméraire, gravitant dans un ciel azuré, affronta la colossale besogne de la fonte des neiges, et, dans l'intervalle d'une quinzaine de jours, tout espace blanc avait quitté le sol, emportant ainsi les derniers vestiges de l'hiver.

Ô merveille, la nature à nouveau se colora de vert! Ah oui! le printemps, cette année-là... avait quelque chose de merveilleux. Oui! quelque chose de tout à fait merveilleux, épousant à la fois la douceur d'une caresse et le souffle de la vie...

Charles et May furent d'accord pour affirmer qu'ils n'avaient jamais vécu, ni l'un ni l'autre, de printemps pareil.

Ainsi, le vendredi soir de la mi-avril, Charles rentra chez lui vers les neuf heures, et, ayant prévenu May de son retard, aussi fut-il surpris, en refermant la porte, de constater que la maison semblait déserte. Mais une délicieuse odeur de viande rôtie le rassura subitement en stimulant ses papilles gustatives. Il déposa son imperméable dans le placard et vit en se retournant que son couvert était dressé sur la table de la salle à manger. Il se rendit à la cuisine; May n'y était pas! Alors, il fit demi-tour et pénétra dans la chambre à pas feutrés. Sur le lit, il aperçut l'énorme silhouette de sa compagne qui paraissait dormir. Il s'approcha du lit, se pencha sur elle et l'embrassa. Elle entrouvrit les yeux et lui adressa un pauvre sourire.

— Comment vas-tu, May? J'étais inquiet en arrivant de ne pas te voir venir à ma rencontre comme à l'habitude.

— Je me sentais si fatiguée, si inconfortable que je me suis mise au lit, dès mon repas terminé.

— As-tu des malaises?

Elle secoua la tête de déception.

— Pas le moindre! À part cette profonde lassitude et cette énorme taille, tout va très bien. Trop même!

Charles esquissa un sourire compréhensif.

— Sois patiente, ma belle enfant! D'ici quelques jours, tout sera terminé, tu verras!

— Je voudrais bien avoir ton optimisme. J'ai l'impression que cet enfant ne viendra jamais au monde.. Thérèse a eu la chance, elle, d'avoir son fils quinze jours plus tôt que prévu, tandis que moi, j'ai déjà douze jours de retard.

— Une légère erreur de calcul aurait pu se glisser quelque part que je n'en serais pas du tout étonné... Tu es si peu régulière, dit-il, en fronçant les sourcils.

May ne répondit pas; cette supposition contenait une part de vérité. Elle tendit la main à son compagnon et dit d'une petite voix:

— Chéri, aide-moi à me lever. Je vais te servir à manger; il est si tard que tu dois mourir de faim.

Il protesta.

— Non, non, reste au lit, je me débrouillerai bien tout seul. D'ailleurs, je te rejoindrai bientôt; je suis très fatigué, moi aussi.

Elle était si lasse qu'elle n'insista pas du tout. Charles se servit lui-même et avala son repas tout en parcourant son journal.

Deux heures plus tard, quand il regagna sa chambre, sa compagne reposait paisiblement. Il fit sa toilette sans bruit, et, dès qu'il eut la tête sur l'oreiller, il s'endormit.

Dans la quiétude de la nuit, May sursauta dans son lit: elle était moite de sueur. Un cauchemar horrible l'avait tirée de son sommeil. Instantanément, elle fixa son regard sur Charles. Oui! il était bien là, auprès d'elle, et dormait profondément. Elle porta la main à son front et poussa un soupir de soulagement. Car quelques secondes plus tôt elle le voyait en rêve qui agonisait lentement, écrasé sous le poids d'un arbre. Paralysée, incapable du moindre effort, elle ne pouvait pas le dégager. Sous ses yeux horrifiés, Charles grimaçait de douleur tout en disparaissant lentement dans la mort. Et elle, figée dans cette impuissance, ne pouvait absolument rien faire pour le sauver. Elle replaça ses oreillers, respira à l'aise, regarda tendrement son compagnon et sourit à la réalité, mais ne put s'empêcher de remercier Dieu que ce ne fût qu'un rêve, car que ferait-elle sans lui? Et elle se laissa choir dans ses draps. Maintenant, bien éveillée, elle entendit minuit sonner à la pendule. Elle ferma les yeux pour mieux s'abandonner, mais brusquement une douleur aiguë lui traversa les reins. Aussi vite qu'il était arrivé le malaise se dissipa. Elle respira profondément et n'y pensa plus. À nouveau, elle baissa les paupières pour s'assoupir, et, comme le sommeil la gagnait, une douleur identique à la première la fit tressaillir. Elle rassembla ses idées et la lumière jaillit soudainement... L'HEURE DE LA DÉLIVRANCE SONNAIT! Un sourire émerveillé se dessina alors sur ses lèvres et inonda de joie son visage. Elle ressentit un bonheur si grand l'envahir à la pensée que bientôt elle contemplerait son petit qu'elle se mit à trembler nerveusement. Après maints efforts, elle réussit à se dominer pour établir le calme en elle. Puis une nouvelle contraction confirma ses espérances. Elle ferma les yeux et goûta à ce bonheur douloureux. Finalement, elle décida de se lever pour ne pas réveiller son compagnon. De toute façon, sa fatigue l'avait quittée, elle ne pourrait plus dormir maintenant! Elle était vraiment trop heureuse pour arriver à dormir. Elle se rendit à la chambre du bébé, alluma la lampe et parcourut la pièce des yeux. Un sourire approbateur s'ébaucha sur ses lèvres. Jamais elle n'avait vu une aussi jolie chambre d'enfant! Tout était coloré de jaune et de blanc. Elle s'approcha du moïse qu'elle avait confectionné avec l'aide de Mathilde et le regarda avec amour. Elle ferma à nouveau les yeux et grimaça légèrement alors qu'en elle s'accomplissait le travail de l'enfantement.

Soudain, elle entendit la porte de sa chambre s'ouvrir brusquement et un bruit de pas se diriger vers elle.

— May, qu'est-ce que tu fais là? demanda Charles d'un ton sec, plissant les paupières.

— Je vérifiais la layette de bébé.

— En pleine nuit! s'exclama-t-il, stupéfait.

Et il ajouta en grognant:

— Tu parles d'une heure pour faire une telle vérification!

Mais elle tourna vers lui un visage inondé de joie et dit d'une voix très douce:

— C'est qu'il s'en vient, notre poupon!

La surprise le figea sur place et son visage se décolora subitement. Il dut s'appuyer contre les montants de la porte pour ne pas vaciller.

— Charles! s'écria May. Remets-toi! Prends la chaise, sinon tu vas t'évanouir!

Il suivit son conseil et se laissa tomber dans la berceuse.

— Mon Dieu! le cognac, dit-elle à haute voix, il n'y a que ça qui le remettra d'aplomb.

Elle se précipita au salon et revint avec un plein verre dans une main et la bouteille dans l'autre. Charles le but d'un trait. Elle lui en versa un deuxième, il le but aussi rapidement que le premier et il se sentit revivre subitement.

Elle se mit à sourire de sa faiblesse.

— Ça vaut bien la peine d'avoir une aussi robuste constitution pour défaillir en un moment pareil!

Il se sentait couvert de honte, et, pour se justifier, marmonna:

— Écoute, May, il faut me comprendre... c'est la première fois que ça m'arrive d'avoir un enfant...

Plus il s'expliquait, plus il s'enlisait. Il était d'un comique irrésistible et le sourire ironique de May le confondait de ridicule.

Il se releva brusquement, comme s'il avait été piqué par une aiguille, et tout anxieux demanda:

— Et toi, comment te sens-tu, ma chérie?

— Moi? Quelle importance, voyons!

Toutefois, constatant son désarroi, il lui fit pitié et elle crut bon de ménager le père. Elle mit fin à son ironie et répondit simplement:

— Les douleurs sont encore supportables, bien qu'elles reviennent régulièrement aux quinze minutes.

Il eut l'air horrifié.

— Aux quinze minutes? Je vais m'habiller immédiatement et nous partons pour l'hôpital. Assieds-toi, chérie, je reviens tout de suite!

— Charles, ne t'énerves pas comme ça! Le médecin a précisé qu'un premier bébé c'est toujours plus long et qu'il est inutile d'arriver à l'hôpital trop tôt.

Il s'immobilisa sur le pas de la porte et ajouta sans aucune hésitation:

— Je regrette, mon ange, mais je ne prendrai pas le risque que cet enfant naisse ici. Je n'ai absolument aucun talent d'accoucheur. À l'hôpital, au moins, tu seras entre bonnes mains: beaucoup mieux qu'entre les miennes, en tout cas!

Aussitôt, il disparut dans la chambre et se vêtit en un temps record. Dès qu'un moment de répit se fit sentir, May regagna elle aussi sa chambre et s'habilla lentement, sans la moindre nervosité.

Malgré la présence active de Charles autour d'elle, il ne lui fut d'aucun secours, sauf, bien sûr, pour l'aider à enfiler son manteau et à prendre sa valise. Avant de passer la porte, il prit son visage entre ses mains et l'embrassa avec tendresse.

— Comme je te trouve courageuse, ma belle enfant!

— Parce que toi tu ne pourrais pas, n'est-ce pas? dit May en esquissant un sourire narquois.

Il avoua, très embarrassé:

— À vrai dire, je préférerais crever!

Elle se mit à rire.

— Heureusement pour toi que le faire n'était pas l'avoir. Tu aurais été mal pris!

* * *

Ils arrivèrent à l'hôpital Notre-Dame quinze minutes plus tard, après avoir flambé tous les feux rouges. Un membre du personnel hospitalier les dirigea au département de maternité. Dès qu'ils sortirent de l'ascenseur, une infirmière d'une quarantaine d'années, à l'œil habitué, s'avança vers eux.

Charles se racla la gorge et dit d'une voix très assurée:

— Ma femme devrait accoucher bientôt. Elle est suivie par le docteur Tremblay, et, dans notre précipitation, nous avons oublié d'avertir le médecin que le travail était commencé.

— Je comprends, dit l'infirmière avec sollicitude. Le docteur Tremblay est actuellement dans la salle d'accouchement; nous le préviendrons. Si vous voulez me suivre, s'il vous plaît!

Précédés de l'infirmière, ils franchirent un long couloir dont le parquet ressemblait à un miroir, pour aboutir finalement dans une chambre où tout n'était que blancheur, propreté et nudité. May, qui n'avait jamais mis les pieds dans un hôpital, fut surprise de constater que cette chambre ressemblait à une chambre de religieuse; un lit de fer recouvert d'un drap blanc, un bureau et un fauteuil composaient strictement l'ameublement.

Charles déposa la valise le long du mur et dépouilla May de son manteau. L'infirmière rabattit le drap, sortit une jaquette du placard et la déposa sur le lit. Elle regarda May un moment et demanda, presque avec certitude:

— C'est votre premier enfant, Madame?

— Oui! fit-elle timidement.

— Tout ira bien, je resterai auprès de vous.

Et, regardant Charles, elle ajouta:

— Il y a une salle d'attente près de l'ascenseur, vous y serez plus à l'aise, Monsieur. Je vous donnerai régulièrement des nouvelles de votre femme.

Charles trouva polie cette façon de lui signaler que sa présence encombrait. Mais il n'insista pas, Dieu, non! préférant mille fois être ailleurs, n'importe où, que dans cette pièce où May souffrirait. Et, en arpentant à nouveau le long couloir, il se sentit subitement délivré à l'idée que des gens plus compétents que lui s'occupaient d'elle à sa place. Il respira plus à l'aise, bien que la tension nerveuse qui l'habitait depuis son réveil nocturne le crispât encore.

Quand il pénétra dans la salle d'attente, il vit qu'un autre homme s'y trouvait aussi, et, à son grand étonnement, ce futur père dormait profondément, laissant même échapper des ronflements bruyants. Pour ne pas l'éveiller, il se dirigea sur la pointe des pieds vers la fenêtre et s'appuya contre le montant. Il retira son imperméable, le déposa sur le dossier du fauteuil voisin et alluma une cigarette. Il jeta un coup d'œil sur l'extérieur; Montréal dormait paisiblement sous la nuit froide et étoilée sans se douter que, pour lui, le bonheur atteignait cette nuit les dimensions de la vie elle-même. Il ferma les yeux quelques instants, aspira une longue bouffée et exhala la fumée lentement. Une profonde fatigue mêlée à un certain abrutissement le plongea dans une sorte de rêverie rejoignant ses souvenirs sans être incommodée par les limites du temps.

Était-ce possible que dans l'intervalle d'une seule année sa vie ait changé à ce point? Avoir travaillé sans relâche des années durant pour simplement combler le vide d'une existence. Travailler aussi pour ne pas avoir le temps de se rendre compte du bonheur des autres et de celui que l'on n'a pas. Travailler finalement pour obtenir grâce à l'argent ces plaisirs qui étourdissent et qui ne sont en réalité que des fac-similés des joies véritables. Charles haussa les épaules et laissa échapper aux commissures des lèvres un sourire désabusé sur ce passé insipide qui, sans la présence de Madeleine Martin, cette secrétaire si compréhensive, n'était que froidure.

Puis, un beau jour, parce que le destin le voulait ainsi, May entra dans sa vie, fraîche et désinvolte comme une fleur de printemps, bouleversa tout en lui, et l'univers entier soudain s'en est trouvé transformé. Son travail restait le même, mais aujourd'hui il avait un sens, il portait un nom: celui de May! Sa vie avait un but, et bientôt, dans quelques heures, ce but aurait un visage: le visage de son fils!

Soudain, un bruit de pas le tira brusquement de ses réflexions. Effectivement, une infirmière pénétra dans la salle, se dirigea vers l'homme qui dormait et lui tapota discrètement le bras.

— Monsieur Paquin, Monsieur Paquin, réveillez-vous!

— Qu'est-ce qu'il y a? demanda-t-il, l'air complètement absent.

— Votre femme a mis au monde une petite fille.

— Encore! dit-il, très mécontent. Une autre fille!

— Depuis trois jours, durant mes heures de service, il n'y a eu que des filles. Vous n'êtes pas le seul père à être déçu!

— Peut-être! reprit-il, grincheux. Mais moi, ça fait six filles et seulement deux garçons, et toute cette famille en dix ans de mariage.

Charles écoutait et n'en revenait pas. Six filles et rien que deux garçons, deux seuls garçons, il aurait sûrement pleuré à sa place! Certes, il était bien à plaindre, ce pauvre homme! Charles fixa l'infirmière et songea: «Si cette infirmière de malheur peut ficher le camp d'ici avant que May n'accouche!»

Puis il vit cette même personne s'adresser à lui et brusquement ressentit une peur horrible d'écouter la suite.

— Vous êtes Monsieur... Monsieur Grandmont! fit-elle de sa voix pointue, se remémorant tout à coup son nom.

— Oui, répondit-il, retenant son souffle.

— Le docteur Tremblay a examiné votre femme. Il m'a dit de vous rassurer, que tout se déroulait normalement et que dans quelques heures le bébé naîtrait.

Il ne put la remercier tellement l'angoisse crispait les muscles de sa gorge. Elle dut se contenter d'un simple signe de la tête qu'il accompagna cependant d'un pauvre sourire figé.

Il regarda l'heure: trois heures trente. L'homme suivit l'infirmière et quitta la salle, tout en maugréant.

Charles retira son veston et déboutonna son col. La chaleur de la pièce maintenant l'écrasait de façon insupportable. Il déménagea de fauteuil afin de pouvoir allonger ses jambes sur une chaise de bois qui se trouvait à l'autre coin. Confortablement installé, il sombra aussitôt dans de funestes réflexions. «S'il fallait que ce soit une fille, songea-t-il tristement. Non, cela n'a aucun sens... Il me faut absolument un fils. J'ai besoin d'un héritier, d'un successeur, d'un fils qui me ressemblerait et qui serait mon ami.» Soudain, il pensa à son père... à cette description qu'il lui avait faite de ce fils qu'il se ferait un jour. «Une fidèle copie de moi-même, avait dit Charles.» «Tu n'y réussiras pas!» avait répondu le juge Grandmont. «Oui, je réussirai!» Et il prononça cette affirmation d'une voix parfaitement audible, mais il était seul dans la pièce... heureusement.

Il alluma une nouvelle cigarette avant d'éteindre le mégot. Subitement, le visage de May contracté par la souffrance lui apparut un instant; il chassa aussitôt cette image; les sueurs perlaient déjà à son front. Il aspira profondément sa cigarette fixée entre ses lèvres, puis expira lentement. Ses yeux suivirent le rayon de fumée qui se diffusait par petits ronds dans l'air. Hier à la réunion, il se souvenait d'avoir posé le même geste pour calmer sa colère, et cette fichue assemblée s'était finalement terminée en queue de poisson. En dépit du flot de paroles agressives lancées de part et d'autre, rien de bon n'était sorti de ces discussions.

En plus du conseil d'administration, deux ingénieurs, un comptable et une secrétaire étaient présents, et tout ce monde avait été témoin de cette querelle et des mots acerbes qu'il avait proférés à l'égard de François Desjardins au sujet d'un désaccord sur le financement d'un projet. Il s'agissait de la construction d'une usine de fabrication de couvre-plancher, et les propriétaires, ne pouvant trouver dans les maisons de prêt que les soixante-cinq pour cent du montant exigé par la soumission, avaient alors suggéré à Charles et à sa compagnie, de financer les vingt pour cent manquant à leur montant de base pour une période de cinq ans à un intérêt plus que confortable; ainsi, l'usine pourrait se construire immédiatement. Charles, sans avoir étudié la question en profondeur, trouva l'idée intéressante.

Hier, le groupe s'était réuni à l'heure du souper pour étudier cette nouvelle proposition. Dès le début de l'entretien, François s'opposa formellement à ce financement, argumentant que ladite somme était trop élevée et les risques, trop grands. Charles protesta avec véhémence, émettant des points de vue bien différents. Seul l'ingénieur en chef se ralliait à lui, alors que les autres partageaient les idées de François. La discussion se transforma en conflit, la tension augmenta à un point tel que les chefs dissidents s'insultèrent et même s'injurièrent.

Dans le calme de la nuit, Charles regrettait maintenant sa conduite inqualifiable car François était un type épatant, et, depuis leur association, il avait toujours été de bon conseil, sachant freiner son enthousiasme, modérer sa témérité, et les résultats qui découlèrent de cette coalition étaient, jusqu'à ce jour, éloquents.

Il sortit sa plume et découvrit dans sa poche de chemise un bout de papier chiffonné. Il griffonna dessus quelques chiffres. Au bout d'une demi-heure, le papier était couvert d'encre. Devant ses calculs, il délibéra longuement, éteignit sa cigarette qui lui chauffait les doigts et reconnut que François avait probablement raison; les risques étaient énormes. Il décida qu'en quittant l'hôpital il passerait au bureau le voir.

Après avoir froissé le bout du papier et l'avoir déposé dans le cendrier sur le paquet de cigarettes vide, il s'étira longuement, tout en émettant des baîllements sonores. Quand il regarda à la fenêtre, l'aurore pointait à l'horizon. Il vérifia l'heure: cinq heures et quart. En se levant pour dégourdir ses jambes, il sentit tout à coup la fatigue raidir ses muscles et courbaturer ses membres. Il rejoignit la fenêtre en titubant, s'étonna de sa fatigue si profonde, mais se rappela soudain qu'il n'avait dormi que trois heures la nuit précédente et deux petites heures, cette nuit-ci!

Il crut un moment qu'il avait sommeillé car il n'entendit pas l'infirmière qui les avait accueillis pénétrer dans la pièce. Elle tenait entre ses mains une tasse de café et la lui offrit:

— C'est pour vous. Cela vous fera du bien!

— Merci, dit-il, confus. En effet, je crois que j'en ai besoin.

Puis il demanda, visiblement inquiet:

— Comment est-elle? Souffre-t-elle beaucoup?

— Elle vient tout juste d'entrer dans la salle d'accouchement. Enfanter n'est guère une sinécure et ça ne se fait pas sans douleurs non plus. J'ai eu moi-même quatre enfants: je sais ce dont je parle, avoua-t-elle discrètement. Néanmoins, tout se déroule normalement, et, dans une heure, je crois bien que tout sera terminé.

— Merci, Madame! Merci infiniment pour la compréhension et l'assistance que vous avez sûrement dû lui apporter.

— C'est mon métier de venir en aide aux gens. Au revoir, Monsieur, et bonne chance avec votre nouveau-né.

Ah! si tous les travailleurs avaient une telle conscience, cette bonne vieille terre serait tout de même plus facile à vivre! Et l'infirmière disparut, le laissant sur une note d'espérance. Grâce au ciel, la fin approchait!

Il but son café par petites gorgées et sentit l'effet stimulant de la boisson le régénérer progressivement.

Six heures! Et déjà l'activité bourdonnait dans l'hôpital. Le travail, dès l'aurore, marquait de son sceau le début du jour. Puis un va-et-vient s'accentua au rythme de l'heure.

Le docteur Tremblay, encore vêtu de blanc et pourvu d'un large sourire, fit soudain irruption dans la salle d'attente. Il s'avança vers Charles et lui tendit la main.

— Mes félicitations, Monsieur Grandmont! Vous êtes le père d'un beau garçon de huit livres, en excellente santé!

Charles fut complètement abasourdi. Voilà maintenant que sa tête flottait, flottait... Non, il n'allait tout de même pas se trouver mal! Il dut toutefois s'appuyer contre un fauteuil pour conserver son équilibre.

— Un garçon! Bon Dieu, est-ce possible? Un fils! s'exclama-t-il, presque euphorique. Merci, docteur. Merci beaucoup, docteur!

— Mais... je n'y suis pour rien! rétorqua le vieux médecin, manifestement heureux du bonheur de son client.

Aussitôt ses pensées rejoignirent May, et son visage se rembrunit.

— Comment va-t-elle, docteur?

— Elle est très bien... Un peu fatiguée, c'est normal, mais, pour un premier bébé, le travail a été plus rapide que je ne le prévoyais!

Charles parut surpris.

— Vraiment? Moi, je n'ai jamais vécu de ma vie une nuit aussi longue!

À cette réplique, le médecin, dont l'expérience s'appuyait sûrement sur quatre décennies, sourcilla à peine, ayant l'habitude de ces sortes de confidences.

— Elle est constituée pour avoir une bonne douzaine d'enfants, énonça-t-il avec assurance.

— J'en suis ravi, dit Charles sans conviction.

Le médecin se mit à sourire et invita le père à aller voir son nouveau-né.

L'infirmière de la pouponnière, dont seulement les yeux étaient visibles, prit le bébé que le médecin lui avait indiqué et le montra au père à travers l'épaisseur hygiénique d'une vitre.

Charles plissa les yeux en l'apercevant et dirigea immédiatement un regard consterné vers son voisin.

— C'est mon fils, ça, docteur? Vous êtes certain de ne pas vous tromper de bébé? Il ne me ressemble pas du tout, cet enfant!

— Eh bien... c'est le bébé que je viens de mettre au monde, bredouilla le médecin. Il ressemble à sa mère... Vous ne trouvez pas?

— Mais c'est tout le portrait de son grand-père! lança Charles, fort déçu.

Maintenant le médecin le dévisageait, et, à la fin, dut réprimer un sourire pour ne pas l'insulter. Cependant, constatant une réelle déception, il puisa dans une philosophie tout imbibée de bonté des paroles encourageantes.

— D'après mon expérience, je puis vous dire, Monsieur Grandmont, que d'ici quelques mois, aussi incroyable que cela puisse vous paraître actuellement, ce bébé pourrait vous ressembler sans avoir nécessairement vos traits.

Charles subitement se sentit conscient, puis honteux d'avoir formulé ainsi toutes ces impressions. Il remercia à nouveau le médecin, et celui-ci, avant de le quitter, lui donna quelques conseils d'usage.

Il gratifia son fils d'un dernier coup d'œil, et, bien que l'image qu'il s'était représentée du bébé ne correspondît pas à la réalité, c'était avant tout un garçon et ce petit garçon était son fils à lui. Il en fut immensément heureux.

En toute hâte, libéré maintenant de sa fatigue, il se rendit à la chambre de May. Il entrouvrit la porte avec précaution et se faufila près du lit. Il la regarda et ne put contenir les larmes qui remplissaient ses yeux. Pour lui donner ce fils, il était évident qu'elle avait beaucoup souffert car sur ce visage endormi, livide, boursouflé, aux lèvres gonflées, se lisaient toutes les traces de la douleur. Maintenant plongée dans cette profonde léthargie, elle gisait là, ressemblant à un pauvre oisillon blessé. Il n'avait jamais rien vu de plus lamentable, à en avoir même le cœur dans la gorge. Il saisit ce pauvre petit visage entre ses mains et le couvrit de mille baisers, tout en lui chuchotant un: «Merci, ma petite chérie» qui contenait à lui seul tout le lexique du langage amoureux.

Après un regard plein d'amour et de compassion, il quitta la pièce sur la pointe des pieds.

Quand il se retrouva dehors, un soleil brillant inondait généreusement de lumière le matin frileux, alors qu'un vent insolent balayait la chaussée, soulevait les pans de son imperméable et jouait dans ses cheveux. Mais ni ce soleil magnifique ni ce vent espiègle ne semblaient se soucier que lui, Charles Grandmont, au milieu de cette cohue de travailleurs, était en ce matin d'avril l'homme le plus riche de la terre.

VI

Charles ferma l'appareil, s'effondra dans son fauteuil, complètement anéanti. Ses doigts se crispèrent nerveusement sur sa plume alors que son cerveau, paralysé, momentanément ressassait les mêmes mots: «Lilian va mourir.» David Moore, cet aventurier qui partageait la vie et la fortune de sa femme, venait de le lui apprendre dans cet échange téléphonique de New York. Même pas une année ne s'était écoulée depuis le jour où elle lui avait appris d'une voix atone, presque impersonnelle, qu'une maladie incurable la minait un peu plus chaque jour, sans espoir de guérison. «Une question de mois ou d'années», avait-elle spécifié. À ce moment-là, non, jamais il n'aurait cru qu'elle partirait si vite. Sa santé, sans être excellente, n'avait rien d'alarmant, et son physique non plus n'était pas celui d'une moribonde.

Il était encore sous le coup de l'émotion quand des éclats de voix parvenant de la pièce voisine le tirèrent de ses tristes réflexions. Brusquement, sans avertir, François Desjardins, rouge de colère, pénétra en trombe dans son bureau.

— Bonne nouvelle! s'écria-t-il. Les hommes refusent ce matin de se mettre à l'ouvrage.

Immédiatement, Charles comprit la situation, fronça les sourcils, soupira de contrariété et, sans un seul mot, regarda son collègue s'asseoir avec fracas dans le fauteuil d'en face.

Selon son habitude, François lança sa casquette en direction de la patère, et, manquant son objectif, elle rejoignit le plancher. Il ragea davantage et mâchonna un juron.

— La colère rend l'œil inapte, souligna Charles calmement.

François fixa sur lui un œil malicieux, et, s'apercevant de son attitude étrange, son regard se posa sur Charles avec plus d'insistance.

— Qu'est-ce que tu as? dit-il. Ça ne va pas? Ton fils a encore rechigné toute la nuit et tu n'as pas pu fermer l'œil?

— Non. Il ne s'agit pas de cela. Depuis quelques jours, enfin, Tommy fait ses nuits. Il était grand temps! Après deux mois de ce régime infernal, ce petit-là était en train de nous exténuer, sa mère et moi.

Il fit une pause et ajouta sur un ton confidentiel:

— Il s'agit d'un problème beaucoup plus crucial que les jérémiades de mon fils... Ma femme Lilian se meurt... Elle est dans le coma depuis deux jours, et les médecins qui la traitent n'entretiennent guère d'espoir.

— Je vois, dit François retrouvant subitement sa pondération coutumière. Est-ce une complication de la maladie dont elle est atteinte?

— Je ne sais pas... Peut-être... C'est le foie qui est malade: une hépatite aiguë, je crois.

— Que feras-tu? demanda François, compatissant. Iras-tu à New York?

Charles haussa les épaules.

— Je n'en sais rien. Dans de telles circonstances, où est ma place?

Le menuisier le regardait se débattre avec tous ses problèmes conjugaux et le plaignait sincèrement. Une seule femme est bien suffisante pour un seul homme. Les problèmes ne s'additionnent pas, ils se multiplient, disait-il à qui voulait bien l'entendre.

Mais il lui répondit simplement:

— En effet, la situation n'est pas simple.

Charles soupira:

— Surtout que j'ai promis à May de la reconduire demain chez son père. Toutefois, je serai de retour lundi, nous avons trop de boulot ici pour que je puisse m'absenter davantage... Pour ce qui est de Lilian, je vais réfléchir...

— Fais comme bon te semble, mon vieux. Certains événements transforment nos projets et nous n'y pouvons rien... C'est comme ça! Si tu désirais te rendre au chevet de ta femme, ne te tracasses pas pour nous. Denis et moi nous nous débrouillerons!

Il inclina la tête en guise de remerciement. La sonnerie du téléphone interrompit leur conversation. Au bout du fil, Charles reconnut la voix de Madame Desjardins. Il prit de ses nouvelles avant de tendre l'appareil à son collègue.

— Ta femme! dit-il.

— Seigneur! J'ai complètement oublié de lui envoyer le plombier pour réparer le renvoi d'eau de l'évier de la cuisine. Maudite journée emmerdante! Faut-il toujours que tous les maux nous tombent dessus en même temps! grommela François en saisissant le téléphone.

Charles sortit du bureau pour ne pas troubler l'intimité de leur conversation et en profita pour faire redactylographier une lettre dans laquelle une erreur s'était glissée.

Quand il revint dans son bureau, François avait terminé et bourrait sa pipe de tabac.

— Maintenant, si nous réglions nos problèmes? Sinon la journée sera complètement gâchée, fit Charles.

— Oui, en effet! souligna François en allumant sa pipe. Voici: les employés ont reçu leur paye hier sans y percevoir l'augmentation que nous leur avions promise au début du mois.

— Et ils ont refusé ce matin de se mettre à l'ouvrage. C'était à prévoir, ajouta Charles. Qui dirige le mouvement? Rolland Lavigne, je suppose?

— Oui, dit François, déjà coloré par l'irritation. Lui, avec sa grande gueule, je te le maudirais dehors! Il me tape sur les nerfs, cet énergumène-là.

— Il est fantasque et arrogant. Je ne peux pas le supporter non plus! Le mettre à la porte n'est pas cependant la solution du problème. Il y en aurait un autre qui prendrait sa place, et ainsi de suite. On n'a pas le temps de s'attaquer au grand nettoyage de la population.

— Je sais... Mais il mérite tout de même une bonne leçon... Fies-toi à moi! Il aura ensuite une de ces frousses de perdre sa place, il se tiendra tranquille un bon moment.

Charles ébaucha un sourire. Il connaissait bien les idées de François au sujet de l'ordre et de la discipline. D'ailleurs, il l'approuvait sans aucune restriction.

— Il faut remédier à la situation immédiatement. Le temps est pour nous un facteur trop important pour ne pas s'en préoccuper à la fin de juin, en pleine saison. Une construction de qualité, terminée à la date promise, demeure encore notre meilleure publicité auprès de nos clients.

Le menuisier connaissait la rengaine par cœur. Il dit simplement:

— Si je promettais aux employés d'ajuster cette dernière augmentation à leur prochain salaire, je sais qu'ils se remettraient à l'ouvrage sur-le-champ. Avec l'expérience que j'ai acquise, tu peux me croire, nous en viendrons là de toute façon et nous n'aurons perdu qu'une demi-journée de travail.

La température, à cette heure de la matinée, était exceptionnellement chaude et humide. François sortit un grand mouchoir de sa poche et s'épongea le front. Il avait déjà, au tout début de l'été, la peau tannée des hommes qui vivent au soleil et au grand air. Il se leva, regarda Charles droit dans les yeux et articula avec autorité:

— Qu'est-ce que tu en penses?

— Tu as raison. Je suis entièrement de ton avis.

— Je file aux chantiers à l'instant même, je glisse un mot à Denis, puisque c'est lui qui a eu cette brillante idée de retarder l'échéance de l'augmentation. Constatant le désastre, il sera sûrement de notre avis.

Il se dirigea d'un pas ferme vers la porte, mais Charles le retint un moment, avant qu'il ne franchît le seuil.

— Dis-moi, François, crois-tu qu'il serait possible de commencer dès lundi l'excavation de la propriété du ministre Gingras?

— Lundi? Impossible! C'est prévu pour la fin de semaine prochaine.

— Il m'a téléphoné au début de la matinée. Nous devons nous rencontrer à l'heure du lunch pour vérifier certains détails et j'aimerais bien lui annoncer cette nouvelle qui ne pourrait certes pas lui déplaire. C'est un homme bien en vue au gouvernement, et je désire le traiter avec tous les égards, tu comprends?

L'air préoccupé, François réfléchit quelques instants, ramassa sa casquette et dit finalement:

— Bon, très bien! Je ferai l'impossible pour lundi.

Charles parut satisfait; un large sourire le confirma. Et, tout comme il était arrivé, François partit en maugréant.

* * *

Bien installée à la table de cuisine, Mathilde terminait la toilette du bébé. Avec l'aide d'une brosse très douce, elle s'efforça d'assouplir les cheveux du poupon pour les faire boucler, mais, peine perdue, ils demeuraient raides et rebelles. Elle renonça aux boucles et aplatit les cheveux sur le côté. Elle sourit et le trouva magnifique ainsi avec cette allure de petit homme. Puis elle se pencha sur lui et le contempla maternellement. Comme elle l'aimait, cet enfant! Après tout, c'était bien naturel, il était pareil aux autres enfants... ceux nés du mariage. Non, il était différent des autres, il était son filleul à elle et... beau comme une fleur du mal. Mais combien il lui en avait fallu, du temps, pour se faire à l'idée que May était enceinte! C'était ridicule de sa part de n'avoir point soupçonné que cela pouvait se produire un jour. Elle si jeune... si ardente... et lui qui l'adorait. Pourquoi n'y avait-elle pas pensé? Et, une fois de plus, elle ferma les yeux charitablement et contourna ses principes pour prodiguer encouragements et conseils à la future maman. Sa surprise n'avait pas été moindre, le soir où elle se prit à penser... qu'elle aimait cet enfant... qu'elle l'attendait aussi avec joie... tout comme ses parents. Et puis cette journée mémorable... Oh Dieu! combien grande fut sa surprise, ce jour-là! Non, elle n'oubliera jamais! Ce jour-là... Monsieur Charles, avec son large sourire amical, venu vers eux leur demander d'être les parrains de son fils. Elle avait dit «oui» sans s'en rendre compte alors que Bernard, bouche bée, demeurait stupéfait. Quel honneur! Quel immense honneur que cette marque d'amitié envers eux, les domestiques.

Aujourd'hui encore, elle se sentait gonflée d'orgueil par ce privilège et saurait se montrer digne de l'honneur qui lui était échu.

Des gestes vigoureux et saccadés, suivis de cris plaintifs, mirent fin à sa rêverie. Une faim vorace tiraillait l'estomac de son petit. Elle le prit dans ses bras, l'embrassa et le porta à sa mère qui, dans la pièce voisine, faisait malles et bagages pour le départ du lendemain.

Quand May aperçut son fils, elle ne lui dédia qu'un faible sourire, trop absorbée par ses préparatifs de dernière heure. Elle releva la tête vers Mathilde et glissa un œil désespéré sur le lit bondé de vêtements.

— C'est décourageant! Voyez tout ce qu'il me faut emporter pour seulement trois semaines d'absence. C'est un vrai déménagement!

Elle soupira.

— Heureusement que vous êtes venue me donner un coup de main aujourd'hui, Mathilde. Je ne sais pas ce que je ferais sans vous.

— Vous manquez de méthode, ma chère enfant. Vous n'êtes pas encore habituée. L'expérience viendra avec le temps. Si vous aviez vu partir Madame Céline avec ses trois enfants pour l'île d'Orléans, l'année dernière. Là, il y en avait, du bagage!

Elle déposa Tommy dans les bras de sa mère.

— Il est l'heure de nourrir ce petit. Ça, je ne peux le faire à votre place. Asseyez-vous ici, dans ce fauteuil, et dites-moi où vous désirez ranger tout ce linge.

May obéit, prit le fauteuil et s'installa confortablement pour donner le sein à son fils, alors que Mathilde, sur son conseil, remplissait les valises.

Il y avait bien une quinzaine de jours que la domestique n'était venue à l'appartement. Une vilaine grippe l'avait retenue au lit près d'une semaine. Elles avaient maintenant beaucoup à se raconter et la conversation se poursuivit allègrement.

— Cette infirmière que vous avez eue en sortant de l'hôpital vous a enfin quittée, dit Mathilde.

— Oui, au début de la semaine, et j'étais bien contente. Je m'en serais volontiers passée bien avant. C'est Charles qui tenait à ce que je la garde. Elle était souvent plus encombrante qu'utile, bien qu'elle arrivât le soir à huit heures pour repartir le lendemain après le bain de bébé. En somme, elle ne faisait que changer ses couches car elle ne pouvait pas le nourrir pour moi! Et la nuit lorsqu'il pleurait, même si elle s'en occupait, nous étions également réveillés.

Mathilde en déduisit que cette fille manquait de compétence, qu'elle énervait l'enfant et qu'auprès d'elle il ne se sentait pas en sécurité.

— Quelle bonne à rien! conclut-elle. La preuve, c'est que cet enfant dort toutes ses nuits depuis qu'elle est partie.

May se fit violence pour ne pas sourire, trouvant que Mathilde exagérait légèrement. Cette garde-bébé n'était pas sans qualité, loin de là. Elle l'avait connue suffisamment pour reconnaître en cette femme une douceur ferme alliée à une patience sans limite. Fallait-il l'accabler de tous les maux parce que son fils manifestait certaines difficultés à s'adapter à une vie conditionnée? Charles était à son avis le seul responsable de cette situation ambiguë. Il avait été intransigeant sur cette question. Céline avait toujours bénéficié de l'aide de Mathilde pour ses relevailles, et la mère de son fils ne méritait-elle pas davantage? Il avait obtenu à la pouponnière de l'hôpital le nom de cette infirmière qui faisait du service privé. May, de son côté, avait finalement réussi à le convaincre de l'inutilité de cette personne pour le jour. La garde-bébé avait donc pris la relève de May tous les soirs pour veiller le nouveau-né.

May se pencha sur son fils qui, rassasié, s'était endormi. Elle lui sourit et dit à voix basse:

— Demain, tu connaîtras ton grand-père. Oui... demain, mon petit.

Elle rattacha son corsage, se leva avec précaution et se rendit dans la chambre déposer l'enfant dans son moïse. La chaleur de la pièce était étouffante. Elle ouvrit la fenêtre à sa pleine grandeur, espérant qu'une brise légère, si légère, rendît la température plus confortable.

Soudain, la sonnerie du téléphone retentit bruyamment. May s'évada de la pièce sur la pointe des pieds, referma la porte de la chambre vivement et se précipita vers l'appareil.

C'était Charles, l'avertissant qu'il ne viendrait pas déjeuner à la maison et l'informant aussi de la triste nouvelle qui l'avait secoué au début de la matinée. Sa voix trahissait encore son émotion.

Au bout du fil, May, complètement abasourdie, demeura silencieuse. Avant de raccrocher, elle contempla longuement le téléphone, puis, secouée brusquement par un vertige, elle dut s'adosser contre le mur pour ne pas chanceler. Elle ferma les yeux et se couvrit nerveusement le visage de ses mains, n'entendant plus dans sa tête qu'un martèlement de mots. «Lilian va mourir...» «Lilian va mourir...» Était-ce possible? L'unique solution au grand problème de sa vie... là, à portée de la main, défiant le destin! Elle riait maintenant. Elle se rendit compte soudain qu'elle riait parce qu'elle était trop heureuse. La vie était magnifique! Dieu avait entendu sa prière! Son bonheur était trop lourd pour qu'elle le supporte à elle seule; elle courut l'annoncer à Mathilde.

— Mathilde, Mathilde, s'écria-t-elle d'une voix tremblante.

Elle empoigna la domestique par les épaules et l'embrassa.

— Mon Dieu! Mais qu'est-ce qu'il y a, ma petite fille?

— Je suis heureuse, Mathilde. Je suis heureuse! C'est incroyable, c'est inespéré! La femme de Charles va mourir. Les médecins attendent sa mort d'un moment à l'autre.

Comprenant tout, le visage de la domestique se rembrunit sur-le-champ. Sur son front, des rides de mépris se formèrent, et vivement elle s'éloigna de la jeune femme qui, en relâchant son étreinte, ne s'expliquait pas son attitude contrariée.

— C'est très mal, c'est très mal de se réjouir de la sorte du malheur des autres. Notre religion nous l'interdit!

May lui offrit un visage bouleversé.

— Je ne lui veux pas de mal... Je ne lui ai jamais souhaité de malheur.

Elle s'assit sur le bord du lit et bafouilla:

— Je ne peux pas... Non, je ne peux pas faire autrement que d'être heureuse en pensant que Charles sera bientôt libre. Y a-t-il une autre solution pour que nous puissions nous marier religieusement?

Elle leva vers Mathilde un regard de pitié.

— Dieu seul est le maître de la vie et de la mort! Qu'y pouvons-nous, vous et moi, infimes créatures, si ce n'est de nous incliner devant sa volonté?

Mathilde baissa les yeux, soudainement déroutée, mêlée dans ces théories sur le bien et le mal. Mais elle ne s'y attarda pas longtemps et ajouta avec conviction:

— C'est juste! Toutefois, se réjouir dans de telles circonstances me paraît déplacé.

Un sourire tendre, ébauchant un air de triomphe, égaya le visage de la jeune femme.

— Je ne peux pas faire autrement, Mathilde! Je n'entends plus battre mon cœur dans ma poitrine... je l'entends rire.

Désarmée, Mathilde se mit à sourire aussi.

— Quelle enfant délicieuse vous êtes, May! Je n'admets pas, mais je comprends mieux pourquoi Monsieur Charles n'a pas su résister devant une telle tentation!

D'un bond, May se leva et se mit à valser en rond dans la chambre.

— Bientôt, je serai Madame Charles Grandmont! Quel bonheur! Un mari, un fils, un seul nom pour désigner une même famille. C'est merveilleux!

Finalement étourdie, elle se laissa choir sur le lit. Ses yeux rejoignirent le plafond.

— J'aurai vingt ans le vingt mai! Les astres me seront favorables cette année, je le sens!

Mathilde n'écoutait plus. Elle ne comprenait rien aux astres et avait repris le pliage du linge.

— Ma petite fille, ne vends pas la peau de l'ours avant de l'avoir tué. Il sera toujours temps de se réjouir de ton mariage. Tu n'aurais pas tort de suivre les conseils d'une vieille femme.

Elle l'avait tutoyée sans s'en rendre compte, et May y vit une marque d'affection. Elle en fut heureuse.

— Vous ne serez jamais une vieille femme, même si vous atteigniez les cent ans. L'intelligence et le cœur, quand on en est pourvu, ça ne vieillit pas!

La domestique soupira et ajouta, le regard pensif:

— Il y a des jours où je ne me souviens même plus d'avoir eu vingt ans! Mais l'important, c'est de savoir que j'en ai aujourd'hui le double.

Le linge s'entassait dans la malle à mesure qu'elles conversaient ensemble.

— Je doute, May, qu'une seule valise puisse contenir tous ces vêtements. Il en faudrait une autre.

— C'est impossible! Les Gagnon viennent avec nous. Charles a limité chaque couple à une seule valise.

— Alors, il faudra faire un choix et n'apporter que les vêtements indispensables.

— Je ne peux pas réduire les effets du bébé. Je vais retirer ces deux robes et ce costume.

May s'exécuta, mais la valise ne fermait pas davantage, malgré les efforts des deux femmes.

De nouveau, son contenu fut vérifié, et May, à la fin, se résigna à soustraire sa nouvelle lingerie de nuit.

Cette fois, la serrure se verrouilla sans offrir de résistance.

Quand tout fut terminé, il était midi. La journée était radieuse et on mangea sur la terrasse, qui, à cette période de l'année, était déjà égayée de verdure. Pain, viandes froides et salade revigorèrent les estomacs. Il fallait s'en contenter; il ne restait plus rien d'autre dans la glacière, car en prévision de son absence May avait épuisé toutes ses provisions.

En sirotant sa tasse de thé, la jeune femme informa Mathilde de son inquiétude à l'idée de laisser Charles seul pour une période aussi longue.

— Mangera-t-il convenablement? Il est tellement pris, à cette période de l'année.

— Ne vous tourmentez pas inutilement. Il ne se laissera pas mourir de faim. Il aime trop bien manger pour s'en priver très longtemps.

— C'est vrai, reconnut May en souriant. Avant de vivre avec moi, il n'était pas trop décharné.

Vers les deux heures, la faim réveilla le nourrisson, et ce n'est qu'en lui offrant le sein que May put l'arrêter de hurler.

— Quel caractère il a, cet enfant! dit Mathilde.

— La patience ne sera sûrement pas sa qualité prédominante, fit May.

La sonnerie du téléphone fit sursauter le bébé. Il lança quelques plaintes et se remit à téter.

— Voulez-vous répondre, Mathilde, s'il vous plaît?

Celle-ci se dirigea vers l'appareil. Aux premières intonations de voix, May déduisit que Charles était au bout du fil. La conversation fut brève. Quelques phrases seulement et la domestique ferma le téléphone. Quand Mathilde revint vers May, elle affichait une mine contrariée.

— Monsieur Charles viendra dîner ce soir avec un ami. Ils seront ici à sept heures.

— Non, pas ce soir! s'écria May consternée. La veille du départ! Je n'ai plus rien dans la glacière. Quelle idée il a eue! Ça prend bien un homme pour faire une invitation en un moment pareil.

May était furieuse. Mathilde murmura:

— Il a ajouté: «Dites à May de se faire belle.»

À ces paroles, les yeux de la jeune femme flamboyèrent de colère. Finalement, elle se fit une raison et accepta la situation. Après tout, que pouvait-elle faire d'autre? Il ne lui laissait pas le choix! Résignée, elle s'informa à Mathilde de qui il s'agissait.

— Un ami de collège. Il n'a pas donné de nom.

— Un ami de collège...

Non, même en réfléchissant, elle fut incapable de découvrir l'identité de cet ami. Elle glissa un regard impatient à son fils qui tétait encore avidement. Elle soupira d'impuissance. Elle avait tant à faire, et ce petit qui prenait tout son temps. Mathilde devina son angoisse et dit:

— Je vais faire un gâteau. Ainsi, le dessert sera assuré.

May la gratifia d'un sourire. Dès que le bébé fut rassasié, elle le déposa dans son lit, commanda à l'épicerie et s'affaira dans la cuisine.

* * *

Il était sept heures et demie quand May entendit le déclic dans la serrure. Quelques mots de leur conversation qu'elle saisit au passage, puis des éclats de voix sincères et sans artifice lui prouvèrent qu'ils étaient de vieux amis. Cependant, elle ne parvint pas à identifier la voix du visiteur, ayant la certitude de ne l'avoir jamais entendue.

Elle avait opté pour cette robe jaune très estivale qui lui donnait de l'éclat. Non sans un certain plaisir, elle s'aperçut qu'elle avait retrouvé sa taille de jeune fille car sa ceinture s'agrafait avec aisance au dernier trou. Par contre, le corsage se tendait plus qu'à l'ordinaire, et le tissu menaçait d'éclater à chaque respiration profonde. Bientôt, elle cesserait sa carrière de nourrice, et tout rentrerait dans l'ordre. Elle jeta un coup d'œil à sa glace et en déduisit qu'il y avait bien longtemps que celle-ci ne lui avait pas retourné une image d'elle aussi rayonnante. D'ailleurs, depuis la naissance de son fils, le temps de se faire belle lui avait bien manqué. Aujourd'hui, ses cheveux étaient particulièrement bien coiffés alors qu'un soupçon de maquillage avait dissimulé toute trace de fatigue sur son visage. Parmi ses boucles d'oreilles, elle fixa son choix sur ses anneaux d'or. Elle embellit ses mains en passant tout contre son jonc cette émeraude sertie de diamants que Charles lui avait offerte lors de la naissance de son fils. Elle se mit à sourire car elle le voyait encore, élégant comme un seigneur, venir vers elle dans cette chambre d'hôpital qu'il avait abondamment fleurie et lui tendre ce présent d'une beauté incomparable. Et depuis, à chaque occasion qu'elle avait de la contempler, cette bague la remplissait d'émerveillement. À peine eut-elle le temps d'humecter son cou de quelques gouttes de parfum qu'elle vit Charles apparaître sur le seuil de sa porte. En l'apercevant, il lança un long sifflement, ce qu'elle qualifia être une très haute marque d'appréciation.

Il l'embrassa et la dirigea aussitôt vers le salon, mais à la vue du visiteur ses joues se colorèrent car cet ami de Charles était un prêtre.

— May, voici le Père Laurent Vézina, missionnaire à la baie James. Un très vieil ami à moi.

Bien que très intimidée, elle lui tendit poliment la main. Toutefois, c'est lui qui s'adressa à elle le premier, avec une simplicité éloquente.

— Je suis très heureux de vous rencontrer, May. Il y a exactement une demi-heure que Charles me parle de vous sans arrêt. Il me semble, en vous voyant, que je vous connais depuis longtemps. Toutefois, je tiens à préciser que le portrait qu'il m'avait brossé de vous est bien inférieur à la réalité.

Ses joues devinrent écarlates. Dieu! qu'elle espérait qu'il ne vît pas son embarras. Aussi, May s'empressa, peut-être trop vivement, de lui souhaiter la bienvenue. Ensuite, Charles invita son ami à voir son fils, et, pendant qu'elle demeurait à l'écart dans l'embrasure de la porte à les regarder s'émerveiller, elle ne cessait de contempler ce prêtre qui tenait le langage de l'homme ordinaire. C'était la première fois qu'elle voyait un prêtre qui semblât ne point se préoccuper de l'être, et pourtant Charles, si souvent, lui en avait parlé en termes si élogieux qu'aucun doute ne l'effleura sur sa valeur ecclésiastique.

Le dîner fut des plus détendus et, par le fait même, des plus agréables. On parla de tout, vraiment de tout, sans minauderie, sans restriction. Le repas s'étira longuement, si bien qu'immédiatement après le café, May dut s'excuser car son fils réclamait sa collation, et elle laissa les hommes entre eux.

En même temps qu'elle, ils quittèrent la salle à manger et passèrent sur la véranda, où l'air de cette douce soirée de juin était beaucoup plus respirable. Charles n'oublia pas d'apporter avec lui des digestifs.

Devant un verre de cognac, la conversation s'engagea différemment. Indiens, mission, tennis, construction furent les sujets qui étirèrent le temps agréablement. Vers minuit, le prêtre sursauta, se rendant compte de l'heure. Charles offrit à son ami de le déposer à sa communauté.

Avant de descendre de voiture, Laurent dit gaiement:

— Dans trois semaines, je dois revenir à Montréal. Je te donnerai un coup de fil pour que nous puissions disputer une bonne partie de tennis. Cependant, je m'entraînerai le temps qu'il faudra avant de te faire signe. Je n'accepte pas la défaite plus facilement qu'autrefois.

— Quand tu te sentiras de taille, appelle-moi! Je suis ton homme.

Comme il ouvrait la portière, Charles le retint par le bras.

— Si j'étais devenu un homme libre lors de ton retour, accepterais-tu de nous unir religieusement, May et moi?

Le visage du prêtre se figea dans celui de son ami. Il savait que Lilian était très malade et que sa mort semblait imminente. Charles le lui avait dit, sans toutefois y ajouter le moindre commentaire. Soudain, Laurent soupçonna l'ampleur de l'inexorable dilemme qui divisait l'âme de Charles depuis que May partageait sa vie.

Il baissa la tête, réfléchit un long moment.

— Tu pourras compter sur moi, dit le prêtre avec bonté.

Charles ajouta, le visage crispé:

— C'est monstrueux d'en être arrivé là... Espérer que l'un des époux disparaisse pour que l'autre puisse vivre au soleil.

VII

Allan Téwisha se pencha de nouveau sur l'enfant et l'observa, silencieux. Plusieurs fois, il s'était approché du berceau pour contempler son petit-fils. Toujours, il procédait de la même façon. Il plissait d'abord les yeux, puis scrutait longuement le petit visage engourdi de sommeil; ensuite, il baisait la menotte et se relevait. Alors, une joie indéfinissable illuminait d'orgueil son regard.

Charles, l'œil aiguisé, l'esprit en alerte, avait remarqué le manège, et la jalousie torturait son amour-propre car les origines ne pouvaient mentir... Elles étaient là, gravées dans les traits de l'enfant. Le sang d'Allan était-il plus fort que le sien? Oui, il rageait intérieurement! Son propre fils, à l'image d'un autre! Pour cette seule raison, il appréhendait la rencontre de l'aïeul et de l'enfant. Non, il ne pouvait supporter le sourire subtil qu'Allan ébauchait devant l'incroyable ressemblance.

À leur arrivée, Allan avait serré sa fille dans ses bras, avait embrassé l'enfant et félicité Charles.

Tout s'était déroulé normalement dans la joie des retrouvailles. Après les mots d'usage, après les phrases de circonstance, vint ensuite le temps où le calme se rétablit et la conversation reprit sa place. Mieux que quiconque, Allan possédait ce naturel désarmant pour retrouver ses habitudes.

Allan s'éloigna du berceau, s'approcha de la fenêtre, alluma sa pipe, et son regard se perdit dans l'immensité de la forêt. Un très long temps, ses yeux vagabondèrent parmi cette verdure qui était toute sa richesse. Charles, qui l'observait, lisait ses pensées. Il le connaissait maintenant si bien. Un instant, il oublia sa blessure et le rejoignit près de la fenêtre.

— Oui, cette forêt lui reviendra un jour... dit Charles.

Sentencieusement, Allan déclara en plongeant son regard dans le sien:

— J'sais qu'y sera un jour le maître ici! Pour cela et aussi pour être fidèle à ses origines, y pourra jamais l'aimer moins que nous, Charles.

Ces paroles subitement se répandirent comme un baume adoucissant sur l'orgueilleuse entaille. La sagesse de l'Indien, une fois de plus, triomphait du tempérament impétueux de Charles.

— Tout l'hiver, j'ai attendu avec une grande impatience ce moment où j'verrais mon petit-fils. J'avais un pressentiment que ce serait un garçon. Probablement parce qu'y nous fallait un fils, à vous et à moi...

Et il glissa son regard vers l'extérieur, au-delà des vertes montagnes, et poursuivit:

— Plus tard, j'lui parlerai de ses ancêtres. J'lui apprendrai aussi la vie de la forêt. J'ferai de lui un chasseur habile et j'lui enseignerai à diriger les chantiers.

— Personne mieux que vous, Allan, ne saura lui apprendre toutes ces choses.

— Il devra aussi, un jour, construire des maisons, de grands édifices et que sais-je encore, dit May qui descendait l'escalier.

Surpris de constater qu'on s'immisçait dans leur conversation, les deux hommes se tournèrent vers la jeune femme, avec cet air bien visible qu'on les dérangeait. Sans se laisser impressionner, May poursuivit son idée:

— Heureusement qu'il dort, ce pauvre petit, sinon il serait écrasé sous le poids du fardeau qui l'attend.

Elle s'avança vers eux, sûre d'elle, dégageant une légère odeur parfumée. Après le bain de bébé, elle s'était rafraîchie d'eau savonneuse afin de chasser la poussière et la fatigue du voyage. Les cheveux recoiffés, des vêtements propres ne suffisaient pas, néanmoins, à dissimuler la pâleur de ses traits. Tête haute, elle les regarda tour à tour. Son attitude était provocante.

— N'oubliez pas, dit-elle, que j'ai mis au monde un homme libre!

Bien campé sur ses jambes, les mains derrière le dos, Charles riposta:

— Je voudrais bien connaître celui qui porterait atteinte à la liberté de mon fils.

Désarmée, May haussa les épaules et se mit à rire.

— Mon pauvre chou!... Si par hasard ton fils n'aimait pas le genre de vie que tu lui fabriques sur mesure, qu'adviendrait-il de tous ces projets que vous échafaudez tous les deux pour lui aujourd'hui?

L'Indien porta sa pipe à ses lèvres et se renfrogna, alors que Charles éclata de rire. Il se tourna vers Allan et dit en badinant:

— Le voyage a été épuisant. Les deux bébés nous ont cassé les oreilles toute la journée; aussi, May est très fatiguée. Elle ne parle pas sérieusement, c'est évident! Comme si cela pouvait être possible que Tommy soit différent de nous...

— Très bien, très bien, je ne dis plus rien puisque je déraisonne. Espérons que l'avenir saura combler vos vœux. Moi, je m'en vais dans l'enclos voir les chevaux. Ils apprécieront davantage ma présence.

Cependant, avant de quitter la maison, elle s'approcha du berceau, posa ses yeux sur l'enfant et lui sourit avec tendresse.

— Ne crains pas, mon petit! Ta mère saura te défendre contre l'agresseur.

Elle disparut à l'extérieur, laissant l'indignation rembrunir le visage des deux hommes.

À l'appel de son nom, la jument redressa la tête et rejoignit au petit trot le visage familier. May enroula des bras vigoureux autour du cou de l'animal et l'étreignit fortement contre elle.

— Ma belle Myoritza, comme je me suis ennuyée de toi! Toi, ma fidèle confidente de mes longues promenades!

Elle caressa longuement le dos de l'animal qui, sous la douceur de la main, restait immobile. Les yeux de May se posèrent ensuite sur le cheval de son père, qui s'était rapproché d'elle pour recevoir aussi sa part d'affection. Comme il avait vieilli depuis l'année dernière! Elle en eut subitement de la peine car aussi loin que remontaient ses souvenirs ce cheval faisait partie de son univers. Avec l'aide de son père, elle avait appris jadis à le monter et la patience, la docilité de l'animal avaient permis qu'elle devînt rapidement une habile écuyère.

Un bruit de pas fit sursauter les chevaux. Elle les connaissait assez bien pour savoir que seule l'approche d'un inconnu produisait ce genre de réaction. Elle se retourna et vit Charles qui approchait.

— De qui t'ennuyais-tu? Des chevaux ou de moi?

— Naturellement des chevaux, voyons! lança-t-il en riant.

Il lui prit la main et la tira vers lui; leurs lèvres se joignirent aussitôt.

— Trois longues semaines à être séparés! Tommy et toi, vous me manquez déjà!

— Charles, pourquoi ne restes-tu pas quelques jours ici? Nous serions si bien ensemble. Regarde comme la nature de juin est invitante... Nous pourrions nous promener dans la forêt, nous baigner dans la rivière et...

— ... et faire l'amour au moins deux fois par jour dans l'herbe haute. Je sais, mon ange, que je manquerai tout ça, mais je ne peux pas m'absenter du bureau ces jours-ci. Je partirai demain tel que prévu.

Elle se sépara de lui profondément déçue.

Charles se pencha, arracha une touffe d'herbe et l'offrit à la jument. Non intéressée, elle détourna la tête. Il fronça les sourcils, étonné.

— Les femmes et les juments se ressemblent; elles savent toutes les deux ce qu'elles veulent, et les combler n'est pas toujours facile.

Puis il enchaîna sur un tout autre sujet.

— Nous n'avons guère eu l'occasion, ces dernières vingt-quatre heures, de discuter d'un problème qui nous préoccupe tous les deux.

— La maladie de Lilian! reprit-elle vivement.

Charles avait pu voir, l'espace d'une seconde, une étincelle de joie illuminer le regard de sa compagne, et il en fut choqué. Néanmoins, il passa outre et dit:

— Hier soir la visite de Laurent, et aujourd'hui la présence des Gagnon ne facilitaient guère le dialogue sur un tel sujet.

May se jeta dans ses bras et tout son visage ne fut que sourire.

— J'attendais impatiemment que tu en parles le premier. Je suis heureuse, Charles! Mon bonheur atteint des dimensions effarantes; il se mesure à la hauteur du firmament. Bientôt, nous serons une famille identifiée par un seul nom.

Elle camoufla son visage au creux de son épaule. Charles ne broncha pas, mais en caressant sa joue, elle sentit les muscles de la mâchoire se raidir sous ses doigts. Elle releva la tête vers lui. Déjà, il s'était dégagé en la repoussant.

— Qu'y a-t-il, Charles? Je ne comprends pas...

Il ne répondit pas tout de suite, la considérant d'abord avec hostilité, puis les mots s'échappèrent de ses lèvres, tranchants comme une lame.

— Comment fais-tu pour te réjouir de la sorte du malheur des autres? Bon Dieu! essaie de te mettre un peu à sa place. Peut-être comprendras-tu?

Elle baissa les yeux, effrayée, incapable de proférer le moindre son. Tout se mêlait dans sa tête. Non, elle ne s'expliquait pas l'attitude révoltée de son compagnon. Sa réaction était identique à celle de Mathilde. Finalement, elle trouva les mêmes mots et lui expliqua doucement, comme elle l'avait fait pour la domestique.

— Je ne lui veux pas de mal, Charles. Bien que je ne la connaisse pas, je sais qu'elle est sûrement quelqu'un de très bien... Toutefois, je le reconnais, il m'est impossible de dissimuler ma joie devant ta liberté bientôt retrouvée.

— Cette liberté retrouvée signifie pour moi la mort de Lilian. Je me sens coupable vis-à-vis d'elle, dit-il en plongeant des yeux furieux dans les siens.

— Est-ce l'ombre de la mort qui te bouleverse à ce point, ou plutôt la peine que tu éprouves à te séparer définitivement de ta femme?

Charles haussa les épaules en guise de réponse. Oui, May avait vu juste! Les deux suppositions contenaient leur part de vérité. L'approche de la mort l'avait toujours bouleversé exagérément, puis il ne pouvait pas non plus supporter l'idée que Lilian disparaisse pour lui laisser toute la place. Il la savait heureuse avec cet homme, et cela ne le dérangeait nullement. Si souvent, il avait laissé entendre à May qu'un jour il pourrait l'épouser... Avait-il, de ce fait, influencé le destin de Lilian à force d'espérer ce mariage?

— Tu l'aimes encore plus que tu ne le croyais, n'est-ce pas, Charles? murmura-t-elle, avec des larmes dans la voix.

— C'est ridicule!

Ils se tenaient silencieux l'un près de l'autre, sans se regarder. Au bout d'un long moment, Charles dit sur un ton résolu:

— Demain soir, je prendrai le train pour New York!

— Pourquoi aller là-bas? Qu'est-ce que tu y feras? dit-elle froidement.

— Aussi longtemps que Lilian sera ma femme, je dois lui venir en aide dans le besoin. Je ne pense pas qu'il existe de besoin plus impérieux que celui qui se situe à l'article de la mort. C'est décidé, May, je partirai demain soir pour New York!

— Tu n'as pas le temps de passer quelques jours avec moi, mais tu en as pour elle, lança May en colère.

Il haussa la voix.

— L'urgence n'est pas tout à fait la même, il me semble!

— Eh bien, vas-y, à New York, et restes-y!... Tu aurais été plus honnête d'y penser avant, que tu l'aimais encore.

Elle courut vers la maison et s'enferma dans sa chambre. Des larmes inondaient son visage.

Allan et Charles passèrent la soirée à discuter de chantier. À neuf heures trente, l'Indien regagna sa chambre, alors que plus tôt dans la soirée cousine Éva s'était retirée au salon qui constituait sa chambre pendant le séjour de Charles et de May dans la maison.

Charles plia son journal, éteignit sa cigarette, puis se dirigea vers le berceau, embrassa son fils et le borda pour la nuit. Il gravit l'escalier sans bruit et se dirigea vers la chambre de sa compagne.

En tournant la poignée, il s'aperçut que la porte était verrouillée. Il échappa un juron, fit demi-tour et pénétra dans la chambre voisine. May, qui pleurait encore, entendit la porte se refermer d'un coup sec.

Des pleurs d'enfants tourmentèrent son sommeil; Charles ne parvint pas à dormir profondément et se leva courbaturé.

En descendant l'escalier, il vit que seule cousine Éva était dans la cuisine. Elle déjeunait.

— Bonjour, Monsieur Grandmont, vous avez bien dormi?

— Non, pas très bien. Tommy a été maussade la nuit dernière et cela m'a empêché de dormir.

Elle fronça les sourcils, surprise.

— Ce petit ange a passé une nuit excellente. Il s'est réveillé vers les six heures, et May est descendue immédiatement lui donner à boire. À peine a-t-il eu quelques murmures...

— Eh bien, j'ai dû rêver! Les bébés ont tellement pleuré hier pendant le trajet que j'en ai été obsédé toute la nuit.

Éva prépara un copieux déjeuner que Charles avala silencieusement. Dès qu'il eut terminé, il sortit de table et la remercia poliment, tout en jetant un coup d'œil sur le temps qui était gris comme son âme.

— Je dois partir maintenant, dit-il d'une voix triste.

Il se rendit près du berceau; Tommy ne dormait pas. Il prit le bébé dans ses bras et le serra contre lui.

— Au revoir, jeune homme! Durant mon absence, ne sois pas trop maussade avec ta mère, elle a vraiment besoin de se reposer.

Il embrassa son fils et le déposa dans son lit. Il se dirigea ensuite vers l'escalier, saisit la rampe et franchit les premières marches. Soudain il s'immobilisa, leva la tête, regarda à l'étage, hésita quelques secondes et redescendit.

Cousine Éva le regardait discrètement.

— Je ne veux pas la réveiller, dit-il en trouvant une explication fortuite.

Il enfouit la main dans sa poche et sortit plusieurs billets de banque, qu'il déposa dans les mains d'Éva.

— Voulez-vous lui remettre cet argent? Je ne sais pas combien elle a dans son sac à main... et je ne voudrais pas qu'elle en manque. Dites-lui que je reviendrai les chercher dans trois semaines, tel que prévu.

Avant de démarrer, il jeta un coup d'œil à la fenêtre de la chambre de May. Des rideaux opaques dissimulaient la présence de la jeune femme qui, les yeux rougis, regarda tristement la voiture s'éloigner dans une traînée de poussière sur le chemin de terre battue.

* * *

Au début de juillet, May, n'ayant reçu aucune nouvelle de Charles ne tenait plus en place. Inquiète, tourmentée, elle décida de lui téléphoner. Comme l'orgueil était en elle une force impitoyable, elle se ravisa, composa le numéro de l'appartement et décida plutôt de parler à Mathilde, qui, ce jour-là, rangeait la maison. La domestique, heureuse de l'entendre, lui donna immédiatement les dernières nouvelles. Elle sut ainsi que Charles s'était absenté du bureau une seule journée pour se rendre à New York. Cet aller-retour, souligna Mathilde, l'avait beaucoup fatigué, d'autant plus qu'il aurait pu s'en dispenser, car Lilian prenait du mieux.

May ferma l'appareil, complètement anéantie, ne sachant plus si elle devait en être heureuse ou non, mais cette agréable sensation qu'elle éprouva soudain effaça en moins d'une seconde cette angoisse morbide qui, depuis dix jours, vivait en elle et la terrassait. Libérée, détendue, elle considéra ce doux état de bien-être comme étant l'interprétation qu'il fallait y voir.

Avant de quitter le village, elle s'arrêta quelques minutes à l'église pour se recueillir... pour réfléchir, mais demeura immobile devant Dieu, incapable de prier, laissant toutefois la paix imprégner son âme. Quand elle quitta l'église, elle s'aperçut qu'elle était à nouveau une femme heureuse.

Comme le courrier demeurait muet, le mercredi suivant, May retourna au village et recommença le même manège du téléphone. Cette fois-ci,

Mathilde s'étonna qu'elle ne pût rejoindre Charles à son bureau, car il venait tout juste de l'appeler de cet endroit. Cependant, sachant qu'il s'agissait d'un appel interurbain, elle négligea rapidement ce détail et s'informa de son filleul. May lui souligna que l'air du Nord lui faisait grand bien, qu'il avait pris du poids et qu'il s'éveillait maintenant à sept heures le matin. Mathilde lui signala qu'il faisait une chaleur torride à Montréal, que Charles venait coucher sur le boulevard Gouin et qu'il rentrait très tard le soir, et finalement que Lilian avait quitté l'hôpital pour réintégrer son domicile.

Après cet échange téléphonique, May était plus inquiète des rentrées tardives de Charles que tracassée par le problème qui les avait divisés.

«Il est temps que je retourne chez moi», pensa-t-elle.

La chaleur qui sévissait dans la métropole s'infiltrait également dans les Laurentides, et rejoignait les villages les plus éloignés. Dans les montagnes, les nuits toutefois demeuraient plus supportables qu'à la ville, et May ne s'en plaignait pas. Le jeudi après-midi, la chaleur fut si accablante que la jeune femme renonça à l'équitation et se précipita à la rivière pour se rafraîchir. Après une longue baignade, elle s'étendit sur le rocher et se laissa sécher. Le soleil lui caressait la peau, elle ferma les yeux et s'abandonna...

L'effleurement d'un objet qui vagabondait sur son corps la fit tressaillir et la réveilla en sursaut. Elle ouvrit brusquement les yeux; Charles se dressait massif devant elle, tenant à la main une fougère avec laquelle, souriant, il lui chatouillait les seins.

— Bonjour, May! On se baigne toujours nue!

Elle avait bondi sur ses pieds et s'était blottie dans ses bras. Leurs lèvres aussitôt s'étaient jointes fougueusement.

— Oh! Charles... Comme je me suis ennuyée, mon amour!... J'ai eu si peur de te perdre.

L'émotion brisait sa voix quand il lui avoua:

— Tu vois, chérie... je ne pouvais pas attendre à dimanche pour te retrouver... c'était trop loin!

Elle caressait son visage de ses lèvres, ravalant des sanglots.

— Non... Je ne peux pas vivre sans toi... je dépérissais... c'était absurde... cette querelle.

Des larmes inondaient ses joues. Il embrassait sa bouche... ses yeux... son cou... buvait ses larmes... caressait son corps... Et, déjà, le rocher leur servait de lit.

VIII

Du jour au lendemain, sans le moindre avertissement, le monde entier fut plongé dans une profonde débâcle financière qui n'épargna personne, riche ou pauvre. Les journaux, la radio ne divulgaient plus à ce sujet que de tristes nouvelles. Le chômage avait atteint en quelques mois des proportions alarmantes, si bien que dans des millions de foyers la pauvreté s'était transformée en un état lamentable de mendicité. Dans les villes, les mères de famille s'ingéniaient avec un raffinement inédit, à nourrir toute une tablée avec quelques sous à peine. Dans les fermes des campagnes, le pain quotidien, du moins, semblait assuré. Le spectacle le plus désolant était de voir partout des hommes désœuvrés encombrer les rues, flâner sur les trottoirs, s'attrouper dans les parcs, cherchant sans espoir une solution à leur malheur.

Un an, deux ans, trois ans se passèrent sans que le monde ne perçût le moindre battement d'ailes. Le progrès retenait son élan comme si on eût arrêté le temps. Cette profonde léthargie qui perturbait le système économique dégénérait progressivement en une paralysie chronique. Un voile de tristesse assombrissait le regard de l'homme pour qui le travail demeurait un droit acquis dans une société dite organisée. Tout aussi tristes étaient les jeunes gens liés par des serments, qui se désespéraient de pouvoir fonder un foyer, n'ayant pas le sou pour faire vivre une famille. Seuls les enfants, nantis de l'insouciance de leur âge, riaient encore et s'amusaient pieds nus avec des jeux qui ne coûtaient rien.

Chez les Grandmont, Louis-Philippe fut le plus touché par la pauvreté qui sévissait partout. Non pas que l'ouvrage manquât; bien au contraire, il travaillait doublement; les patients, n'ayant pas l'argent pour payer le médecin, n'en avaient pas davantage pour acheter les médicaments indispensables à la guérison, et demeuraient ainsi malades plus longtemps et sujets aux rechutes.

Céline connaissait les difficultés de toutes les femmes à boucler son budget, et le crédit qui s'accumulait dans les comptes de son mari n'aidait pas à résoudre son problème.

Pendant ces années difficiles, un quatrième enfant était venu s'ajouter à leur famille. Roger, ce petit garçon joufflu aux yeux bleus, sans y être pour quelque chose, bien sûr, eut la chance de ressembler à son oncle Charles. Ce dernier, constatant le fait, le prit en affection, le combla de jouets, ainsi que ses trois autres neveux; ce qui eut pour effet d'améliorer les relations avec ses frères et belles-sœurs, à la plus grande joie de May qui, elle, ne s'était jamais habituée à cette guerre froide qu'il se plaisait d'entretenir à l'égard des siens depuis ce mémorable dîner.

Chez Jacques, la situation financière n'était guère meilleure que chez Louis-Philippe, mais, les bouches à nourrir étant moins nombreuses, les dépenses en devenaient ainsi réduites.

Julie, n'ayant plus les moyens de s'habiller dans les maisons dispendieuses, préférait confectionner ses vêtements elle-même plutôt que de diminuer la qualité de sa garde-robe. Au temps de ses études, elle avait appris la couture chez les religieuses et cousait d'ailleurs fort bien. Son goût artistique prononcé lui inspirait de jolis modèles originaux qu'elle réalisait ensuite habilement. Son nouveau métier la passionnait à tel point qu'elle devint la couturière de la famille. Elle habilla ses nièces, et Céline lui commanda deux robes. Jacques, ravi de voir sa femme occuper ses loisirs de façon utile pour la première fois depuis leur mariage, ne ménageait pas les compliments pour l'encourager, d'autant plus qu'en restant à la maison c'était déjà une économie en soi.

Parmi les frères Grandmont, Charles, même si la construction connaissait le point le plus mort de toute son histoire, demeura le seul à vivre largement, grâce à ces chantiers du Nord, qui, par chance, fonctionnaient normalement et dont les revenus à eux seuls auraient suffi à un père de famille nombreuse à vivre très confortablement.

Malgré une situation financière plutôt stable, le ciel n'était pas cependant au beau fixe chez les Grandmont, rue Sherbrooke, car jamais, de toute sa vie, Charles n'avait connu une période d'inaction aussi marquée, et jamais non plus il ne s'était senti aussi dérouté. Chaque jour, en dépit des quelques heures qu'il passait au bureau pour les légers problèmes qu'occasionnaient de petits chantiers sans importance, il avait l'impression de n'y rien faire.

Il est vrai qu'au cours des deux dernières années il avait consacré plus de temps à ses chantiers du Nord, mais ce n'était pas avec quelques semaines de travail sérieux par année qu'il était possible de remplir une vie! L'oisiveté peuplait donc la majorité de ses journées. Le désœuvrement lui était néfaste et inspirait à May des craintes parfaitement justifiées.

Durant ses nombreux moments libres, il passait des heures à échafauder des projets si extravagants, qu'elle tremblait de peur de les voir exécuter. Avec diplomatie, elle parvenait à le convaincre que son idée, bien que géniale, serait irréalisable dans le climat actuel. Finalement, devant l'accumulation de preuves, Charles cédait; mais c'était peine perdue car, le lendemain, il repartait pour la grande aventure et formait d'autres projets plus surprenants encore. Sans cesse, May tournait en rond dans un cercle vicieux, dépourvue de toute échappée.

Désespérée, elle s'ouvrit à Mathilde.

— Savez-vous ce qu'il projette ces jours-ci?

— Non, Quoi donc encore, ma pauvre enfant?

— Il a l'œil sur trois coursiers pur-sang, un étalon et deux juments qu'il désire acheter.

— Dieu du ciel! Qu'est-ce qu'il veut en faire?

— Acheter une écurie, les accoupler et faire l'élevage des chevaux de course. Le prix est exorbitant, et ce n'est qu'un début. De plus, il ne connaît rien à ce métier, et figurez-vous un seul instant quel genre d'écurie il aura. Rien de minable, bien entendu... Avec son esprit des grandeurs, ce sera la plus belle ferme d'élevage jamais vue mille lieues à la ronde.

La domestique, tout oreilles, écoutait avec une expression consternée.

— Oh! la la! Quelle histoire! Qu'allez-vous tenter, cette fois, pour l'en dissuader?

— Je n'en sais rien, Mathilde... Je suis à bout de ressources, fatiguée du combat, dit May en camouflant son visage dans ses mains.

— Non, ma petite fille, il ne faut pas le laisser faire. Il faut relever la tête et continuer la bataille. Ce serait trop dommage de voir engloutir dans une pure folie tout le travail d'une vie.

— Je n'en peux plus, dit la jeune femme, les yeux brillants de larmes. Oh! Mathilde, il ne veut plus... que je me mêle de ses affaires.

— Voyons, May! Je vous ai connue certains jours plus courageuse.

— Ils doivent être bien lointains, ces jours-là; je ne m'en souviens plus...

— Il y a quatre ans, lorsque vous avez passé cette porte pour partager la vie de Monsieur Grandmont sans lui être unie par le mariage, il fallait du courage et de la détermination.

May se mit à sourire.

— Oh! je pense qu'il fallait plus d'amour encore...

— Pour vivre toute une vie sans courber la tête, il faut un généreux mélange de tout ça, croyez-moi!

— Peut-être... Je ne sais plus... Qu'est-ce que vous feriez si vous étiez à ma place? Je vais suivre vos conseils aveuglément. Je n'ai plus la moindre idée dans la tête, les ayant toutes épuisées dans la lutte.

Mathilde ébaucha un léger sourire, tira la chaise et prit place en face de May à la table de cuisine, cherchant une solution convenable. Elle dit évasivement:

— L'été viendra bientôt... Pourquoi ne voyageriez-vous pas tous les trois? Tommy est un vrai petit homme maintenant. Il a trois ans...

— Voyager...

Leurs regards se croisèrent aussitôt, et un sourire victorieux égaya en même temps leurs visages.

— Voyager! Quelle idée géniale, Mathilde! Pourquoi n'y ai-je pas pensé? J'ai la certitude que l'idée lui plaira. Je lui ferai des suggestions; ce ne sera pas difficile, dit-elle en riant, je ne suis jamais allée nulle part. Toutefois, je le laisserai tout organiser; ça occupera son esprit. Il a tellement besoin d'avoir un but.

Maintenant débordante de joie, elle se leva, s'approcha de Mathilde et l'embrassa.

— Merci, merci mille fois pour cette bonne suggestion. Je vous en donnerai des nouvelles.

* * *

Elle attendit son heure patiemment mais résolument. Quelques semaines passèrent sans que le moment opportun ne se présentât. Un vendredi soir du début de mai, Charles rentra chez lui tête basse et fortement déprimé. Il suspendit son imperméable dans le placard et se rendit immédiatement au salon se verser un cognac. Tommy courut rejoindre son père; alors, May éteignit le fourneau et suivit son fils au salon.

Constatant l'air bizarre de son compagnon, elle s'informa aussitôt:

— Es-tu malade, Charles? Qu'y a-t-il?

Il ne répondit pas et avala une gorgée de cognac.

— Charles, répéta May inquiète, qu'as-tu?

— Je suis sidéré... C'est effroyable, ce qui est arrivé à Simon Harvey, mon ancien patron à la bourse.

— Oui, je me souviens de lui... Que lui est-il arrivé?

— Il s'est suicidé la nuit dernière.

— Mon Dieu!... Se suicider!... Mais pourquoi?

— Il avait placé tout son argent dans différentes actions, et, lorsque la bourse s'est effondrée à Wall Street, il a tout perdu. En l'espace de quelques semaines, de l'homme riche qu'il était, il est devenu un pauvre bougre. Il a vendu sa maison, s'est départi de ses biens pour arriver à joindre les deux bouts. Il a pu tenir le coup pendant trois ans. Puis ses ressources se sont finalement épuisées, et, se sentant acculé à la ruine, il s'est suicidé, dans une crise de découragement, ivre mort.

Charles alluma nerveusement une cigarette et ajouta, le regard dur:

— Il était marié à une espèce de folle, exigeante à l'excès, qui n'a pas dû l'aider à remonter la côte... Il ne méritait pas ça... C'était pourtant un brave type.

— Quelle triste histoire!... C'est horrible d'en arriver là, dit-elle, ahurie, se laissant tomber sur un fauteuil.

Ils se turent un long moment, plongés dans leurs pensées. Seul Tommy, indifférent au sort du pauvre homme, s'amusait à faire rouler un ballon en direction des pattes du cabinet à boisson. Soudain, May leva les yeux vers son compagnon et dit:

— Tu aurais pu connaître un sort identique si tu étais demeuré dans ce domaine... Y as-tu songé?

Il hocha la tête sans ajouter un seul mot.

Ils prirent le repas en silence, et Charles mangea très peu. Ensuite, il s'isola dans ses journaux une partie de la soirée. Lorsqu'il eut terminé sa lecture, May s'informa de son entrevue avec le propriétaire des coursiers.

— Au sujet de l'achat des chevaux, je suis subitement perplexe. Ce malheur qui est survenu à Simon m'a ébranlé, et maintenant je suis dans le doute, et, aussi longtemps que je le resterai, je m'abstiendrai de négocier.

May sentit son cœur battre à nouveau. Elle se mordit les lèvres pour retenir le sourire qui voulait éclater sur son visage, et, toute légère, rejoignit son compagnon sur le canapé et se blottit contre lui.

— Chéri... si nous profitions de l'été qui vient pour voyager un peu tous les trois... Tu m'avais un jour promis de m'amener à New York... puis au bord de la mer... Et ce changement d'air te laisserait amplement le temps de réfléchir à ton projet... Ce qui te permettrait ensuite d'agir avec plus de certitude.

— Voyager!... Quand j'avais ton âge, je rêvais de parcourir le monde.

— Et tu n'en as jamais eu le temps! ajouta-t-elle subtilement.

— Je vais y penser attentivement, et nous en reparlerons. C'est promis!

* * *

Comme s'il se fût agi d'un vieux rêve caressé depuis l'enfance, Charles décida subitement au déjeuner, entre deux tasses de café, que la seule destination qui l'exaltait c'était l'Europe.

May prit la journée à s'en remettre alors que Charles déjà agissait.

Il revint ce jour-là plus tôt que d'habitude et lui annonça leur itinéraire avec un tel enthousiasme qu'elle crut bon s'asseoir pour l'entendre.

— Écoute bien, belle enfant, tu n'en reviendras pas! Nous partons pour la grande aventure le trente mai prochain. Nous prendrons le train pour New York et nous passerons quelques jours à visiter la ville. Ensuite, nous nous embarquerons sur le *Maurétania*, ce luxueux paquebot qui est photographié partout, et nous accosterons au Havre, en France, six jours plus tard. De là, nous rejoindrons Paris, et nous y passerons une semaine entière à parcourir la ville et ses environs. Ensuite, mon ange, nous filerons sur la Côte d'Azur, plus précisément à Saint-Raphaël, pour habiter la superbe résidence de Monsieur McDonald.

Il expliqua:

— Je savais qu'il avait un pied-à-terre là-bas. Je lui ai téléphoné aujourd'hui pour savoir s'il était possible de louer une villa dans ce coin. Eh bien! ma petite, tu ne me croiras pas, mais il m'a offert la sienne qui, actuellement, est inoccupée jusqu'au début d'août. Je viens justement de lui envoyer un chèque pour le dédommager. Alors, nous serons les locataires de cette jolie résidence jusqu'à la fin de juillet. Après... nous rentrerons bien sagement chez nous, tous les trois. Naturellement, Tommy nous accompagnera, ça, j'y tiens!

Il reprit son souffle.

— Cela te plaît-il? Qu'est-ce que tu en penses?

Elle demeurait là, immobile, figée par la surprise, et le fixait encore avec des yeux plastifiés. Il secoua la main devant son regard et siffla quelques sons aigus afin de la rapatrier.

— May, je te demande, qu'est-ce que tu en penses?

Interdite, elle haussa les épaules. Finalement, elle réussit à balbutier:

— Je... je n'en sais rien... Je... n'ai jamais pensé... que de tels voyages existaient.

Elle se leva subitement et se blottit dans ses bras, concevant très bien que ce projet rejoignait le merveilleux. Il se mit à sourire.

— Je t'ai dit un jour que nous ferions un beau voyage...

— Oh! Charles... Quel amour tu es!... Ce n'est pas un voyage, mon trésor... c'est une odyssée!

IX

À partir de ce jour, les préparatifs devinrent chez les Grandmont, rue Sherbrooke, l'ultime préoccupation. Chez le tailleur, Charles commanda trois costumes et acheta tous les vêtements qu'il jugeait nécessaires au voyage. May renouvela sa garde-robe en visitant les magasins plusieurs jours d'affilée, et Thérèse se fit un plaisir de l'accompagner. Elle préférait de beaucoup la présence de son amie à celle de Charles qui, pour ce genre de chose, rivalisait avec l'horloge.

Le jour du grand départ finalement arriva. Julie et Jacques avaient insisté pour reconduire Charles à la gare, et, ne sachant plus comment se tirer de ce mauvais pas, il trouva, la veille, la solution à son problème. Il leur fit une brève visite et les avisa qu'il prenait sa voiture pour se rendre à New York.

Sur le quai de la gare, les Gagnon se joignirent aux domestiques pour leur souhaiter bon voyage. En apercevant son amie, Thérèse l'embrassa et s'exclama:

— Comme tu es élégante, May! Ce tailleur est d'un chic, ma chère! Je ne regrette pas de te l'avoir conseillé.

Elle retourna à Charles le même compliment et s'extasia devant Tommy qui, lui, ne se laissa point prendre au charme et continua de contempler, avec des yeux impressionnés, l'énorme locomotive qui dégageait par intervalles réguliers des sifflements de vapeur dans un bruit retentissant. Non rassuré, légèrement tremblotant, il serrait fortement la main de son père.

Charles accéléra les adieux quand il vit briller des larmes dans les yeux de Mathilde.

— Prenez bien soin de vous tous... Je vous sentirai si loin, dit-elle.

Il poussa littéralement sa compagne dans le wagon, y déposa son fils et à peine eut-il le temps d'y monter que le train démarra.

New York leur fit un accueil chaleureux. Un soleil radieux et chaud comme en été les attendait à l'extérieur de la gare.

Mais, dans le taxi qui les amenait au Belvédère, cet hôtel familier où Charles descendait chaque fois qu'il venait ici, May regardait d'un air étonné, presque déçue, les voitures trop bruyantes qui encombraient les rues, les piétons pressés qui s'entassaient aux intersections, les enseignes lumineuses, clignotantes, qui captaient indifféremment les regards... et tous ces gratte-ciel qui ombrageaient les rues, laissant à peine entrevoir une bribe de ciel bleu.

— C'est ça, New York?

Charles adorait cette ville. Il s'étonna de sa déception.

— Croyais-tu y voir une verte campagne calme et paisible?

Il suivit d'un œil intéressé l'activité trépidante qui remuait la ville.

— Oui, c'est un peu ça, New York... Et si cela n'existait pas, elle ne serait sans doute pas devenue cette cité imposante, puissante et riche, dotée d'une kyrielle de superlatifs lui collant la réputation d'être unique au monde.

Ils visitèrent la ville deux jours entiers, gravirent les cent un étages de l'Empire State Building, ce prestigieux enfant chéri, âgé de deux ans, qui surplombait fièrement l'île de Manhattan... et le reste du monde. Devant ce vaste chantier en ébullition, où une armée d'ouvriers œuvraient aux fondations de cet imposant complexe que serait le Rockefeller Center, Charles, pensif, mains derrière le dos, rêvait avec nostalgie...

Une petite rue étroite et obscure, où il avait amené May et son fils se promener, lui rappelait ses premières batailles sur le marché du travail.

— Qu'est-ce que nous faisons ici? dit May. Il n'y a rien à voir sur cette rue. Même pas un seul magasin pour lui donner de l'importance.

— Moi qui croyais que cette rue te ferait de l'effet! C'est Wall Street, ma chère! Premier marché mondial des capitaux en raison des multiples maisons bancaires qui la peuplent! Cette rue est le symbole de la suprématie américaine. C'est ici que bat le cœur de la terre, que l'homme prend son souffle ou le perd... comme en cette journée mémorable du 24 octobre 1929.

Elle s'immobilisa sur le trottoir, presque bouleversée. Puis son regard s'infiltra au-delà des murs des édifices pour ne percevoir que cette terrible angoisse qui avait stupéfié le monde en ce jour très sombre de fin octobre... Soudain, le visage livide de Simon Harvey, et de tous les autres qui trouvèrent dans la mort l'unique porte de sortie à leur malheur, lui apparut à l'esprit, la glaça sur place.

— Cette rue me fait frissonner. Partons d'ici... s'il te plaît, Charles!

Elle serra subitement le bras de son compagnon. Il perçut le malaise qui la troublait, sans toutefois se l'expliquer, mais démissionna aussitôt, ayant la conviction de ne jamais pouvoir comprendre. Comme la journée tirait à sa fin et que son fils, soudé à son autre main, sautillait d'impatience, il héla un taxi et indiqua au chauffeur le nom de l'hôtel.

Avant de prendre la mer et de quitter la métropole américaine, Charles invita May à dîner dans un des plus somptueux restaurants de la ville. Plusieurs fois, il était venu jadis manger avec des amis dans cet établissement et en conservait un bon souvenir. L'ambiance était agréable et gaie, et tous les clients se connaissaient.

Une gardienne fiable, conseillée par le gérant de l'hôtel, revenait chaque soir prendre la garde de Tommy, ce qui leur permettait de passer de divertissantes soirées.

Tout en visitant les magasins, May prit la journée à délibérer sur la toilette qu'elle porterait pour ce dîner d'éclat. Finalement, elle opta pour sa très jolie robe longue en mousseline bleu pâle. Quand elle l'eut enfilée et que, devant la glace, elle put la contempler à souhait, elle ne regretta plus le prix exorbitant qu'elle avait payé. Consciente de cette pure folie, elle n'en dit jamais à Charles la valeur exacte. Même une demi-vérité faisait encore preuve d'extravagance. Bien coiffée et maquillée avec soin, May quitta la vanité de la chambre de toilette avec la certitude qu'elle était vraiment à son avantage.

Toutefois, ce n'est que sur la piste de danse que Charles, stimulé par quelques verres de martini, lui confia après un regard soutenu:

— Tu es superbe, ce soir, mon ange! Mais je me rends compte que je ne suis pas le seul à le constater. Il y a deux vieux salauds, là-bas, qui ne te quittent pas des yeux.

Un sourire se précisa tout à coup sur ses lèvres.

Enfin, il était grand temps qu'il s'en aperçoive! Et, au prix qu'il avait payé la robe, il pouvait même se payer le luxe d'être jaloux.

— C'est curieux! dit-elle. Pourquoi les vieux messieurs ont-ils un attrait marqué pour les femmes plutôt... jeunes?

— Je n'en sais rien. Il faudrait peut-être le leur demander!

Et il termina cette phrase en lui retournant le plus désinvolte de ses sourires ironiques.

* * *

Devant l'imposante silhouette du *Maurétania*, ponctué de ses quatre cheminées, la famille Grandmont demeura vivement impressionnée.

— Quel magnifique voyage en perspective! s'exclama Charles, tout en parcourant avec des yeux émerveillés cette superbe masse flottante qui, depuis vingt-cinq ans, sillonnait les mers, défiant tout autre paquebot de traverser l'Atlantique plus rapidement que lui.

Ils montèrent à bord et s'installèrent dans leur cabine, laquelle, bien qu'étiquetée première classe, était relativement petite pour trois personnes, et May fut déçue, elle qui s'attendait à voir une vaste chambre d'hôtel.

Ils se promenaient sur les ponts quand ils entendirent un long sifflement qui fit tressaillir le bambin, annonçant le départ.

Lentement, le paquebot recula en longeant le quai, sous les regards d'une foule intéressée qui suivait les manœuvres. Puis, dans un espace confortable, le capitaine fit proue devant, et le bateau, face à la mer, s'élança fièrement sur les eaux calmes. En franchissant la rade du port de New York, le paquebot côtoya Bedlae Island et salua d'un long sifflement l'imposante dame tenant le flambeau de la paix du haut de son bras. Les passagers applaudirent d'admiration.

Au coucher du soleil, ils se retrouvèrent sur une mer d'un bleu foncé dont la ligne de démarcation était illuminée par un demi-cercle de feu.

Derrière eux, la terre n'était plus qu'une minuscule réalité.

Le lendemain, très tôt, Charles et son fils assistèrent en toute quiétude au lever du jour. Un ciel azuré, sans nuages, annonçait une journée splendide. Un vent léger, réchauffé par les eaux du Golf Stream, soufflait sur eux sans les incommoder. Charles avait chaudement vêtu Tommy pour qu'il ne prît froid, et avait lui-même enfilé son imperméable sur un épais cardigan.

Quelques marins à l'œuvre lavaient les ponts et regardaient d'un air étonné ces deux intrus qui rompaient les habitudes de cette heure matinale.

Deux heures plus tard, bien qu'il eût dévoré deux appétissantes pommes rouges, Tommy n'en pouvait plus d'attendre après ce petit déjeuner qui n'arrivait toujours pas. Alors, Charles décida d'aller réveiller sa compagne.

Dans la salle à manger, pour ce premier service matinal, la majorité des personnes qui s'y trouvaient étaient des couples avec des enfants, une vingtaine environ, et des personnes âgées. Avec cette jeune clientèle, l'atmosphère qui règnait autour des tables ressemblait davantage à celle d'un jardin d'enfants qu'à celle d'un hôtel de luxe.

Charles avala un copieux déjeuner, Tommy mangea pour deux, et May rétablit l'équilibre en se contentant d'un seul croissant et d'un café.

— Tu fais bien de manger très peu, dit Charles en terminant sa troisième tranche de jambon. J'adore les femmes minces.

Déconcertée, elle haussa les épaules et jeta sur son assiette un œil critique.

— À ta place, je me sentirais gênée de lancer une remarque de ce genre...

La journée fut incroyablement chaude. Un soleil généreux inondait la mer de lumière et la rendait éblouissante, alors qu'une brise légère caressait les visages, dissimulant ainsi l'ardeur des rayons solaires qui rougissaient hypocritement les peaux.

Tous les ponts du *Maurétania* grouillaient de monde. Les passagers, ivres de détente et de beau temps, rendaient un premier hommage à l'océan en l'honorant de leur présence.

— Il est préférable de profiter de cette belle température, dit Charles à May qui se faisait chauffer au soleil. Demain, nous aurons du froid et des nuages.

— Comment le sais-tu?

— De source officielle, ma chère! Tommy et moi, ce matin, avons fait des connaissances... Le capitaine lui-même, en personne, nous l'a confirmé.

Pas un seul instant, elle ne se permettait de sous-estimer Charles, car elle le savait homme capable d'aller saluer le capitaine de ce bateau avec une courtoisie inégalée. Une simple visite amicale, rien de plus! Il était de liaison facile, et déjà plusieurs passagers le saluaient en le croisant sur les ponts.

— Dans cinq jours, constata-t-elle, tu seras aussi populaire que le capitaine lui-même.

— Vraiment? Tu crois qu'il m'en faudra cinq? Je décline, alors!

Le lendemain et les deux jours qui suivirent, la température se détériora pour devenir sinistre. De lourds nuages sombres roulaient dans le ciel, poussés par un vent violent, alors qu'une mer grise et houleuse berçait le paquebot à un rythme régulier. Les ponts lavés par une pluie torrentielle étaient déserts.

May passa une journée entière au lit, l'estomac soulevé par des nausées, et vomit sans arrêt. Charles fit venir le médecin d'urgence, croyant qu'elle rendrait l'âme d'un instant à l'autre. Le médecin lui fit une injection qui la soulagea de ses nausées et qui, par effet secondaire, la projeta aussi dans une sorte de léthargie bienfaitrice.

Tommy, comme son père, ne semblait pas le moindrement incommodé par les oscillations du bateau, fort heureusement. Alors, Charles laissa sa compagne se reposer et poursuivit en compagnie du bambin son exploration. Ils visitèrent la chambre des machines avec les explications d'un officier, jetèrent un rapide coup d'œil aux cuisines et terminèrent la visite chez le capitaine, qui les avait invités, la veille, à venir explorer ses quartiers.

Ils prirent le dîner ensemble, seuls tous les deux, May n'étant pas assez bien pour les accompagner.

— Je t'ai rapporté cette orange, dit-il en rentrant. Ça te remettrait peut-être si tu mangeais un peu.

Elle eut un air de dédain.

— Pas maintenant, j'ai encore des nausées.

— Veux-tu que je te commande du café?

Elle secoua la tête et remercia, puis elle s'informa du temps.

— Le vent est tombé. La pluie a cessé et la mer est plus calme. Tu n'as pas le pied marin, ma pauvre fille; ce n'était même pas une tempête!

Elle haussa les épaules. Dommage! Elle aimait bien la mer.

Charles baigna son fils et le mit au lit. À peine eut-il le temps de le border qu'il dormait déjà.

— Comme il est mignon quand il dort! ne put s'empêcher de constater sa mère qui l'emmitouflait d'un regard tendre.

Mais elle s'aperçut, en tournant la tête, qu'elle parlait toute seule. Elle entendit l'eau couler dans la baignoire et Charles y plonger. Une dizaine de minutes plus tard, il apparaissait vêtu avec une telle élégance qu'elle l'accabla d'un regard soupçonneux.

— Vas-tu danser?

Il ébaucha un sourire timide, enfila son veston et vint s'asseoir auprès d'elle.

— Puisque tu étais malade et que nous ne pouvions pas assister au dîner du capitaine, j'ai cru préférable de te laisser te reposer et j'ai donné mon nom pour compléter une table de bridge. Il y a un type qui y joue très bien, paraît-il! Une simple curiosité...

Imperturbable, elle l'observa un long temps et vit le malaise envahir graduellement son visage. Finalement, elle cessa le jeu en accrochant un sourire à ses lèvres.

— Tu ressembles à un petit garçon qui se sauve... Amuse-toi bien!

Il se faufila la main sous la chemise de nuit et s'attarda à la caresser.

— Quelle agréable petite femme compréhensive tu es!

Il se leva, attacha un bouton à son veston, vérifia le contenu de son portefeuille sous l'œil perspicace de sa compagne.

— Bonsoir, chérie! Je ne reviendrai pas tard, dit-il en lui expédiant un baiser du bout des doigts.

Le paquebot approchait des côtes françaises, et le soleil avait réintégré sa place dans un immense ciel bleu. Des volées de mouettes criardes planaient gracieusement et virevoltaient au-dessus du paquebot, preuve évidente que le voyage tirait à sa fin.

Une ligne sombre se dessina à l'horizon sur le coup de midi. Bientôt, elle se précisa et se transforma en une ombre bleutée qui ressemblait étrangement à la terre. Minute palpitante, c'était l'extase! Face à l'Amérique, c'était l'Europe!

* * *

Paris en juin était magnifique. Sous un ciel clément, Charles et May, se tenant par la taille, tels des collégiens en vacances, parcouraient à pied les rues de la capitale.

Tantôt ils visitaient les monuments à la recherche de l'Histoire, tantôt ils longeaient la Seine à la recherche d'un banc.

Sur un petit livre qui leur tenait lieu de guide, ils biffaient chaque endroit visité. Ainsi, la Madeleine, la Sainte-Chapelle, les Invalides, Notre-Dame, la tour Eiffel, le Sacré-Cœur, malgré leur taille, furent rayés. L'esprit vigilant, toutefois, accumulait les richesses et les beautés.

— Que j'aime cette ville, dit Charles. Elle me fascine!

— Ne trouves-tu pas qu'il est facile d'être amoureux ici? Je ne sais pas si c'est l'ambiance qui y est particulière ou si c'est mon cœur qui est léger, mais je me sens bien.

— Nous reviendrons à Paris puisque nous nous y plaisons tous les deux.

Elle se mit à rire.

— Bien sûr! Pourquoi pas? Après tout, le Canada, c'est juste en face!

Aux terrasses des cafés, ils s'arrêtaient pour se reposer en buvant une boisson rafraîchissante ou pour se restaurer quand la faim les tenaillait. Ensuite, en grande forme, ils repartaient à la conquête de la ville.

Sur la fin de l'après-midi, ils regagnaient la pension Corbière, où ils logeaient. Un passager du *Maurétania* avait glissé à Charles le nom de cette pension accueillante dont les propriétaires étaient des gens consciencieux et fiables qui se chargeraient volontiers de la garde de Tommy pour quelques francs de plus. Vivement intéressé, il en discuta avec May, qui, sur-le-champ, accepta de sacrifier le luxe d'un grand hôtel au confort du bambin.

Tous les soirs, May assistait au souper de son fils, le mettait au lit et se reposait elle-même en attendant qu'il s'endorme.

À neuf heures, rafraîchis et bien toilettés, ils repartaient dîner dans un grand restaurant et visitaient ensuite le Paris nocturne.

Au milieu de la semaine, ils se réservèrent un après-midi de magasinage. May s'émerveilla devant un sac à main, un maillot de bain et une chemise de nuit. Charles ouvrit son portefeuille, et quelques petits dollars s'envolèrent. Sur l'insistance de May, il se procura un veston et deux splendides cravates, qu'elle jugeait absolument ravissants. Ils achetèrent aussi quelques souvenirs, dont une magnifique marquise de porcelaine qui garnirait avantageusement une table du salon.

Cette dernière journée avant de quitter Paris, May la destina à la visite du Louvre. Ils passèrent la matinée à contempler les œuvres et les chefs-d'œuvre de tous ces artistes dont les noms ont traversé le temps sans être oubliés. Charles sentit subitement la faim perturber sa concentration. Il jeta un coup d'œil à sa montre: midi trente. «Quoi de plus normal!» pensa-t-il. Il avisa sa compagne qu'il était l'heure d'aller manger. Elle approuva distraitement de la tête, tout en étudiant le plan de l'édifice.

— Il nous reste encore l'autre partie à visiter.

— Écoute, mon chou, c'est très joli, tous ces chefs-d'œuvre... mais il y en a trop!

Et il ajouta sur un ton affaibli:

— Je crois que je n'ai pas la santé qu'il faut pour passer la journée ici.

Elle en déduisit qu'il en avait par-dessus la tête du musée.

— Est-ce moins fatigant de jouer au tennis trois heures d'affilée?

— La fatigue est beaucoup plus supportable, aucune comparaison possible...

Il s'arrêta face à elle et lui proposa une solution.

— Nous allons manger ensemble. Ensuite, je file à la pension et j'emmène Tommy avec moi se promener au bord de la Seine. Tu pourras prendre tout l'après-midi pour terminer à ton aise la visite du Louvre. Est-ce que ça te convient?

Non, cela ne lui convenait pas du tout! Alors, à qui confier toutes ses impressions puisqu'elle serait toute seule?

— Bon, allons manger, fit-elle, déçue. Je verrai ensuite!

Dehors, la journée était superbe, le soleil envoûtant. Au café-terrasse, ils commandèrent viandes froides, salades et vin. Puis l'idée de Charles commençait à lui plaire... Il faisait si beau!

— Je crois que j'irai plutôt avec toi et Tommy me promener dans la nature.

— Tu ne le regretteras pas, ton choix est excellent! Tous ces chefs-d'œuvre réunis, si remarquables soient-ils, ne sont pas comparables à la nature du bon Dieu.

* * *

Le trajet en train Paris-Marseille fut long et exténuant. Une chaleur humide les accabla toute la journée, et Tommy ne cessa de multiplier les mauvais coups, ayant toutes les audaces. En prévision des exploits intrépides de l'enfant, Charles avait insisté pour voyager de nuit. Par contre, May, désirant connaître la campagne française, décida qu'il serait plus logique et aussi plus agréable de voyager de jour. Donc, on voyagea de jour!

— Je te l'avais bien dit qu'il eût été plus sage de prendre le train de nuit, lui lança Charles furieusement, après que son fils turbulent eut projeté sa balle sur le chapeau d'une dame. Au moins, il aurait dormi!

Les nerfs à fleur de peau, elle ne se sentait pas d'humeur à entendre des reproches.

— Avec ce petit démon, la sagesse nous conseillait au départ d'accepter la proposition de Thérèse qui s'offrait à le garder pendant notre absence.

— Inutile d'en reparler! Jamais je ne serais parti sans lui pour une période aussi longue.

— Alors, accepte-le tel qu'il est! s'écria-t-elle, offusquée.

Cette façon qu'elle avait de contourner le problème le mettait hors de lui. À l'entendre, maintenant, il était en tort!

Il la considéra d'un œil implacable.

— Très bien! Je te jure que la prochaine fois je suivrai MON IDÉE.

Elle ne répliqua pas: les autres passagers braquaient leurs yeux sur eux... Et ce petit ange, coincé dans les bras de son père, s'était finalement endormi, indifférent au conflit qu'il avait provoqué.

* * *

Voilà Saint-Raphaël, dit le conducteur de la voiture dans le plus pur accent marseillais.

Ils n'étaient plus surpris du tout de trouver l'endroit splendide, avec tous ces paysages grandioses qui les avaient éblouis depuis la matinée. Ne voulant plus recommencer l'expérience du train avec un enfant aussi fougueux que le sien, Charles avait retenu les services d'un chauffeur pour se rendre à destination, après avoir passé la nuit à Marseille.

Ils traversèrent la ville en éparpillant les regards de tous les côtés. Une satisfaction évidente se voyait à toutes ces exclamations enthousiastes qu'ils échangeaient brièvement. L'endroit leur plaisait. Dix minutes plus tard, la voiture s'arrêta devant une immense résidence toute blanche. Des palmiers et des arbres à feuillage tropical ombrageaient la maison. De nombreux bosquets de rosiers, allant du rose tendre au rouge vif, décoraient les vastes pelouses du jardin, offrant ainsi un contraste saisissant avec le bleu de la Méditerranée qui s'étendait en face de la maison de l'autre côté de la route.

May fit quelques pas en direction de la rue, et ses yeux rejoignirent la plage. Le sable paraissait invitant. Un sourire de satisfaction éclaira son visage.

Les domestiques, un homme et une femme dans la soixantaine, vinrent les accueillir. Ils ressemblaient étrangement au conducteur de la voiture: petits de taille, légèrement grassouillets, l'œil noir et vif, et la peau hâlée.

— Vous êtes Monsieur et Madame Grandmont, dit l'homme en s'approchant d'eux.

L'accent était également marseillais.

Charles répondit par l'affirmative et les salua avec courtoisie.

— Nous vous attendions! Monsieur McDonald nous a prévenus de votre arrivée pour ces jours-ci. Soyez les bienvenus, ajouta la femme.

Ils s'installèrent dans la chambre d'amis que les domestiques, sur l'ordre des propriétaires, avaient mise à leur disposition. Cette chambre, tout aussi spacieuse et éclairée que celle des hôtes de la maison, était également pourvue d'une chambre de bains et permettait l'accès à la galerie qui surplombait le balcon d'entrée. Le lit, de dimensions supérieures à la moyenne, plut à Charles.

— Enfin, dit-il, j'aurai les pieds sous les couvertures!

Quatre chambres similaires à la leur complétaient l'étage de la maison. Tommy fut installé dans la chambre voisine de celle de ses parents.

— Cette maison est loin d'être aussi modeste que le laissait supposer Monsieur McDonald, constata May, dont les yeux ne cessaient de s'étonner.

— La modestie et la richesse font rarement équipe ensemble. En tout cas, pas chez les parvenus. Ah! que cet endroit me plaît! J'ai l'impression que nous passerons de belles vacances ici! s'exclama Charles.

Les premiers jours se passèrent à explorer les environs. Ils firent la connaissance des voisins; ceux de gauche, en particulier, semblèrent fort sympathiques. Ils visitèrent les magasins, repérèrent les restaurants, et finalement, après information, Charles découvrit un club de tennis privé où il s'inscrivit immédiatement.

Quatre jours plus tard, ils connaissaient bien la ville, quelques noms de rues, et déjà ils se sentaient presque chez eux, familiarisés avec leur nouvel entourage.

Un matin, sur la plage, alors que May partageait les jeux de son fils pendant que Charles jouait au tennis, elle vit arriver son agréable voisin aux cheveux blancs. Il avait une pipe entre les lèvres, un béret sur la tête et à la main une canne qui lui servait de parure plus qu'elle ne l'aidait à marcher. Il s'arrêta à quelques pas d'elle et la salua militairement.

— Mes hommages, chère petite madame! Je savais que je vous trouverais ici, bien que la température soit à la fraîche ce matin.

Comme tous les Français, il était fin causeur, et May s'amusait à l'entendre. Avec déférence, elle se leva pour lui tendre la main.

— Ma femme, dit-il, m'a intimé l'ordre de vous convier à notre table pour ce dimanche à huit heures. Nous serons une dizaine en tout. Des gens charmants, vous verrez! Pas aussi jeunes que vous, bien sûr... ni aussi jolis, mais charmants et sympathiques. Votre présence rehaussera cette soirée. Je vous connais à peine, mais déjà je vous estime beaucoup, votre mari et vous.

— Merci infiniment, Monsieur Aubert, de cette chaleureuse invitation. Nous serons des vôtres avec joie et ravis de rencontrer vos amis.

* * *

Ils étaient charmants, les amis des Aubert, à l'exception de cette Mélanie Quevillon dont le snobisme frisait la sottise. Charles et May, ne pouvant supporter cette race d'individus, l'ignorèrent immédiatement, les présentations terminées. Aussitôt, un domestique pénétra au salon avec un plateau garni de coupes de champagne, tandis qu'un autre suivait avec les hors-d'œuvre et les canapés. L'hôtesse présenta elle-même une coupe à chacun de ses invités.

Pendant ce temps, May dialoguait avec Monsieur Aubert, qui ne la quittait pas d'une semelle.

— Vous me racontiez l'autre jour, dit-elle, qu'un peintre de la région avait fait récemment de vous un portrait dont vous paraissiez satisfait. Où peut-on l'admirer? Cela me ferait plaisir de le voir.

La curiosité des autres étant aiguisée, tout le groupe se dirigea vers la bibliothèque pour contempler l'œuvre de cet artiste italien à la mode et bien connu du groupe. On ne put que s'émerveiller, tant la ressemblance était parfaite. Même Mélanie Quevillon n'y trouva rien à redire. Après les félicitations, les invités réintégrèrent le salon, alors que Charles, profitant d'être un peu à l'écart avec le vieil homme, lui demanda certaines informations concernant le peintre en question.

— En considérant une telle réussite, j'ai eu subitement l'idée de faire peindre le visage de May. Croyez-vous qu'il soit facile de communiquer avec lui?

— Je le rencontre très souvent. Je peux lui dire de venir vous voir, si ça peut vous rendre service. Toutefois, c'est un personnage assez spécial... je préfère vous en avertir. De plus, ses honoraires ne sont pas bon marché; sa réputation n'est plus à faire ici.

— Je vous remercie de ces renseignements... Oui, j'aimerais bien le rencontrer dès que ce sera possible.

L'hôtesse convia ses invités autour de la table, et l'hôte, lui, exigea que May fût à ses côtés.

— J'adore les jeunes et jolies femmes, comme tous les vieux messieurs qui ont su garder le cœur jeune, déclara-t-il d'une voix parfaitement audible.

Et il tira la chaise de droite pour permettre à May d'y prendre place pendant que sa femme, de son petit visage austère, lui jetait un regard glacial; mais cela ne semblait guère le préoccuper, après quarante années de mariage.

Un hasard malheureux permit que Mélanie se retouvât en face de May, à la gauche de Monsieur Aubert. Guère plus privilégié, Charles l'eut comme voisine.

Le repas se déroula dans la plus pure tradition de la table française, et la conversation, animée par des propos légers, fut badine et détendue, jusqu'au moment où Eugène Raynault, cousin éloigné de Monsieur Aubert, demanda, le plus naturellement du monde:

— Où en est la civilisation, au Canada?

Charles, qui avalait une gorgée de vin, faillit s'étouffer. Stupéfait, il considéra longuement son interlocuteur avant de répondre et imputa finalement une telle ignorance au compte d'une longue carrière passée à prospecter les régions isolées d'Afrique.

— Notre niveau de vie est identique au vôtre. Je crois que, sur certains aspects, il est même supérieur... L'aspect confort, par exemple...

— Vraiment? reprit Mélanie Quevillon, élaborant un sourire insolent sur ses lèvres capricieuses.

Il ne lui accorda même pas la politesse d'un regard et poursuivit, tout en mesurant cependant la portée de ses paroles.

— Malgré un passé relativement court, à peine quelques siècles, nous connaissons la prospérité et nous demeurons en évolution constante du point de vue économique. Nos richesses naturelles sont des plus considérables; il y a donc là un potentiel industriel énorme. Je ne crois pas exagérer en disant aussi (et il se mit à sourire) que notre vie culturelle se porte bien, étant assurée à sa base par un grand nombre de maisons d'enseignement réputées. Chaque année, de nos universités, graduent un nombre toujours plus imposant de spécialistes qualifiés dans différents domaines, ce qui signifie que chez nous l'avenir est des plus prometteurs.

— Eh bien! Moi qui croyais que le Canada était encore un pays à coloniser, dit Monsieur Raynault, subitement mal à l'aise. Veuillez m'excuser si ma question a pu vous paraître déplacée. Mon ignorance en était la cause.

En entendant un tel acte d'humilité de la part d'un Français, Charles s'étonna qu'il fût né à Paris, mais se souvint par la suite qu'il lui avait mentionné avoir vécu en Algérie.

— Mais ces Indiens qui peuplaient ces terres d'Amérique, que sont-ils devenus? Qu'avez-vous fait de ces barbares? demanda l'hôtesse avec une saine curiosité.

Les yeux de Charles croisèrent aussitôt ceux de May. Depuis leur arrivée en sol européen, dès que les gens apprenaient qu'ils étaient canadiens, ils s'informaient des Indiens comme s'il s'agissait d'une race étrange, différente du reste de l'humanité. May, toujours, s'était comportée avec sagesse, et Charles, qui la connaissait bien, savait pourtant que ce calme superficiel dissimulait la tempête. Aussi, quand il vit le rouge colorer ses joues, il ressentit un serrement au creux de sa poitrine, s'attendant au pire.

— Chère madame, dit-elle d'une voix douce mais ferme, qui vous a appris que les Indiens étaient des barbares?

— Plusieurs de nos compatriotes français, qui jadis sont allés implanter notre civilisation en Amérique, ont été transpercés de flèches. C'est ce que j'appelle des actes de barbarisme, dit-elle en relevant dignement son petit visage austère et effilé.

Les yeux de May flamboyèrent de colère et sa voix résonna métalliquement quand elle ajouta:

— Probablement que les Indiens n'ont pas su remarquer qu'il s'agissait là d'hommes civilisés quand ils les ont vus s'implanter dans leurs terres sans leur en demander la permission... Ne croyez-vous pas, madame, que cela ressemblait davantage, aux yeux de ces barbares, comme vous le dites si bien, à une invasion, qu'à un échange culturel?

Constatant son irritation, Monsieur Aubert lui tapota amicalement la main.

— Ce raisonnement est juste, mon enfant.

May regarda le vieil homme, et sa colère s'apaisa subitement. Elle but une gorgée de vin pour se perdre en elle-même, et, quand elle releva les yeux, ceux-ci baignaient dans une mer de tristesse.

— Rassurez-vous, fit-elle d'une petite voix, maintenant pleine d'amertume. Les Indiens ont déposé les armes, non pas par manque de courage, mais de peur d'être complètement anéantis par les armes plus puissantes des Blancs. Ils sont un peuple dépossédé, confiné à vivre dans des réserves, une quantité négligeable dans une civilisation qui les ignore presque totalement. Mais ils n'en demeurent pas moins un peuple fier qui se souvient encore, avec une certaine nostalgie d'ailleurs, que jadis l'Amérique leur appartenait... avant la civilisation des Blancs.

Tous les yeux s'étaient immobilisés sur elle. On ne mangeait plus, on écoutait, l'oreille tendue. Puis un trou de silence immense comme un gouffre suivit.

— Quel vibrant plaidoyer! commenta Monsieur Raynault. Les Indiens du Canada n'auront jamais eu de meilleur ambassadeur.

May l'éclaboussa de son plus ravissant sourire.

— C'est que, voyez-vous, je sais de quoi je parle... Je suis à demi indienne! Ma mère a épousé un Montagnais.

À cette révélation tout à fait inattendue et pour le moins surprenante, l'étonnement figea les convives dans un mutisme profond, et personne ne trouva rien de mieux à faire que de poursuivre son repas.

Soudain, le bruit d'un fauteuil glissant lourdement sur le marbre du plancher fit redresser les têtes. Monsieur Aubert se leva, prit son verre à la main et le porta très haut, puis dit d'une voix aussi forte que celle d'un général à la tête de ses armées:

— Je propose un toast à tous les Indiens d'Amérique et je salue en leur nom la plus charmante Indienne que je connaisse.

Tous les verres se levèrent en direction de May, alors que Charles fit tinter le sien contre celui de sa compagne et la contempla fièrement.

Immédiatement après, une ambiance légère et joyeuse réintégra la salle à dîner et y demeura jusqu'à la fin de la soirée.

* * *

Tous les jours depuis trois semaines, May posait au jardin chaque matin à la même heure pour cet artiste italien, âgé d'une trentaine d'années et qui déplaisait à Charles au superlatif. Dès leur première rencontre, il le prit en grippe et lui aurait volontiers mit son poing dans la figure s'il ne s'était retenu. Daniello avait de ces façons d'examiner May en la parcourant des yeux comme s'il la touchait de ses mains. «Quel cochon!» pensait-il. Par contre, May le trouvait fort sympathique, et cela n'était pas pour le calmer. Elle buvait ses paroles, et son visage souriait constamment en l'écoutant parler de son art durant les heures de pose. Excédé, ne pouvant plus les supporter, il décida de les éviter en prolongeant sa période de tennis.

Après la deuxième semaine de pose, Monsieur Aubert prit l'heureuse initiative de venir voir travailler l'artiste et partager leur conversation.

— Daniello aime bien qu'on admire son travail. Venez tous les jours si ça vous plaît, lui disait Charles.

Ainsi, quand le vieux militaire se trouvait auprès d'eux, il partait au tennis rassuré et d'excellente humeur.

Presque tous les soirs, lorsqu'ils dînaient à l'extérieur, Charles et May revenaient à leur maison en longeant la mer et faisaient pieds nus dans le sable d'agréables promenades. Cette soirée de fin de juillet, à deux jours du départ, leur sembla exceptionnelle. Un clair de lune immense illuminait la nuit, alors qu'une brise tiède soufflait de la mer avec une douceur exaltante. May s'immobilisa subitement et fixa son compagnon avec des yeux où se lisait un désarroi étrange.

— Jure-moi que tu n'oublieras pas ces belles promenades que nous faisons, tous les deux, sur la plage.

Il la regarda, étonné, ne s'expliquant pas une si bizarre attitude.

— Comment pourrais-je oublier de si agréables moments?

Elle foula le sable de ses pieds, se baissa, en prit une poignée et le laissa couler lentement entre ses doigts. Elle dit d'une voix brisée:

— Je ne reviendrai plus jamais ici... J'en ai la certitude!

Il entoura ses épaules de son bras, l'embrassa sur la joue et dit en riant, sans la prendre au sérieux:

— Allons, ne sois pas prophète de malheur, nous reviendrons, je te le promets.

— Toi, tu reviendras peut-être, mais moi je ne reviendrai plus!

— Voyons donc! Que veux-tu que je fasse ici sans toi?... Toutefois, quand nous reviendrons, je peux te promettre sur-le-champ qu'il n'y aura plus jamais de peintre entre nous. Ça, je te le jure!

Elle oublia instantanément son pressentiment pour se mettre aussitôt sur la défensive.

— Je te ferai remarquer que c'est toi qui as eu cette idée et non moi! Demain, il apportera la peinture, et tout sera fini. Tu pourras l'oublier!

— Ne te fais pas de souci pour moi. C'est déjà fait!

Le lendemain, le beau Daniello arriva tout souriant, la peinture sous le bras, protégée de papier. Charles, le visage hostile, les mains dissimulées derrière le dos, le regardait retirer soigneusement l'emballage qui camouflait la toile. Puis, cherchant un endroit bien éclairé qui mettrait son travail en évidence, Daniello déposa le tableau sur une petite table adossée au mur faisant face à la fenêtre.

Aussitôt, les yeux de Charles rejoignirent le portrait, et il demeura muet d'émerveillement. L'artiste avait saisi le sourire de May et l'avait fixé dans l'huile, alors que son beau regard sombre avait cette expression de douceur qui lui était particulière. La peau du visage, identique à la réalité, contrastait avantageusement avec la couleur jaune du corsage. Quelques mèches rebelles s'évadaient d'un chignon mollement retenu sur la nuque, longeaient le visage et tombaient légèrement sur les épaules pour laisser cette impression d'insouciance qui plaisait tant à Charles.

— Magnifique! Absolument magnifique! s'exclama-t-il.

— C'est ainsi que je l'ai vue tout l'été... Très regrettable, dit Daniello en glissant à May un regard tendre, que vous ayez refusé que je fasse un nu. Avec un tel modèle, je me serais surpassé!

Les yeux de Charles devinrent menaçants, sa mâchoire se durcit, il plongea la main dans sa poche et s'empressa de payer les honoraires. Puis il expédia l'artiste à la porte tout en le félicitant brièvement d'une voix dépourvue de cordialité.

* * *

May destina la dernière journée à la préparation des bagages. Charles dut acheter deux nouvelles malles pour pouvoir rapporter avec eux tous les souvenirs qu'ils avaient choisis ici et là au gré de leur fantaisie.

À la fin de l'après-midi, ils firent à leur voisin une courte visite d'adieu. May vit briller des larmes dans les yeux de son vieil ami quand elle l'embrassa. Madame Aubert aussi, toutefois moins démonstrative, les salua de la main avec tristesse.

Dans la voiture qui les conduisait à la gare, plusieurs fois May se retourna pour se remplir les yeux de tout ce qui avait été leur vie dans ce joli coin de France. Un sentiment nostalgique l'envahit. Elle se serra tout contre Charles et faufila son bras sous le sien. Il prit sa main, la pressa dans la sienne et lui sourit.

— Chérie, l'Amérique, tu connais?

X

May ouvrit légèrement les paupières et les referma aussitôt, se sentant encore toute submergée de sommeil. Toutefois, la vie jaillissait en elle, la tirant de la nuit. Un nouveau jour commençait. Elle risqua un œil et vit des rayons de soleil s'infiltrer dans la chambre, aux contours de la toile qui opacifiait la fenêtre. Elle sourit au beau temps, car rien n'était plus enivrant, à son avis, qu'une splendide matinée de mai. Elle tourna la tête vers son compagnon; il dormait profondément, et le cadran marquait huit heures. Elle conserva cet état d'immobilité pour ne pas l'éveiller. Il était rentré si tard la nuit dernière...

Pour elle, ce matin était différent des autres matins, il lui conférait une année de plus qu'hier. «Vingt-cinq ans, je commence à vieillir», pensa-t-elle. Une étrange sensation accompagnant ce changement dans le temps subitement lui déplut. C'était la première fois qu'elle éprouvait du déplaisir à changer d'âge. Elle se souvenait d'avoir ressenti une vive joie le matin de ses dix-huit ans. Et pourtant... c'était hier à peine. Au même instant, elle pensa que Charles avait vingt ans de plus qu'elle et qu'il s'en portait très bien. Un sourire heureux baigna son visage... Elle était peut-être plus jeune qu'elle ne le croyait!

Ce matin, aussi, était différent des autres matins: une journée de plus qu'hier ajoutait de l'espérance à son calendrier de femme... Charles n'était pas encore au courant, et, ne voulant pas faire éclater la joie trop rapidement, de peur que la déception ne fût aussi profonde que lors de cette fausse couche qu'elle fit un mois après leur retour d'Europe, elle attendait que le temps fasse preuve d'évidence. Aujourd'hui, le délai qu'elle s'était fixé était écoulé; espérance et certitude se fusionnaient. Son corps, déjà, accusait la transformation. Charles saurait...

Avec légèreté, elle souleva le drap et glissa délicatement ses pieds hors du lit, mais une étreinte ferme retint soudain son poignet et l'empêcha de faire le moindre mouvement. Elle tourna la tête vers le lit et vit Charles, appuyé sur son bras, qui la regardait avec des yeux brillants.

— Ne te sauve pas ainsi. J'ai trois mots à te dire! Viens ici, tout près de moi.

Il la saisit par la taille et la tira jusqu'à lui. Aussitôt, il colla ses lèvres contre les siennes et la caressa d'une main vigoureuse.

— Bonne fête, chérie!... Quelle vieille femme tu es... c'est incroyable!

— Ne m'en parle pas! Je me faisais la même remarque, il y a cinq minutes à peine.

— Je ne te parle pas de ton âge, je te parle de ton attitude qui est celle d'une vieille femme.

Elle se souleva sur ses coudes et le fixa, étonnée:

— Que veux-tu dire?

— Quand une femme n'a plus aucun désir sexuel, c'est qu'elle vieillit!

À cette explication, le visage de May à nouveau s'éclaira.

— Ah, ce n'est que ça!

— Comment, ce n'est que ça? reprit-il, vexé. Depuis un mois, tu me fuis comme la peste. Tu te dérobes à mes caresses, et je suis tout surpris que tu viennes, à l'instant, de te laisser faire. Encore la nuit dernière, dit-il en haussant le ton, j'avais le goût de toi quand je me suis couché, et, cette fois, j'ai bien vu le manège: tu t'es faufilée discrètement à l'extrémité du lit.

— Quelle heure était-il quand tu es rentré?

— Deux heures trente, peut-être trois... je n'en sais rien. Et après? Quelle importance? Il n'y a jamais eu ni de lieu ni de temps pour nous, à ma souvenance, si, bon Dieu! ma mémoire est encore bonne!

— Je me suis endormie tard et j'étais fatiguée... En d'autres temps, d'accord, l'heure et le lieu n'ont pas d'importance. Mais tu exagères! Trois semaines sans aucune intimité, dans la vie d'un couple, ce n'est pas un drame.

Charles roula des yeux ronds:

— Trois semaines, tu parles! Une éternité!

May s'était glissée sur ses genoux, enroulant sur son doigt une mèche de cheveux, et le regardait se débattre comme si une partie de sa vie, à l'entendre, se retirait de lui. Elle le trouvait beau. Son torse large et velu l'attirait. Il faisait bon y reposer la tête après l'amour. Ses yeux, ce matin, avaient la couleur de la mer au soleil couchant. Les cheveux défaits et la barbe longue lui conféraient un attrait sensuel qui stimulait en elle des appétits auxquels elle n'avait aucune envie de résister.

Il remarqua cette étrange façon qu'elle avait de le parcourir des yeux et s'écria, indigné:

— Ne me regarde pas ainsi! C'est de la pure hypocrisie puisque je ne t'inspire plus l'amour.

Charles prit son oreiller entre ses mains, le plia en deux, y inséra son poing et l'appuya derrière son dos. Il poursuivit agressivement:

— Non, je n'arrive pas à m'expliquer cette frigidité excessive. Tu es devenue un vrai glaçon. Toi, un glaçon... c'est incroyable! Pourtant, avant que le printemps n'arrive, tu te comportais encore avec moi comme une chatte en chaleur.

— Tu es grotesque! lança-t-elle, n'aimant pas le choix de l'expression pour qualifier son amour.

— Qu'est-ce que tu as? Qu'est-ce que je t'ai fait? Bon Dieu! dis-le et qu'on n'en parle plus!

— Mais rien, Charles!

— Tu n'aimes pas que je rentre tard... C'est ça! dit-il en l'apostrophant. Voilà la raison!

May ajouta avec calme:

— Je ne t'ai jamais fait de reproches... Hier soir, tu m'avais avertie qu'après la réunion, Jacques étant présent, il était presque certain que vous joueriez aux cartes; histoire de vous dégager des problèmes. J'avais compris et j'ai même averti Tommy de ne pas faire de bruit en se levant, afin de te laisser dormir ce matin.

Comme elle parlait de l'enfant, ce dernier entra en trombe dans la chambre de ses parents sans avertir, et May dut lui en faire, une fois de plus, le reproche. Mais il s'était déjà faufilé dans le lit et se jeta au cou de sa mère, qui perdit l'équilibre et tomba à la renverse sur le matelas mœlleux.

— Bonne fête, ma petite maman!

Il serra ses bras vigoureusement autour de son cou et lui donna un baiser si intense qu'il faillit lui décrocher la mâchoire.

— Ça suffit, Tommy! ça suffit! dit-elle en riant. Tu me fais mal!

Il sauta en bas du lit, courut dans sa chambre et revint en coup de vent avec un joli paquet.

— Voilà mon cadeau! C'est marraine qui l'a fait exprès pour toi. Regarde, maman, le beau ruban autour de la boîte!

— L'emballage est magnifique, mon trésor, et ton cadeau me fait grand plaisir.

Elle le remercia d'un baiser, tout en posant ses yeux sur Charles d'un air malicieux. Il ne lui avait encore rien offert… Tommy aussi le regardait au même instant. La mère et l'enfant avaient cette façon si identique de l'observer qu'il crut un instant que sa vue se dédoublait. «Pourtant non, se dit-il en lui-même, je suis bien à jeun.»

May développa la surprise avec empressement, et, retirant le couvercle de la boîte, vit avec ravissement une petite robe de bébé en laine d'un rose tendre, tricotée à la main. Elle la souleva délicatement hors de la boîte et ne put réprimer sa joie.

— Le rose est la plus jolie couleur qui soit! Quelle idée merveilleuse! Il n'y a que Mathilde pour penser à de telles choses.

Charles avança la tête, examina le vêtement d'enfant, et, finalement fronça les sourcils.

— Qu'est-ce que tu vas en faire?

— Attendre que ma fille naisse et la lui faire porter!

Il se cabra dans le lit, la fixa intensément, et ses yeux bleus se foncèrent sous l'impact de la colère. Il lui vociféra au visage:

— Merci de cette façon singulière de m'annoncer une telle nouvelle! Moi, le père, quantité négligeable, je m'en apercevrai un jour avec le temps… tout comme le voisin d'en face!

— Je regrette, Charles… dit-elle, confuse et peinée, je voulais te l'annoncer aujourd'hui.

Il ricana d'une voix glaciale.

— Le coup de la surprise… Bon Dieu! Comme si faire un enfant était un acte insignifiant et sans conséquence.

Elle expliqua avec désarroi:

— Je voulais en avoir la certitude avant de te l'apprendre…

— Et pourtant moi, tout comme Mathilde et Thérèse, car j'imagine qu'elles le savent aussi et leurs maris en plus, je n'aurais pas su traverser avec toi cette période d'incertitude? J'y avais droit, non?

Ses yeux la foudroyaient et May se sentit presque effrayée de l'expression de son visage. Il étira le bras jusqu'au fauteuil, saisit sa robe de chambre et l'enfila dans son lit sans se lever. Mais il sortit du lit si brusquement que le drap se souleva et que Tommy eut le temps de s'apercevoir que son père était nu. Aussitôt, son esprit vif et clairvoyant d'enfant de cinq ans fut alerté.

— Pourquoi, papa, dors-tu sans pyjama?

Il dévisagea son fils et demeura interdit. Après quelques secondes, il marmonna:

— Il faisait une chaleur étouffante la nuit dernière, je n'ai pu supporter mon pyjama.

Aussitôt, ses yeux rejoignirent sa compagne. L'indignation rougissait son visage et durcissait ses traits. Il fulmina:

— Bon Dieu! Que ça me révolte de constater que je suis le cinquième à apprendre que tu attends un enfant! Moi, je ne t'ai jamais traitée de la sorte!

Et il étouffa entre ses dents une bourrasque de jurons.

La sonnerie du téléphone retentit dans la cuisine. Il se dirigea d'un pas ferme vers l'appareil.

May distingua le nom de Denis au hasard des «oui» et des «non» qui composaient les strictes réponses de la conversation.

— J'arrive dans vingt minutes, dit Charles avant de raccrocher.

Bruyamment, il quitta la cuisine et se précipita dans la chambre de bains. Elle entendit l'eau couler dans la baignoire, puis il revint dans sa chambre, choisit des vêtements propres et disparut avec tout son bagage dans la chambre de toilette tout en grommelant à May au passage:

— Je ne veux pour déjeuner qu'un café noir très fort!

— Oh! Charles... écoute-moi...

Mais il était déjà parti.

Quinze minutes plus tard, dégageant son habituelle odeur de lavande, vêtu avec soin, il pénétra dans la cuisine, affichant une attitude hostile et fermée. Il accepta le café que May lui offrit, sans lui accorder la chaleur d'un regard ni même le murmure d'un remerciement.

Fort inquiète au sujet de ce coup de téléphone qui le précipitait de la sorte, elle rompit le silence et osa demander:

— Qu'y a-t-il au bureau de si urgent pour que tu y accoures aussi hâtivement?

— Des problèmes!

— Ça, je m'en doute bien!... Mais quel genre de problèmes?

— Le genre emmerdant au possible!

Elle n'insista pas, constatant qu'il ne désirait pas lui parler.

Il but son café, embrassa son fils et quitta la maison en claquant la porte.

* * *

À son retour d'Europe, grâce à un travail acharné, Charles avait réussi à décrocher quelques contrats, oubliant ainsi ses autres projets. Par les temps qui couraient, la vie n'était guère facile dans la construction, et la moindre soumission publique devenait une sérieuse bataille entre les concurrents. Cette guerre des prix diminuait considérablement les profits, et parfois Charles se demandait si les maigres bénéfices encaissés correspondaient aux problèmes encourus. Et il doutait... Puis, six mois plus tôt cet alléchant contrat survenu par hasard, sans aucune bataille, leur avait permis de réengager presque la totalité de leurs hommes. Enfin, la vie semblait vouloir reprendre comme avant...

Il s'agissait de la construction d'un pensionnat pouvant accueillir près de sept cents élèves, avec, en plus, une résidence de religieuses. Huit ans auparavant, la compagnie Grandmont, Girard et Desjardins avait travaillé pour cette communauté, lui donnant pleine satisfaction. Aussi, Charles fut à peine étonné, en ce lundi de novembre, lorsque l'économe de la communauté, au bout du fil, lui demanda de passer la voir. Il l'avait jadis traitée comme une perle rare, sachant que la majorité des communautés religieuses possédaient des richesses reconnues; leur clientèle n'était donc pas à dédaigner. Avant de quitter la religieuse, il lui avait fait un don substantiel pour ses missions lointaines, ce qui avait produit sur elle une vive impression, et qui, pour lui, n'était en somme qu'un placement.

Aussi, lorsque vint le temps d'ériger un nouveau couvent, l'économe se souvint de ce Monsieur Grandmont, distingué, consciencieux et tellement charitable...

Mais aujourd'hui, avec cette erreur qui s'était glissée dans les plans et que l'ingénieur venait tout juste de découvrir, ça risquait d'amoindrir considérablement les bénéfices.

Avec ses collègues, il évaluerait sur l'heure l'étendue des dégâts, et essaierait ensuite de rediscuter avec l'économe. La soumission avait été acceptée; la tâche ne serait pas facile. Cette femme intelligente et perspicace connaissait ses droits, avait la notion de l'argent, et valait à elle seule dix comptables réunis, tant sa science de l'économie était étendue. Quelle journée l'attendait!... Elle avait si mal débuté.

* * *

D'habitude, le samedi, à quatre heures, Charles était de retour à la maison. À six heures, May n'avait reçu aucune nouvelle de lui. Elle fit souper son fils et lui donna son bain. La tristesse avait imprégné cette journée d'anniversaire avec cette stupide querelle de la matinée. Elle se reprochait maintenant son manque de discernement, et pourtant, combien elle avait cru bien faire. Pas un seul instant, elle n'avait songé à exclure Charles de cette grande joie qu'elle portait en elle. En réfléchissant au problème objectivement et en observant après coup les deux facettes de la médaille, elle s'expliquait son soulèvement, sa révolte. Il avait raison!

Au cours de la matinée, Mathilde lui avait téléphoné pour lui offrir ses vœux. Après l'avoir sincèrement remerciée et félicitée pour la jolie robe, May, finalement, lui raconta son malheur. Grâce à sa longue expérience matrimoniale, la domestique put lui souffler des paroles encourageantes, et la jeune femme, en fermant l'appareil, se sentit soulagée.

Plus tard, vint le tour de Thérèse de lui présenter ses souhaits, mais cette fois elle remercia sans en dire davantage.

Puis le facteur passa, lui apportant des nouvelles de son père, écrites naturellement de la main d'Éva. Il lui laissa également une lettre pour Charles, oblitérée à New York. C'était la troisième lettre, en autant de mois, que David Moore lui écrivait. Des deux lettres précédentes, elle n'avait rien su du contenu, ce qui l'avait irritée excessivement; et elle avait vu, par la suite, Charles brûler les lettres après les avoir lues, ce qui lui avait fait l'effet d'une gifle.

May déposa cette troisième lettre sur la table de la cheminée sans aucun plaisir et, pour tout dire, avec même une certaine rage au cœur.

«Il n'aura pas besoin de faire le moindre geste pour la brûler, il sera tout à côté», se dit-elle intérieurement.

Dans l'après-midi, elle accéda aux désirs de son fils, qui souhaitait aller se promener sur la montagne. Tommy tenait de son grand-père cet amour de la verdure et de la forêt, et prenait des courses folles puis se roulait dans l'herbe humide des pelouses, tel un enfant sauvage contraint à vivre cloisonné entre des murs de ciment. Il faisait si beau, si doux que May goûta presque tangiblement à cette température de mai qui était sans défaut: ni trop chaude ni trop fraîche; à peine un soupçon de brise lui effleurait la peau et lui procurait un plaisir tout neuf, presque oublié...

Le vert tendre des nouvelles feuilles égayées de soleil l'émerveillait. La terre sentait le printemps, et cet arôme de vie nouvelle l'exaltait. Elle souriait avec tendresse à la jeune vie qui s'ébauchait en elle. Au contact de la nature, elle vivait intensément et s'aperçut soudain que dans ce bonheur, Charles était exclu...

Vers la fin de l'après-midi, elle mit fin aux ébats de son fils, jugeant qu'il était l'heure de rentrer à la maison. Tommy, fatigué de cette longue promenade et de ces heures de liberté à épuiser ses énergies, ne protesta pas quand, à sept heures trente, sa mère décida de le mettre au lit.

Le calme aussitôt se fit dans la maison. May n'avait pas encore mangé, mais la faim ne la tourmentait pas. Elle attendrait Charles... Elle décommanda la gardienne. Non, ils ne sortiraient pas ce soir. Ils resteraient à la maison et feraient la paix, en faisant l'amour.

Dans la salle à dîner, elle déposa deux couverts sur la belle nappe de dentelle, ajouta les chandeliers puisque c'était jour de fête. Elle se rendit dans la cuisine, ouvrit la glacière et regarda d'un œil gourmand les deux belles truites saumonées, prêtes à rôtir, qu'elle avait achetées à la poissonnerie avant d'entrer.

Fatiguée, elle décida de prendre un bain chaud pour se détendre. Après, elle n'eut plus le courage de se rhabiller et s'enroula dans un peignoir qu'elle maintint fermé en nouant le ceinturon. Son visage était pâle; elle frictionna vigoureusement ses joues et colora ses lèvres. Elle brossa ses magnifiques cheveux noirs qui s'étalaient sur ses épaules jusqu'à la taille et décida de ne point les attacher.

Sa toilette terminée, elle se rendit au salon, mit quelques bûches dans la cheminée et alluma le feu. Elle jeta un coup d'œil sur la lettre, et un désir malicieux de la brûler l'envahit. Hésitante, l'âme tiraillée, elle prit l'enveloppe entre ses mains, l'examina longuement, et finalement... résista à la tentation; Charles ne le lui pardonnerait pas! Elle se dirigea machinalement vers la radio, tourna le bouton et choisit une émission de musique douce. Sa mélancolie ne fit qu'augmenter. Elle décida de faire un peu de lecture pour combler sa solitude.

Huit heures trente, et aucune nouvelle de Charles. L'inquiétude la gagnait. «Qu'est-ce qu'un homme peut bien faire au bureau le samedi soir?» songea-t-elle. Elle décida qu'elle le saurait sur-le-champ. Elle se rendit à la cuisine, composa le numéro... Il n'y avait personne... Elle s'en doutait bien. Où pouvait-il être? Elle revint au salon, s'allongea sur le canapé, en proie aux idées les plus saugrenues. À plusieurs reprises, elle essaya de se calmer, mais en vain. Neuf heures sonnèrent lourdement à la pendule. Elle se morfondait d'anxiété. C'était trop bête! Un soir d'anniversaire, et en être là à se faire du mauvais sang pour un absurde malentendu. Très bien! Puisqu'il préférait assouvir sa rancœur, elle fêterait toute seule son premier quart de siècle! Furieuse, la larme à l'œil, elle se dirigea vers le cabinet à boisson, prit une bouteille et s'en versa un grand verre. D'un trait, elle en but la moitié et grimaça; sa gorge flambait. Presque immédiatement, une bouffée de chaleur, accompagnée d'une délicieuse sensation de bien-être, l'envahit et la réconforta. Elle termina son verre, et, cette fois, une impression de légèreté l'enveloppa et la transporta dans un monde heureux. Elle regagna le canapé en riant... Le sol tanguait sous ses pieds. Qu'importe si tout bougeait dans la pièce! Elle était bien... merveilleusement bien... Elle détacha son peignoir. Son corps était couvert de sueur. Un sourire béant inonda son visage. Elle ferma les yeux, pensa à sa petite fille et... oublia Charles.

May se réveilla en sursaut sans s'expliquer cette angoisse qui crispait sa gorge. Un bruit sec venant de la cheminée la fit tressaillir. Elle tourna brusquement la tête et vit Charles, accroupi devant le feu, qui disposait une nouvelle bûche sur les chenets. Elle soupira et se mit à sourire de plaisir. Enfin, il était là! Il était revenu! Son angoisse, son anxiété venaient de s'envoler en fumée. Comme c'était bon, la paix, et le bonheur, donc!

Il se releva et lui adressa un regard... très bref.

— Bonsoir, Charles!... Je t'attendais... depuis longtemps, tu sais!

Son visage ressemblait à celui qu'il avait ce matin: dur et fermé. La colère l'habitait encore. Il lança d'une voix sèche:

— Le temps n'a pas dû te paraître long, avec l'alcool que tu as bu!

— Je n'ai bu qu'un seul verre...

— Un plein verre, donc! Il restait au moins deux pouces de scotch dans la bouteille, et elle est vide. Regarde!

Il pointa d'un œil sévère la bouteille vide restée à côté du verre, sur la table à café. Il ajouta durement:

— Il n'y a rien de plus répugnant qu'une femme qui prend de l'alcool. Et c'est inadmissible de la part d'une femme distinguée!

— Je le reconnais... Mais ce n'est pas plus admissible pour un homme qui est censé aimer sa femme de ne pas l'avertir de son retard... J'étais très inquiète.. J'ai même cru... que tu étais avec une autre femme, ce soir.

Il haussa les épaules, indigné.

— Je ne sais pas comment tu fais pour avoir des idées aussi stupides!

Elle se sentit au bord des larmes. Elle murmura:

— C'est toujours stupide, une femme amoureuse... qui a peur de perdre l'homme qu'elle aime.

Il aspira sa cigarette, détourna les yeux et finalement expliqua:

— J'ai quitté le bureau à huit heures. J'ai fait un arrêt chez Jacques; j'avais besoin des conseils d'un avocat. À dix heures, j'étais ici... Je ne trouve pas qu'il y ait là matière à faire un drame.

— Pourquoi ne m'as-tu pas avertie? J'aurais compris.

Il s'abstint de lui dire qu'il était trop en colère pour lui parler, mais lança sans hésiter, sur un ton qui se voulait détaché:

— Je n'ai pas de secrétaire le samedi pour faire mes appels.

Elle se mordit les lèvres. Des larmes lui brouillaient la vue. Elle déplorait cette sensibilité excessive qu'elle avait, enceinte. Elle se força de dire:

— Nous ne sommes pas pour nous quereller encore...

Elle lui tendit la main et dit avec douceur:

— Viens tout près de moi... Faisons la paix... Je t'aime, Charles... Je regrette infiniment pour ce matin.

Il la regarda longuement et ne broncha pas.

Parce qu'il demeura imperturbable, elle ressentit soudain une violente impulsion de le mettre au défi en utilisant des armes infaillibles. Avec souplesse, elle se leva, retira son peignoir d'une façon très suggestive, et, sans le quitter des yeux, elle s'étendit nue à ses pieds.

— Viens... murmura-t-elle. J'ai tellement envie de toi... depuis si longtemps.

Il hésitait encore. L'orgueil divisait son âme, mais ses yeux, posés avec insistance sur ce corps qui s'offrait, se dilataient de convoitise. Il écrasa énergiquement sa cigarette au fond du cendrier, puis déboutonna lentement sa chemise... et enleva le reste. Le regard de May, brillant de désir, suivait impudiquement ses gestes. Chaque fois qu'elle le voyait nu, elle jouissait intensément de sa beauté virile.

Il s'agenouilla à ses côtés. Sa colère subitement s'était estompée, et l'amour, à nouveau, adoucissait ses traits. Un bonheur infini planait maintenant sur eux. Il lui caressa le ventre avec douceur, se pencha sur elle et couvrit son abdomen de baisers. Il avait si souvent posé ce geste de tendresse quand elle était enceinte de Tommy qu'elle en éprouva une joie ardente de constater qu'il était heureux de cet autre enfant... Puis elle sentit ses mains parcourir fièvreusement son corps, et ses lèvres s'attarder sur ses seins plus volumineux de femme enceinte.

Elle le caressa à son tour, et ses gestes étaient tendres et subtils... Elle le rendrait heureux ce soir... particulièrement ce soir. Jamais il n'avait rien connu de tel avec aucune autre femme... Elle puisait dans une extraordinaire sensualité des caresses chaque fois différentes et toujours merveilleusement érotiques, qui l'excitaient de plaisir.

Soudain, il la bascula sur le dos et s'allongea sur elle avec fougue. Les ébats qui suivirent furent si violents, si pleins de passion qu'ils atteignirent l'orgasme rapidement... Et, encore haletants, ils se regardèrent et se sourirent, intensément heureux. Et, cette fois, s'ils ne s'étaient pas surpassés, ils venaient de déclasser leurs exploits.

Longtemps, May demeura immobile, étendue sur lui. Sa tête reposait sur son torse, qu'elle caressait fréquemment de ses lèvres.

Plus tard, tandis que le feu s'éteignait dans la cheminée, ils discutèrent, sans aucune contrainte, de leur désaccord. Des jeux de l'amour, une fois de plus, émergeait la réconciliation. May lui expliqua ensuite que l'abstention d'intimités des dernières semaines n'avait d'autre raison que d'augmenter les chances de rendre cet enfant à terme, se souvenant qu'à Tommy elle était chez son père au début de sa grossesse, et... toute seule dans son lit, alors qu'à ce deuxième enfant ils n'avaient pas changé leurs habitudes, ce qui expliquait peut-être la cause de cette pénible fausse couche qu'elle avait faite à leur retour d'Europe et qui avait suscité un si lourd désappointement.

— Ce sera une petite fille qui te ressemblera, je le sens! Elle aura des yeux bleus, des cheveux clairs, et, si Dieu le veut... le teint éclatant de sa mère.

— Je te souhaite volontiers une fille, chérie, puisque j'ai maintenant mon fils, mais j'ai une vague impression que tu en désires trop, dit-il en souriant. Les cheveux, les yeux, le teint, etc., c'est beaucoup!

— Si tu m'as fait une fille, je te jure que je te donnerai ensuite quatre garçons d'affilée!

— Cinq fils et une fille! Quelle belle famille! Je ne me plaindrai pas!

Et il l'embrassa.

Finalement, elle lui donna la lettre, qu'il lut à haute voix, en traduisant à mesure. Elle sut alors que Lilian se mourait lentement, souffrant atrocement par périodes. May éprouva une vive douleur pour cette femme mourante et qui au fond lui ressemblait, effaçant ainsi, après quatre années de réflexion, toute rivalité. Jamais, par la suite, elle n'envisagea sa disparition pour équilibrer sa propre vie... mais sachant bien, au fond de son âme, que le temps s'en chargerait... Cependant, elle trouvait, aujourd'hui, plus honnête ou moins mesquin de ne point y songer.

Au sujet des lettres précédentes, qu'il avait passées sous silence, Charles lui expliqua qu'il n'avait pas voulu faire jaillir à nouveau un espoir inutile.

Il caressait ses longs cheveux quand il ajouta gravement:

— La nature humaine est si réfractaire à la souffrance... J'espère que la mort viendra la délivrer bientôt!

May s'abstint de répondre... mais, intérieurement, elle approuvait.

XI

Au début de juillet, en plus des malaises inhérents à son état, May se sentit si terriblement affectée par les chaleurs humides qui tourmentaient les Montréalais que Charles décida d'aller la reconduire chez son père.

Cette grossesse ne se déroulait pas aussi facilement que la première. Aussi, il était souvent inquiet à son sujet, et la présence assidue d'Éva à ses côtés lui serait d'un précieux secours, si ce n'était que pour surveiller Tommy.

Avant de quitter Allan, Charles lui recommanda de l'appeler régulièrement à son bureau pour lui donner des nouvelles de May.

La première semaine, grâce aux nuits plus fraîches, elle se reposa intensément, et ses nausées disparurent presque complètement. Par contre, elle était si souvent assaillie par des douleurs abdominales qu'elle ne s'éloignait guère de la maison.

Tommy, heureux de vivre en liberté, suivait son grand-père dans tous ses moindres faits et gestes. Il courait dans les bois, regardant partout à la fois, comme si un seul coup d'œil lui suffisait à capter tout ce qui l'émerveillait. Seulement à répondre aux simples questions de l'enfant, Allan n'en finissait plus de parler! Jamais il n'avait été aussi bavard de toute sa vie, mais cela ne l'ennuyait pas. L'intelligence éveillée de son petit-fils le ravissait, et son cœur de grand-père se sentait gonflé d'orgueil.

Le mardi suivant, May déjeuna dans la cuisine mais réintégra sa chambre pour le reste de la journée. Ses malaises abdominaux ne la quittaient plus.

Affolée, Éva envoya immédiatement Allan au village chercher Léonie, en consultation. Depuis le brusque décès du docteur Dumoulin, survenu le mois précédent, aucun autre médecin n'était encore venu le remplacer, et Léonie Girard semblait la personne la plus qualifiée sur qui elle pouvait compter.

Une heure plus tard, accompagnée de Thérèse, qui était en vacances chez sa mère, Léonie arriva, le visage en émoi, transpirant abondamment sous la chaleur écrasante du jour.

Elle se dirigea vers la maison, le mouchoir à la main, tout en s'épongeant régulièrement le visage et le cou.

— Je suis très inquiète au sujet de May, dit Éva en les rejoignant sur la véranda.

Ses petits yeux noirs s'agitaient singulièrement dans leurs orbites, trahissant une profonde anxiété.

— Avant d'avertir Monsieur Grandmont, je voulais avoir ton opinion, Léonie, toi qui as eu tellement d'enfants!

Les trois femmes gravirent aussitôt l'escalier et se retrouvèrent dans la chambre de May, qui gisait lamentablement sur ses draps, tant la chaleur de la pièce était suffocante. Elle ne portait qu'une légère chemise de nuit. Son visage d'une pâleur remarquable s'anima soudain d'un sourire confiant en les apercevant.

— Comme vous êtes gentilles de venir me voir, s'écria-t-elle, d'une voix plus forte que ne le laissait supposer son état chancelant.

— Pauvre enfant! Quelle misère d'être malade par une chaleur pareille! fit Léonie en l'embrassant.

Thérèse s'assit sur le bord du lit, tandis que sa mère prit place sur la chaise, tout près de la malade.

La conversation fut plus détendue que prévue, bien qu'axée sur l'état de santé de la jeune femme, qui conservait, malgré tout, un optimisme étonnant.

— Dans un mois, tout ira mieux! Ces malaises ne seront plus qu'un mauvais souvenir, et en janvier j'aurai une belle petite fille comme ta Claudine, dit-elle en souriant à Thérèse.

C'est la grand-mère qui répondit:

— Philippe et Benoît sont des amours, mais Claudine est ma préférée!

— J'espère que tu auras une fille. C'est tout de même plus facile à élever que des garçons, opina Thérèse.

— Toi, ne te plains pas! Même tes deux garçons réunis sont plus sages que le mien. C'est un ouragan, mon pauvre Tommy!

Vingt minutes plus tard, les visiteurs prirent congé, ne voulant pas la fatiguer outre mesure.

À l'abri des oreilles de May, Léonie, dont l'expression du visage demeurait perplexe, souffla à Éva avant de partir:

— Ces maux de ventre persistants ne m'inspirent guère confiance. Je reviendrai demain, et, si tout n'est pas rentré dans l'ordre, nous appellerons Monsieur Grandmont pour le mettre au courant de la situation.

Éva hocha la tête.

— Merci à vous deux d'être venues. Votre appui m'est d'un précieux secours. Je me sens si peu épaulée par Allan; il est aussi ignorant que moi sur toutes ces choses. Vous comprenez, je ne voudrais pas que Monsieur Grandmont me reproche mon manque de vigilance.

Une nervosité évidente animait tous ses gestes; ses mains bougeaient constamment, et elle parlait aussi très vite, si vite qu'il était parfois difficile de suivre sa conversation sans en perdre un seul mot.

Quatre coups sonnèrent à la pendule de la cuisine et retentirent dehors jusqu'aux oreilles des femmes.

— Mon Dieu! Déjà quatre heures, s'exclama la pauvre Éva en levant les bras au ciel dans un geste de consternation, et Monsieur le curé qui vient souper dans une heure. Je n'ai encore rien préparé pour le repas.

* * *

Monsieur le curé arriva en même temps qu'Allan, qui, tenant son petit-fils par la main, terminait quelques heures d'exploration en forêt. Une certaine amitié était née entre ces deux hommes entêtés, depuis le jour où Paul-Henri Savard, curé du village, avait fait à Allan une visite de circonstance après qu'il eut appris le prétendu mariage de sa fille avec Charles Grandmont. Mais le curé, qui possédait les registres de ses paroissiens, n'avait pas été dupe bien longtemps. Aussitôt, il était accouru chez l'Indien.

Pauvre Paul-Henri!... Il avait pourtant essayé de garder son calme dans cette délicate discussion, mais en vain. Allan demeurait si impassible, devant tous les arguments qu'il déployait à le convaincre du danger qu'encourait l'âme de May en vivant ainsi dans la débauche, qu'il s'enflamma. Allan, soudain, se souleva, et Paul-Henri de s'écrier, exaspéré:

— Hors de l'Église, point de salut! Elle ira en enfer, ta fille, Allan Téwisha!

En entendant prononcer le mot «enfer», Allan, telle une flèche, surgit de son siège, et toutes les flammes de l'enfer illuminaient son regard quand il lança implacablement:

— Va au diable, toi-même, Paul-Henri Savard! Que j'sois damné, aussi, si ma fille n'entre pas au paradis!

Debout l'un en face de l'autre, les deux hommes, rougis par l'irritation, se regardèrent intensément, puis les yeux se baissèrent d'indignation.

Le long silence qui suivit engendra le calme. Néanmoins, la vérité était dite de part et d'autre, et, de cette bataille de principes, une amitié franche et sincère était née, sans aucune espèce de hiérarchie. Entre eux, la soutane n'existait plus. Seuls deux hommes dont l'amour de la nature se ressemblait et dont le Dieu était également le même se confrontaient régulièrement sur la façon d'accéder à la Vérité.

L'Indien s'avança vers le prêtre et le salua cordialement:

— Voilà mon p'tit-fils, Tommy! Y a bien longtemps que j'désirais t'le présenter.

Le prêtre se pencha sur l'enfant, le prit par les épaules, l'examina longuement et finalement le salua:

— Bonjour, Tommy! Je suis très heureux de te rencontrer. Je te connais depuis longtemps, tu sais.

— Oui? dit l'enfant, étonné. Moi, je ne t'ai jamais vu! C'est toi, Monsieur le curé? demanda-t-il sans aucune timidité.

— Oui, c'est moi!

— Grand-père m'a dit que tu venais souper ce soir avec nous parce que tu es un ami.

Le prêtre se mit à sourire. Aussitôt, le visage de Tommy s'anima d'excitation.

— Tu vois cette forêt?

L'enfant pointa de son index tous les arbres qui s'étendaient à perte de vue de l'autre côté du chemin.

— Eh bien! elle sera toute à moi quand je serai grand. C'est grand-papa qui l'a dit!

Tommy tourna les yeux vers son aïeul, qui lui sourit en inclinant la tête dans un geste approbateur, et, se sentant ainsi appuyé par son grand-père, il retourna vivement son regard vers le prêtre et ajouta:

— Avant, la forêt appartenait aux Indiens. Mon père l'a achetée avec beaucoup d'argent. Plus tard, quand je serai grand, elle sera à moi. Grand-père est très content parce que je suis moi aussi un Indien et que je deviendrai un grand chasseur... comme lui.

Le curé Savard glissa un regard subtil à son vieil ami et ébouriffa les cheveux de l'enfant dans un geste tendre.

— Je vois que ton grand-père n'a pas perdu son temps.

— Et cet enfant sera mon orgueil! énonça Allan, sans aucune réserve.

Les deux hommes pénétrèrent dans la cuisine, où Éva s'agitait singulièrement autour de la table. De belles tranches de rôti de porc s'étalaient dans un plateau, sur un lit de laitue. Du pain et des légumes frais complétaient le simple menu où quatre convives seulement partageraient ensemble le repas du soir.

— May soupera pas avec nous?... Elle est pas assez bien? déduisit Allan, à la fois déçu et inquiet.

— Je lui ai porté un plateau dans sa chambre. Elle n'avait pas la force de descendre jusqu'ici. Elle s'excuse, Monsieur le curé, de vous fausser compagnie.

— Pauvre petite! Je ne la savais pas si mal en point. J'irai la saluer tout à l'heure...

Le prêtre savait que May attendait un deuxième enfant; Allan lui en avait parlé. Cette nouvelle ne l'avait guère réjoui, car sa tâche de pasteur se compliquait sérieusement, avec tous ces liens qui se serraient davantage autour de cette union illégitime.

L'Indien s'excusa auprès de son ami et monta aussitôt à la chambre de sa fille. Quand il redescendit, quelques minutes plus tard, une vive inquiétude rembrunissait son visage. Il murmura entre ses dents:

— Ce soir, j'irai appeler Charles!

— Je pense que ce serait une bonne idée, répondit Éva. Je suis très inquiète, moi aussi.

Le souper se déroula dans une ambiance de tristesse. Allan, obsédé par la maladie de sa fille, était devenu taciturne et sombre, et ne fit aucun effort de politesse pour soutenir une conversation normale. Le prêtre ne s'en formalisa pas, depuis le temps qu'il connaissait la nature directe de l'Indien, et conversa plutôt avec le bambin, qui, à l'encontre de son grand-père, fut volubile, lui racontant, avec un visage enjoué, ses découvertes et ses exploits.

Paul-Henri Savard écoutait les récits de l'enfant avec un intérêt marqué et ne pouvait nier, sans se mentir à lui-même, que ce garçonnet était doué d'une vive intelligence qui le rendait extrêmement attachant. Il comprenait aujourd'hui cette fierté qui ennoblissait le visage d'Allan quand ce dernier lui parlait de son petit-fils, et il constata soudain qu'une certaine affection le liait aussi à cet enfant, dont la présence sur terre constituait l'immense obstacle qui lui barrait la route inexorablement.

Le repas terminé, le prêtre sollicita auprès d'Allan la permission d'aller faire une courte visite à May.

— À condition, dit Allan, que tu t'souviennes qu'elle est malade!

L'Indien savait bien qu'il ne pouvait manquer pareille opportunité, après cinq ans de patience. Néanmoins, Allan ressentit un certain réconfort de cette visite.

Il entendit la voix forte du prêtre saluer sa fille, puis plus rien. Quelquefois, de légers murmures lui parvenaient, mais si faiblement qu'il n'arrivait pas à distinguer les mots.

Le prêtre tint promesse et redescendit dans la cuisine quinze minutes plus tard. Un bonheur infini imprégnait son visage, une victoire évidente se lisait dans ses yeux. Allan, qui l'observait du coin de l'œil tout en fumant sa pipe dans sa chaise berçante, ne put s'empêcher de penser: «Qu'est-ce qu'elle a bien pu lui promettre, pour qu'il en soit si heureux?»

Paul-Henri Savard frotta vigoureusement ses deux mains de satisfaction.

— Je suis prêt à partir, si tu veux te rendre au village pour téléphoner à Monsieur Grandmont et revenir avant la noirceur.

Allan acquiesça de la tête, prit sa veste sur la patère et suivit le prêtre à l'extérieur. Il attacha son cheval à l'arrière du boghei et grimpa sur le siège à côté de son ami. Aussitôt, ce dernier lança un grognement, tira les guides et le cheval avança au trot.

Plongés chacun dans leurs pensées, ils firent un long bout de chemin tout en fumant leurs pipes silencieusement. Seul le grincement des roues et le martèlement des sabots sur le chemin cahoteux rompaient le calme qui les entourait.

Le curé Savard glissa un œil à son ami. Il n'avait pas changé... ou si peu, depuis le jour où, vingt-cinq ans plus tôt, il l'avait vu pénétrer dans l'église avec un bébé dans les bras pour le faire baptiser. Il venait tout juste d'arriver, lui, nouveau curé de cette paroisse, émoulu de principes, plein d'idéal, pensant d'abord aux âmes et oubliant presque l'homme et ses misères morales.

Cette brusque rencontre avec l'Indien l'avait ramené subitement à la réalité, quand le père de l'enfant lui avait dit d'une retentissante voix dans l'église:

— Cette enfant s'appellera May ou je la baptiserai moi-même!

— Il n'y a pas de sainte qui porte ce nom dans le ciel, avait rétorqué le prêtre en colère.

— Qu'en savez-vous? Peut-être pas dans le ciel des Blancs, mais il y en a sûrement dans le ciel des Indiens.

— Ce n'est pas un nom, c'est un mois de l'année.

— Cette enfant est mon printemps. Elle portera ce nom ou j'm'en vais! avait lancé l'Indien furieusement.

Le prêtre avait compris alors qu'il s'agissait de coutumes indiennes et n'avait plus protesté.

Léonie et Joseph Girard qui représentaient les parrains pour la cérémonie baptismale étaient demeurés muets d'étonnement, n'en croyant pas leurs oreilles qu'un tel conflit eût pu surgir dans une église.

Finalement, le nouveau curé avait baptisé l'enfant en bonne et due forme, et ce fut la seule et unique fois de toute sa vie sacerdotale que le saint silence de la maison de Dieu fut perturbé par des excès de colère.

Il tourna la tête vers l'Indien et dit avec un visage serein:

— Tu sais, Allan, la bonté de Dieu, une fois de plus, s'est manifestée à moi, aujourd'hui. Ça fait cinq ans que je le prie pour que ta fille revienne dans le droit chemin... Je pense finalement que sa lumière a jailli sur elle et sur moi dans cette conversation.

— Elle t'a dit que la femme de Charles s'mourait et qu'y pourront bientôt s'marier...

— Oui, dit le prêtre en baissant les yeux, elle me l'a dit... Nous en sommes venus à une entente... Elle m'a promis de réfléchir.

— Ta persévérance est récompensée... J'suis heureux pour toi... et pour moi aussi, j'pense!

Et ce fut tout.

Ils arrivèrent au magasin général. Allan descendit. Un long regard servit de salutation entre les deux hommes.

XII

Thérèse ne parvint à rejoindre Charles à son appartement que vers minuit. Très inquiet, il prit aussitôt la route du Nord pour ramener May à l'hôpital.

Le voyage fut pénible, car rarement il avait été harassé de la sorte en conduisant. À quelques reprises, lorsque le sommeil l'engourdissait dangereusement, il s'arrêtait sur le bord du chemin, fermait les yeux et s'assoupissait une vingtaine de minutes. Ensuite, avec quelques gorgées de café, il pouvait poursuivre sa route, plus délassé.

Il vit le jour pointer à l'horizon et le soleil s'élever lentement dans le firmament au fil des heures.

Il était presque huit heures quand il arriva chez les Téwisha. Allan sortit de la maison avec Tommy sur les talons et vint à sa rencontre. Le petit garçon sauta dans les bras de son père, heureux de le revoir, alors qu'Allan, le visage décomposé, lui dit d'une voix alarmée:

— Elle est très malade, ma p'tite fille...

Charles embrassa son fils, le déposa par terre et courut dans la maison. Il se précipita dans l'escalier, gravit les marches trois par trois et se retrouva dans la chambre de May.

Dans l'embrasure de la porte, il demeura terrifié, tellement May ressemblait à une moribonde.

Dès qu'elle aperçut Charles, un léger sourire éclaira le visage livide de la jeune femme. Elle fit un immense effort pour murmurer:

— Je t'attendais, chéri...

Elle lui tendit la main. Il s'approcha d'elle et s'assit à ses côtés. Il lui baisa les mains, puis des larmes brillèrent dans leurs yeux.

— Ne me quitte plus... mon amour, chuchota-t-elle avec difficulté.

Elle ferma les yeux et réprima un sanglot. Il la souleva dans ses bras et l'étreignit avec passion.

— Ne crains plus, ma petite chérie, je resterai près de toi. Je te ramène à Montréal, à l'instant, et le docteur Tremblay te guérira...

Elle lui adressa un doux sourire, des larmes coulaient sur ses joues.

— Je ne peux pas... me rendre à Montréal...

May fit un arrêt, reprit péniblement son souffle et ajouta:

— C'est trop loin... et je suis trop fatiguée.

— Je vais te faire un lit sur la banquette arrière de la voiture, et tu pourras dormir à ton aise, je te le promets.

Il lui pinça la joue si affectueusement qu'elle acquiesça à son désir et lui baisa les doigts en retenant sa main sur ses lèvres.

De la fenêtre de la chambre, un bruit de voiture se fit entendre, et la voix de Léonie parvint jusqu'à eux. Charles reconnut le pas de Thérèse, qui gravissait l'escalier. En voyant l'état dans lequel gisait May, Thérèse réprima un gémissement.

Charles lui confia sa compagne et s'occupa immédiatement de l'aménagement d'un lit dans la voiture. Allan suggéra d'élargir la banquette avec des planches de bois. Il trouva dans sa remise trois larges planches, qu'il scia à la longueur appropriée, et Charles les fixa entre elles avec des travers de bois, clouant aussi des pattes aux extrémités. Avec l'aide d'Allan, il parvint à introduire le support par la portière arrière, puis ils l'accolèrent avec succès à la banquette.

— Parfait! dit Charles en essayant de le bouger. C'est très sûr!

— Il pourra aisément supporter le poids de ma fille.

— Maintenant, reprit Charles, il faut des oreillers en quantité pour en faire un matelas.

Éva et Léonie sortirent des armoires les six oreillers de réserve, mais Charles décida que ce n'était pas suffisant. Alors, on soutira des lits quatre autres oreillers tandis qu'Allan sortit d'un vieux coffre une épaisse douillette et l'étendit par-dessus.

— Excellente idée, dit Charles. Ce sera plus mœlleux!

Léonie trouva plus hygiénique de recouvrir d'un drap blanc la vieille douillette. Éva partagea son opinion, et un drap aussitôt dissimula la douillette.

L'installation terminée, Charles déjeuna d'œufs et de jambon, et se sentit suffisamment bien pour reprendre la route.

Pendant ce temps, Thérèse avait terminé la toilette de la malade et avait réussi à lui faire boire une tasse de bouillon. Charles descendit May dans ses bras et la déposa dans la voiture avec mille précautions. Son abdomen bombé et dur la rendait souffrante. Une forte fièvre donnait à son regard une brillance inhabituelle et quelquefois la secouait de grelottements.

On s'approcha de la voiture tristement. Une profonde émotion figeait les visages. Chacun avait l'impression qu'un drame se déroulait et que personne n'y pouvait rien. Thérèse se détacha du groupe, réussit finalement à accrocher un sourire à ses lèvres et dit à May, en s'infiltrant la tête par la fenêtre:

— Nos prières t'accompagneront, et tout ira bien! Dans une semaine au plus tard, tu nous reviendras en pleine forme.

May sourit et hocha légèrement la tête. Tommy s'approcha de sa mère, se pencha sur elle et l'embrassa avec une douceur exceptionnelle, comprenant subitement que cette situation était particulière.

— Au revoir, mon trésor... à bientôt.

Elle pressa son visage contre le sien. Des larmes brouillaient son regard.

Allan s'avança vers sa fille, prit sa main et l'étreignit fortement dans la sienne. Ils échangèrent un long regard. Ils s'étaient tout dit...

Charles embrassa son fils, salua le groupe et démarra rapidement.

* * *

Jamais voyage ne fut plus exténuant que celui-là. Charles passait son temps à regarder derrière, continuellement inquiet. À plusieurs reprises, il arrêta la voiture pour vérifier si May dormait bien d'un sommeil naturel ou si elle ne sombrait pas plutôt dans l'inconscience. Quelquefois, elle lui parlait, mais ses mots semblaient incohérents... et son inquiétude ne faisait qu'augmenter. Aussi, lorsque la route lui apparaissait plus carrossable, il appuyait fortement sur l'accélérateur. Sur l'heure du midi, la chaleur devint insupportable. Un soleil de plomb chauffait la voiture impitoyablement. Charles, dont la chemise était entièrement trempée, ne cessait de s'éponger le visage, alors que May, au contraire, ne semblait pas incommodée par la chaleur. Une profonde léthargie la tenait à l'écart de la réalité.

Les villages de Sainte-Agathe-des-Monts, Sainte-Adèle, Sainte-Thérèse disparaissaient les uns après les autres, laissant à Charles, sur leur passage, une note d'espérance: ce terrible voyage tirait bientôt à sa fin!

À quatre heures, il atteignit l'île de Montréal et sentit à nouveau son cœur battre dans sa poitrine. Finalement, il arriva à l'Urgence de l'hôpital Notre-Dame, exténué, incapable de conduire un kilomètre de plus...

* * *

Le docteur Tremblay sortit de la chambre de May, la tête basse, une expression de gravité sur le visage. Charles, tourmenté, bouleversé jusqu'au plus profond de lui-même, s'avança vers lui, braquant sur le médecin des yeux suppliants. L'homme de science se déroba à ce regard, baissant les yeux. Une vive angoisse contractait sa gorge, l'empêchant de prononcer les mots fatidiques. Il ne réussit qu'à secouer tristement la tête.

— Non! Ce n'est pas possible! lui cria Charles en l'empoignant par les épaules.

— Je ne peux plus rien faire pour elle... Je le regrette très sincèrement, Monsieur Grandmont.

Les yeux de Charles se remplirent de larmes. Non, il ne pouvait pas accepter un sort aussi cruel. La révolte effaroucha son regard, et il s'écria d'une voix rauque:

— Il faut qu'elle vive, vous m'entendez! Faites l'impossible! Je ne veux pas la perdre!

Le médecin leva les mains vers le ciel et dit d'une voix entrecoupée par l'émotion:

— Je ne possède pas de pouvoirs surhumains... Je suis limité, moi aussi, par la science... Dieu seul est le maître de nos vies!

Charles n'entendait plus. Il détourna la tête et vit sa compagne qui gisait inconsciente sur le lit, respirant difficilement. Il se précipita dans la chambre, scruta avec des yeux horrifiés le visage qui semblait dormir.

Le médecin le suivit dans la pièce, cherchant à le réconforter.

— Qu'est-ce qui lui est arrivé? murmura-t-il lamentablement. Bon Dieu! on ne meurt pas ainsi d'un mal de ventre.

— Non... pas d'habitude!

Le médecin fit une pause et expliqua calmement:

— La grossesse ne s'est pas déroulée normalement. L'enfant s'est développé dans la trompe au lieu de croître dans l'utérus. Le bébé, en prenant du volume, a provoqué la rupture de celle-ci, entraînant une hémorragie interne. Elle est arrivée trop tard à l'hôpital pour que nous puissions la sauver.

Charles réprima un sanglot.

— Elle n'a que vingt-cinq ans, docteur... Elle est toute ma vie...

Et, les yeux hagards, se tenant la tête entre les mains, il répétait:

— Je ne veux pas la perdre, je ne veux pas la perdre, je...

Le médecin observa un long moment le jeune et beau visage, et secoua à nouveau la tête d'impuissance. Il ajouta péniblement:

— Elle est inconsciente depuis quelques heures... et si cela pouvait atténuer votre peine, sachez qu'elle ne souffre pas.

Le docteur Tremblay appuya sa main contre l'épaule de Charles, dans un geste de réconfort, et se retira; maintenant, sa présence tout comme sa science étaient inutiles.

À pas feutrés, comme si le bruit pouvait encore l'incommoder, Charles s'approcha d'elle, s'assit sur le bord de son lit et, instinctivement, prit sa main dans la sienne; mais il sursauta d'effroi car celle-ci avait déjà la froideur de la mort. Aussitôt, il la pressa vigoureusement pour la réchauffer, et, n'y parvenant pas, en désespoir de cause, la porta religieusement à ses lèvres. Puis, avec douceur, il s'attarda à caresser ses cheveux... son front... son visage, alors qu'un flot de larmes coulaient amèrement sur ses joues.

Il ferma les yeux, et, en dernier ressort, s'adressa désespérément à son Dieu tout en sanglotant:

«Je vous en prie, ne me la prenez pas, Seigneur. Qu'est-ce qu'elle pourrait vous apporter de plus que vous n'ayez déjà dans votre paradis?... Alors que moi, au contraire, je n'ai qu'elle... Elle est toute ma vie! Je ne peux pas vivre sans elle... Non, je ne pourrai pas... Vous m'entendez, Seigneur?»

Quand il rouvrit les yeux, il s'aperçut que Dieu n'avait pas entendu son cri de désespoir. May n'était plus de ce monde, elle avait cessé de respirer.

Affolé, Charles souleva le corps inerte et le fixa avec des yeux pétrifiés. Un cri de frayeur s'étouffa dans sa gorge.

— Non! Non! Je t'en supplie, ne me quitte pas! Je t'aime, May... je t'aime... mon amour... reste avec moi...

Il blottit son visage contre le sien et l'inonda de larmes... May n'entendait plus.

LUI ET SON FILS

XIII

Des jours, des semaines, Charles se terra dans son malheur, cherchant à comprendre l'injustice d'un sort aussi cruel, et, n'y parvenant pas, il se réfugia dans l'alcool. De cette façon, du moins, il ne souffrait pas, ou plutôt il souffrait moins, et lorsque, par hasard, certains jours, son organisme se rebellait contre des quantités abusives de boissons, il connaissait alors des périodes dépressives si marquées que, plus d'une fois, il aurait projeté la vie hors de lui, n'eût été la présence de Tommy dans son esprit.

À la fin de l'été, un message de New York lui annonça le décès de Lilian, et il demeura parfaitement étranger à ce nouveau malheur; même, il jeta des yeux indifférents sur cette liberté retrouvée dont il ne savait plus que faire. Ainsi, le monde aurait pu s'écrouler autour de lui qu'il n'aurait pas bronché du salon, buvant verre sur verre, du lever au coucher, devant le portrait de May. Il ne mangeait pas, ne se rasait plus, dormait à peine, et, en peu de temps de ce régime malsain, il ressemblait davantage à une épave qu'à l'homme qu'il était.

François Desjardins lui fit plusieurs visites, lui prodigua des mots d'encouragement afin de le sortir de cette impasse qui devenait, à la longue, pernicieuse à la compagnie, mais rien ne semblait le toucher.

Jacques et Louis-Philippe, attribuant à la mort de sa femme cette spectaculaire dépression, conjuguèrent leurs efforts pour le tirer de ce mauvais pas, mais ce fut peine perdue: il continua de boire, claustré dans un monde où vivait l'ombre de May.

Finalement, ce fut Mathilde qui, par son dévouement inlassable et son amour tout empreint de compassion, lui tendit une main secourable dont il ne put repousser l'aide tant elle était bien gantée.

— Je conserve un trop bon souvenir de May pour vous laisser vous détruire de la sorte, dit-elle résolument. Je fais pour vous ce qu'elle ferait elle-même si elle était ici, aujourd'hui.

Et, sans attendre de réponse, elle lui enleva le verre des mains, s'empara des flacons, et, sous son regard figé, les vida tous dans l'évier.

À sa grande surprise, il ne protesta pas.

Et, plus tard, après avoir fait peau neuve dans la chambre de bains et ingurgité un repas convenable, il la remercia à mots couverts.

Après, ils se rendirent ensemble au salon contempler la très belle photo de May, et sa voix tremblait encore d'émotion quand il lui avoua:

— Elle ne saura jamais, Mathilde, qu'en septembre, sur ce terrain boisé en flanc du mont Royal qui la faisait rêver, je devais commencer la construction de notre maison pour que notre deuxième enfant y naisse...

— Il ne faut plus penser de cette façon, Monsieur Charles, dit-elle avec des larmes pleins les yeux. Vous vous torturez inutilement.

Il approuva d'un léger murmure, fit demi-tour, la tête basse, et, quand il passa la porte, elle sut qu'il avait décidé de recommencer à vivre.

* * *

Des mois, des années passèrent, et c'est dans le travail que Charles combla le vide de son existence, le désert de la solitude, y plongeant tête première, à en devenir même tout imprégné, mais tout en constatant très lucidement, toutefois, que cette blessure qui jadis avait traumatisé sa vie et changé le cours de son existence ne se fermerait jamais complètement.

Tommy, en vieillissant, prenait de plus en plus de place dans sa vie, et Charles constatait avec plaisir qu'à quatorze ans il était maintenant un compagnon intéressant avec qui il faisait bon partager ses loisirs.

Cependant, ce fils impétueux, au caractère indiscipliné, n'était pas de tout repos. Loin de là, car, en dépit des bulletins qu'il présenta jusqu'alors à son père, le classant parmi les meilleurs élèves, il ne manifestait à l'égard de ses études qu'un intérêt des plus superficiels, qui n'avait aucune relation, d'ailleurs, avec l'enthousiasme qu'il déployait au jeu. De plus, sa conduite, hélas, était telle que plus d'une fois Charles dut en venir aux punitions pour le ramener dans le droit chemin.

Mathilde, qui connaissait Tommy comme son propre enfant, savait qu'il deviendrait avec quelques années de maturité un élève studieux et appliqué. Mais ce temps de la maturité n'était pas encore arrivé, car il entreprit cette troisième année au cours classique avec une désinvolture inégalée.

Le mois d'octobre tirait à sa fin quand le préfet des études téléphona à Charles pour le prévenir des insolences de son fils et du manque de sérieux dont il faisait preuve dans ses études. Le congé du mois arriva, et Charles profita de cette fin de semaine pour discuter avec lui du problème qui les préoccupait. Tommy se montra plus docile que jamais, si bien qu'il n'eut pas besoin d'élever la voix ni même d'annuler la partie de chasse du dimanche, qui fut d'ailleurs excellente. Six belles perdrix et trois lièvres pendaient au bout de leurs bras quand ils revinrent à l'appartement, où Mathilde et Bernard les attendaient avec un savoureux repas chaud.

À chaque congé du mois, les parrains de Tommy venaient le visiter et manger avec lui, le dimanche soir, avant qu'il ne repartît pour le collège. Ce dîner mensuel était devenu presque une tradition, et cela datait de la disparition de May.

Ces repas qui mettaient une ambiance de gaieté dans l'appartement plaisaient à Charles. Il éprouvait alors un étrange sentiment qui le ravissait: celui d'avoir un semblant de vie de famille.

En rentrant chez lui, ce soir-là, il eut l'immense surprise d'y trouver son vieil ami Laurent Vézina, qui était venu le saluer à la sauvette, car son passage dans la métropole était avant tout un voyage d'affaires, et il devait repartir le lendemain.

Ils étaient si heureux de se retrouver, après six ans d'absence, qu'ils se donnèrent l'accolade, et, en apercevant Tommy, le prêtre s'écria, ébahi:

— Mais ce n'est pas possible, je ne le reconnais plus! La dernière fois, je quittais un petit garçon, maintenant, je retrouve un homme!

Et il serra chaleureusement la main de ce grand garçon qui le dépassait de quelques centimètres. Il le regarda longuement, et dans ses yeux brillait une lueur d'affection.

— Il te ressemble, Charles! Il a ton allure, ta taille. Mais ses yeux ne sont qu'une fidèle copie de ceux de sa mère. Il ne pourra jamais la renier.

Au même instant, ils tournèrent leurs regards vers ce beau portrait qui s'étalait sur la cheminée. Un sourire s'ébaucha sur leur visage.

— Je ne me souvenais plus à quel point elle était jolie, dit Laurent.

— Mon père ne peut pas l'oublier, lui; il la regarde si souvent!

— Quelle misère d'avoir un fils aussi bavard!

Charles se mit à sourire et invita son ami à s'asseoir, tandis que Tommy s'excusait. Il devait se préparer pour le collège.

Avec une rapidité étonnante, il fit sa toilette et pénétra dans la cuisine proprement vêtu. Cependant, des gouttelettes d'eau mouillaient encore son visage et son cou.

— Tommy, tu n'as certainement pas pris le temps de t'essuyer, tu es encore tout mouillé, constata la domestique.

— C'est que je viens tout juste de me peigner. Ça ne se voit pas?

Mathilde replaça le nœud de sa cravate et passa sa main sur la nuque, qui n'avait pas reçu l'ombre d'un coup de peigne. Ensuite, elle le parcourut du regard, et ses yeux brillèrent de satisfaction.

— Tu es tout à fait à mon goût, maintenant. Viens embrasser ta marraine!

— Ah, Mathilde! gémit aussitôt l'étudiant. Embrasser, qu'est-ce que ça donne?

— Cesse de regimber et penche-toi que je t'embrasse.

Tommy s'exécuta en soupirant, et Bernard, qui plumait les perdrix sur un papier journal, rétorqua:

— Si tu es bien le fils de ton père, tu ne seras plus du même avis dans quelques années!

Tommy contesta d'un haussement d'épaules et se contenta de dire:

— Quand mangerons-nous, Mathilde?... J'ai une de ces faims!

— Vite, va au salon tenir compagnie au Père Vézina. Tel que je connais ton père, il ne se présentera pas à la table dans la salle à manger avec ses vêtements de chasse.

Mathilde, une fois de plus, avait raison. Dès que Tommy apparut dans la pièce, Charles s'excusa pour faire sa toilette. Une quinzaine de minutes plus tard, il avait terminé, et la domestique les invita à passer dans la salle à manger. Laurent refusa l'invitation et préféra les quitter. Il avait rendez-vous avec son supérieur provincial à huit heures précises, et dans les circonstances un retard quelconque eût paru inconvenant. Charles lui fit la promesse formelle qu'il le déposerait à sa communauté une quinzaine de minutes avant l'entrevue, et Laurent se laissa gagner.

Pour Mathilde, ce repas avait presque un caractère sacré puisqu'un prêtre honorait sa table. Elle se montra digne de ce grand privilège en accordant au service une attention toute particulière.

Charles souligna la présence de son ami en puisant dans sa réserve de vin une marque que jadis Laurent affectionnait particulièrement.

— Je regrette, Charles, dit-il, malheureux. Ce vin est délicieux, mais j'ai fait la promesse dernièrement de ne pas boire une seule goutte de spiritueux, à l'exception du vin de messe, bien entendu, tant que je n'aurai pas trouvé l'argent pour construire cette école dont je t'ai parlé.

S'apercevant soudain de l'intrigue, Charles l'observa du coin de l'œil... Laurent avait une façon bien particulière de mendier qui le rendait sympathique.

Le missionnaire fixa la bouteille et ajouta:

— La communauté peut me fournir cinq mille dollars, mais ce n'est que la moitié de la somme... Je crois bien que j'aurai de la difficulté à trouver la différence.

— Vous n'avez jamais pensé à cambrioler une banque? dit Tommy. Ce serait une façon rapide de trouver la balance. Et jamais personne n'osera mettre un prêtre en prison... surtout lorsque le juge connaîtra vos raisons...

Aux regards carabinés qui se braquaient sur lui, il crut comprendre que sa géniale idée ne semblait plaire à personne. Il baissa les yeux et poursuivit son repas le plus normalement du monde.

L'étonnement maîtrisé, Charles ne réfléchit pas très longtemps et remplit à demi le verre de son ami. Celui-ci comprit qu'il n'avait plus qu'à goûter le vin... et il le fit avec raffinement. Aussitôt après, il s'exclama avec une joie sincère.

— Ce vin est absolument délicieux!

— Au prix qu'il me coûte, j'espère qu'il est suave!

Puis Charles fit la tournée des verres, et la bouteille se vida.

Le souper se poursuivit dans une ambiance de fête. Cependant, à deux reprises, Mathilde dut avertir Tommy de ne pas manger si gloutonnement. Charles l'appuya en glissant à son fils des regards de répréhension. De sa vie, il n'avait jamais eu si honte de lui...

Par chance, Laurent ne semblait pas s'en apercevoir. Il était heureux comme un collégien, malgré ses cheveux gris, riait beaucoup, parlait du passé et du présent avec une souplesse qui confondait parfois les domestiques, mais que Charles saisissait avec une facilité étonnante puisqu'il s'agissait de leurs souvenirs.

Mathilde servit le café avec le dessert pour économiser le temps qui filait rapidement.

Après le repas, Laurent ne put s'empêcher de dire à son ami, avec une certaine vibration dans la voix:

— Je suis heureux de constater combien tu es un homme privilégié, avec ce grand garçon... spirituel, des domestiques qui méritent le titre d'amis, et puis ce travail passionnant qui absorbe toute ta vie.

— Je suis si privilégié, dit Charles en souriant, que je n'ai plus le temps d'avoir de mauvaises pensées... que des soucis...

Il toisa Tommy en prononçant ce mot, et celui-ci comprit qu'il était inclus dans le pluriel.

— Je suis même devenu un homme sage et vertueux!

«Quel menteur!», songea aussitôt Mathilde. Il n'y avait pas deux mois de cela, une femme très élégante était venue un vendredi vers les quatre heures le rejoindre à son appartement, alors qu'elle y faisait le nettoyage. À son arrivée, Charles avait paru légèrement étonné lorsqu'elle l'avait averti de la présence de cette dame dans la maison, mais sa surprise s'était transformée toutefois en une heureuse exclamation en l'apercevant.

— Ces derniers jours, j'ai longuement réfléchi au plan de ma maison, avait dit la dame. J'ai l'intention d'y apporter quelques changements. J'ai toute la soirée pour en discuter avec vous. Mon mari n'entrera pas avant minuit, avait-elle précisé d'une voix douce.

Mathilde, qui époussetait les meubles dans la salle à dîner, était demeurée clouée sur place en entendant une telle révélation. Elle avait tendu l'oreille et n'en avait pas été moins étonnée quand Charles avait dit d'une voix heureuse:

— Puisque nous avons toute la soirée devant nous, si nous commencions par boire quelque chose? Que puis-je vous offrir, Micheline?

— Un martini, très sec, s'il vous plaît, Charles.

Ils s'étaient appelés par leurs prénoms. Une telle marque d'intimité signifiait qu'ils se connaissaient depuis quelque temps, et Mathilde s'était sentie offensée pour May.

Ensuite, ils avaient discuté à voix basse et la conversation lui avait échappé. Une heure plus tard, en quittant l'appartement, elle avait remarqué que Charles avait retiré son veston et relâché le nœud de sa cravate. Par la suite, elle n'avait jamais entendu parler de cette visite. Néanmoins, elle le connaissait suffisamment pour imaginer le déroulement de la soirée.

Parmi les trois frères Grandmont, il n'y avait que Louis-Philippe qui trouvait grâce à ses yeux. Selon Mathilde, il était le seul Grandmont foncièrement honnête dans la famille. Jacques avait plus de sens moral que Charles, mais ne frisait pas la sainteté non plus. Elle n'avait pas oublié cette aventure qu'il avait eue, trois ans plus tôt, avec sa jeune secrétaire de vingt ans. Cette liaison avait été de courte durée mais d'une intensité telle que Julie, qui, à cette époque, franchissait le cap de la cinquantaine, s'en était rendu compte et avait failli mourir de chagrin et... d'humiliation. N'ayant pu garder ce trop lourd secret pour elle seule, Julie avait mis Céline au courant de ses malheurs, et Mathilde, finalement, avait su lire entre les lignes. Leur mariage en avait été fortement ébranlé, et aujourd'hui encore Julie ne parvenait pas à oublier...

«Oui, pensa Mathilde, il n'y a dans cette famille que Louis-Philippe à être homme intègre et époux fidèle.»

Tout en parlant de sa sagesse et de sa vertu, Charles avait sorti son carnet de chèques de la poche intérieure de son veston. Vivement impressionné, chacun suivait le mouvement de la plume qui donnait à ce bout de papier la valeur de cinq mille dollars. Mathilde, à l'encontre des autres, regardait davantage le visage de l'homme que le geste qu'il posait. Depuis un an ou deux, quelques cheveux gris pâlissaient maintenant ses tempes et lui conféraient un charme indéniable, ajoutant à son apparence une certaine respectabilité. Une agréable impression d'abondance et de sécurité émanait aussi de sa personne. L'expression ardente de ses yeux bleus s'était intensifiée davantage avec l'arrivée de la cinquantaine. Était-ce là l'explication psychologique à ce phénomène de répulsion causé par le déclin de sa jeunesse? Charles se refusait à vieillir, et cela se sentait dans son entourage. Il n'avait jamais fait autant de culture physique que depuis qu'il avait fêté ses cinquante ans. L'été, il jouait au tennis comme un jeune de vingt ans, et, l'hiver, il multipliait les longueurs à la piscine de la Palestre nationale, s'entraînant six heures par semaine. Il se conservait en grande forme, et son corps musclé et ferme demeurait splendide.

La voix du missionnaire la tira de ses réflexions.

— Ce chèque est peut-être le dernier que tu aies à me donner.

— Le passé me permet d'en douter! À moins que tu ne sentes ta mort prochaine, répondit Charles en badinant.

Le prêtre prit le chèque, le sourire aux lèvres, remercia et ajouta avec détachement:

— Qui donne au pauvre prête à Dieu. C'est de l'argent en banque!

— Ce sont les intérêts que je ne perçois pas souvent. Drôle de banquier! riposta Charles.

À cette remarque, on se mit à rire.

L'heure du départ s'annonça. Les adieux et les remerciements se firent rapidement.

Mathilde recommanda à son filleul de se vêtir plus chaudement car l'hiver approchait. Par habitude, Tommy l'embrassa et promit de lui téléphoner au moins une fois par semaine. Bernard descendit au garage sortir la voiture. Charles avertit Mathilde qu'il reviendrait la prendre dans une heure pour se rendre sur le boulevard Gouin et qu'il y passerait aussi la nuit.

— Je n'aurai que le temps, lui dit-elle, de ranger la cuisine.

XIV

Dans l'étude du notaire Dussault, deux hommes se regardaient, silencieux. Une étrange lueur de satisfaction égayait leurs visages, et, au nuage de fumée qui remplissait la pièce, il était plausible de penser que la transaction qui venait de s'effectuer avait été laborieuse.

— Je croyais que je ne verrais jamais le jour où je me débarrasserais de cet édifice. Depuis deux ans qu'il était à vendre, dit Charles en secouant la cendre de sa cigarette.

Pierre Dussault ébaucha un sourire victorieux.

— Et quelle transaction! J'ai rarement vu quelqu'un se débarrasser d'une mauvaise affaire et y réussir un profit. Je ne sais pas quel saint te protège, mais tout ce que tu touches se transforme en or.

Il secoua sa cigarette, à son tour, et ajouta:

— Quand je pense que tu t'es sorti de cette maudite crise enrichi, je n'en reviens pas encore! Alors que la moitié du monde crevait de faim, toi tu accumulais.

Charles fronça les sourcils et répliqua avec aplomb:

— Peu d'hommes ont également encouru les risques énormes que j'ai pris à l'époque. Je me souviens encore, quand j'ai investi, à l'automne de 1935, alors que May venait de mourir, tout l'argent liquide que je possédais pour acheter une trentaine d'édifices à revenus, de m'être fait traiter de fou par plusieurs de mon entourage. J'ai vécu à cette période des heures difficiles, et ce ne sont pas les encouragements qui foisonnaient. Ça, je peux te le jurer!

— Oui, je me souviens... Moi-même, je croyais que tu allais à ta perte, dit Pierre en toute humilité. Toutefois, le recul du temps nous a prouvé que tu avais mille fois raison.

Le notaire se tut un moment, retraça ses souvenirs, mais une certaine hésitation se lut dans son regard.

— Était-ce à cette même époque que tu achetais de l'État d'autres forêts pour mettre sur pied un nouveau chantier de coupe du bois?

— Oui. À l'automne de la même année.

— Comment fonctionne-t-il aujourd'hui?

— Tout aussi bien que le premier. Michel Girard, qui est contremaître à ce chantier, est un homme sérieux et responsable. Il le dirige avec une main de fer. Je suis très satisfait, et les revenus que j'en retire, dépassent mes espérances.

— Quel homme d'envergure tu es! Je t'admire.

Un sourire fade s'esquissa sur les lèvres de Charles, qu'il accompagna d'un léger haussement d'épaules.

— Non, je ne suis pas un homme admirable. Dieu non! Le but auquel je tends n'a aucun rapport avec un idéal quelconque. Pour moi, l'important, dans la vie, c'est d'abord d'aimer ce que je fais.

— Oui, tu as raison. En effet, c'est très important!

Un court silence suivit. Puis le notaire rehaussa d'un sourire son visage de bon vivant et s'exclama:

— Si nous prenions un cognac pour fêter cette heureuse transaction, tu n'aurais pas d'objection?

— J'accepte volontiers et je me sauve ensuite.

Le notaire sortit de son bureau et se retrouva dans sa propriété privée, qui formait annexe avec son étude.

Charles se leva, fit quelques pas vers la fenêtre, tira le rideau et jeta un regard inquisiteur sur la température.

Avec l'arrivée de décembre, un ciel terne et sans vie projetait presque quotidiennement, par brefs intervalles, une neige fine et légère qui faisait la joie des enfants et le malheur des automobilistes en rendant la chaussée glissante. Depuis le début de l'après-midi, une neige épaisse, poussée par un vent violent, virevoltait, maintenant en tous sens.

En l'espace de quelques heures, l'hiver avait enseveli l'automne sous plusieurs centimètres de neige. Les piétons courbaient le dos, dissimulaient la tête dans leur collet pour se prémunir contre l'intempérie et le froid. Quatre ornières se dessinaient sur la chaussée, camouflaient le progrès en le reculant dans l'ombre d'un siècle révolu. La première tempête de neige s'abattait sur la ville. Il fallait y faire face et s'y habituer, une fois de plus.

À par ce contrat de vente qui l'avait réjoui, Charles maudissait cette journée qui s'était amorcée par l'accrochage de sa voiture alors qu'il se rendait au bureau. L'aile et le pare-chocs arrière ne présentaient plus, après l'impact, qu'une allure de métal tordu. Toutefois, cet accident n'avait pas entravé le fonctionnement du véhicule, et il avait pu continuer sa route.

Quand il était arrivé au bureau, sa secrétaire lui avait transmis le message de se rendre au collège de Montréal, si possible le jour même, rencontrer le Père supérieur. Les frasques de son fils motivaient cette entrevue. Pourtant, sa journée était bien suffisamment remplie sans cela! Néanmoins, il avait fait une brèche à son horaire et s'était présenté au collège vers les onze heures. Le Supérieur, qui était un confrère de Louis-Philippe, l'avait reçu immédiatement. Il n'avait pas tardé à apprendre que Tommy avait fracturé la mâchoire d'un étudiant en le frappant au visage à coups de poing, et que ce dernier avait dû être hospitalisé d'urgence.

N'en croyant pas ses oreilles, il avait fixé le Supérieur avec des yeux consternés.

— Mais pourquoi a-t-il fait ça, grand Dieu?

— Après enquête, avait alors dit le prêtre, j'ai appris de ses amis que cet étudiant le harcelait depuis le début de l'année avec des sobriquets tels que «sauvage» ou «maudit Cheyenne».

Il comprenait la rage de son fils, mais ne s'expliquait pas pour autant son inqualifiable conduite. Le Supérieur lui avait laissé entendre que cet acte était passible, par le comité de discipline, de renvoi du collège. Charles répugnait à admettre que son fils unique pût être chassé de cette institution comme un malfaisant, voire comme un voyou. Aussi, il avait plaidé sa cause avec brio, argumentant que ses deux frères et lui-même avaient étudié dans cette maison et que le nom des Grandmont avait toujours été respectable.

— Donnez-lui trois semaines, jusqu'au congé de Noël, pour se racheter. Dans ce laps de temps, si mon fils n'a pas une conduite exemplaire, j'accepterai le décret du comité de discipline. Moi, je peux vous jurer que si vous lui accordez cette chance, vous n'entendrez plus parler de lui jusqu'à la fin de l'année scolaire.

Charles avait courbé le dos, et, secouant la tête, avait lancé un soupir de désolation.

— Il m'avait pourtant promis, le mois dernier, qu'il s'appliquerait... D'habitude, il respecte ses promesses.

— Au point de vue de la scolarité, ses professeurs ont été surpris du changement. D'ailleurs, ses notes le prouvent, il est le premier de sa classe, ce mois-ci! Votre fils est très brillant, Charles! Dommage qu'il ne donne jamais son plein rendement et qu'il soit si indiscipliné.

Finalement, le Supérieur avait accepté le délai que Charles lui avait proposé, mais en demeurant cependant incrédule.

Charles était plongé dans ses réflexions, et son regard se perdait dans la neige. Il introduisit machinalement sa main dans la poche de son veston et palpa soudain le bout de papier sur lequel était inscrit le nom du père de l'étudiant que Tommy avait blessé. Il communiquerait avec lui le soir même, afin d'excuser la conduite de son fils et de le dédommager des frais encourus. Furieux et désorienté, il crispa la mâchoire. Des plis d'irritation lui barraient déjà le front. Qu'allait-il faire de ce fils rebelle et violent?

Pierre Dussault revint avec deux verres de cognac aux portions généreuses, et Charles retrouva le fond de son fauteuil. L'action stimulante de l'alcool le réconforta, mais toutefois pas autant qu'il l'eût souhaité. La tension nerveuse qui l'habitait depuis l'accident de la matinée ne le quittait pas. Il fallait bien admettre que la journée n'avait pas été particulièrement de tout repos.

— Comment vont tes fils? s'informa-t-il, dans une sorte d'esprit de solidarité.

— Très bien, dit Pierre avec un sourire de fierté. Mon aîné a commencé le droit cette année. Je suis heureux de son choix, il sera notaire! Un jour, il prendra cette étude et deviendra mon successeur.

Il s'avança de son fauteuil, baissa le ton et ajouta confidentiellement:

— Tu ne peux pas savoir ce que c'est, pour un père, d'avoir un fils qui comble ses espérances!

Charles courba la tête.

— Oh! je l'imagine bien un peu...

Le notaire fixa son verre et poursuivit:

— Mon cadet termine sa Philo II au collège de Saint-Laurent avec ton neveu Marc. Cet enfant a toujours été docile. Même à l'âge de l'adolescence, alors que Paul nous faisait damner, lui, au contraire, étudiait sérieusement. J'ai l'impression qu'il se destine à la prêtrise. Sa mère est au septième ciel. Tu t'imagines, Charles, un prêtre dans la maison?

— Oui, bien sûr! Quand le premier prend la relève du père, l'autre peut bien devenir prêtre.

Une petite phrase avait cependant retenu son attention, et son esprit s'y accrocha avec insistance. Il osa dire:

— Je ne savais pas que tu avais connu des difficultés avec ton aîné. Cela a duré longtemps?

— Presque deux ans. Nous avions tellement honte de sa conduite, à cette époque, que nous préférions ne pas en parler. Cette mauvaise période, grâce au ciel, est maintenant révolue. Aujourd'hui, il est devenu pour nous une source de fierté et de joie.

De toute la journée, rien ne lui procura plus de bonheur que ces paroles réconfortantes. Après tout, son fils n'était peut-être pas l'exception qu'il croyait.

Il déposa son verre sur le bureau, se leva, mais Pierre, se sentant l'âme aux confidences, ajouta:

— Quant à mes filles, qu'elles se trouvent de bons maris, et je serai satisfait!

Charles enfila son lourd manteau de chat sauvage, que Mathilde, par intuition, avait sorti, la veille, des boules à mites, et dit, d'un visage heureux:

— Oui, qu'une femme tienne la maison proprement, qu'elle s'occupe des enfants, et qu'elle satisfasse son homme. Que peut-on exiger de plus d'elle?

Le notaire se contenta d'approuver d'un large mouvement de la tête. Charles le remercia, salua son épouse et sortit du bureau en relevant son collet.

* * *

Il mit cinq fois le temps qu'il eût fallu par beau temps pour franchir la distance qui séparait le logis des Dussault de sa maison du boulevard Gouin. À deux reprises, il dut venir en aide à des automobilistes en difficulté qui lui barraient la route. La glace vive et l'abondance de neige causaient tous ces problèmes de circulation. Finalement, il atteignit le chemin privé de sa propriété et soupira de soulagement. Mais, au tournant, il dut ralentir, et sa voiture s'immobilisa sur la glace. Après plusieurs efforts de manipulation, il se rendit compte qu'il ne s'en sortirait pas tout seul.

Non sans un certain plaisir, il vit Roger venir à sa rencontre avec une pelle à la main.

Il descendit la vitre de sa portière et salua son neveu.

— Que fais-tu ici en pleine semaine? Tu n'es pas au collège, toi?

— J'ai eu la grippe, ces derniers jours. Je suis rétabli, maintenant, et je dois retourner au collège demain. Mais, avec cette belle tempête de neige, reprit l'étudiant en riant à pleines dents, je pense bien que ce sera congé pour moi demain...

— Ne te fais pas trop d'illusions! Demain, tout sera rentré dans l'ordre, et je me ferai un plaisir de te laisser au collège en me rendant au bureau.

Le sourire de Roger s'estompa aussitôt, et il lança à son oncle un regard sombre.

— Prends ta pelle, jeune homme, et essaie de dégager mes roues arrière.

— Je regrette, oncle Charles, mais je n'ai pas le temps! Je m'en allais déblayer l'entrée du voisin. Il me paie, lui, pour faire cet ouvrage.

Le visage de Charles se fit d'acier, et sa voix, menaçante comme l'orage.

— Prends ta pelle et remue-toi! J'en ai soupé plus que ma part, aujourd'hui, de l'arrogance des enfants de ton âge. Quel culot, tout de même!

Si quelqu'un avait choyé ces enfants-là, c'était bien lui! Roger, en particulier, bénéficiait largement de sa générosité.

Plus par crainte que par serviabilité, le jeune garçon se mit à l'œuvre immédiatement. Dix minutes plus tard, la voiture se retrouva au garage pour la nuit, grâce à l'aide supplémentaire de Louis-Philippe et de Bernard.

XV

Tommy s'était installé très confortablement au salon, le corps à demi étendu sur un fauteuil et les pieds chaussés sur la table à café au lustre satiné. Il avait terminé la lecture des pages sportives d'un quotidien français, et maintenant il parcourait celles d'un quotidien anglais pour obtenir une vue plus complète dans ce domaine qui le passionnait au plus haut point.

Quand il entendit la clé tourner dans la serrure, un malaise subitement contracta son abdomen, sa gorge se crispa, mais il ne broncha pas. En bon chasseur qu'il était, il crut préférable d'attendre le loup d'un œil vigilant que de courir à sa rencontre.

Il vit son père ouvrir le placard de l'entrée et y suspendre son manteau. Très vite, il se camoufla derrière son journal. La porte se referma avec aplomb, et des pas fermes s'avancèrent dans sa direction, puis s'immobilisèrent sur le pas de la porte. Il aventura un œil hors de sa lecture et aperçut Charles, qui le fixait avec son air des mauvais jours. Non sans une certaine appréhension, il risqua deux mots:

— Bonjour, papa!

— Ça ne te ferait rien de te ramasser le corps pour saluer ton père?

Tommy se décroisa les pieds, se leva d'un bond et se mit presque au garde-à-vous. Il craignait son père plus qu'il ne le laissait voir, n'ayant jamais oublié cette spectaculaire raclée qu'il avait reçue à l'âge de onze ans après qu'il eut défoncé la porte du garage en faisant démarrer la voiture.

— Tu peux te rasseoir maintenant, dit Charles d'un ton saccadé, tout en s'asseyant lui-même sur le fauteuil d'en face.

Silencieux, il dévisagea longuement son fils, et celui-ci pouvait lire dans ce regard tout ce qu'il avait sur le cœur à son sujet. Intimidé Tommy baissa les yeux. Le silence, à la longue, devint intolérable, et le jeune garçon, n'y tenant plus, lança nerveusement:

— Je n'ai pas voulu le blesser, mais c'est un maudit écœurant qui méritait une bonne leçon.

Dans cette explication, il y avait plus d'excuses que de regrets, et cela déplut à Charles. Il vociféra:

— C'était pourtant à prévoir, qu'en lui tapochant la face à coups de poing tu pouvais le blesser. Non?

Tommy, sur la défensive, répliqua sèchement:

— J'aurais bien voulu te voir à ma place! Depuis le début de l'année, il me traitait de «sauvage» et de «maudit Indien».

— En levant les poings sur plus faible que toi, tu as simplement prouvé que tu n'étais qu'un sauvage, qu'un maudit sauvage!

Tommy bondit sur ses pieds à la vitesse de l'éclair, la rage au cœur. Il n'y avait pas d'insulte plus grande à ses yeux que de le traiter de la sorte. Pour lui, ce mot, issu du langage des Blancs, s'accolait à la race indienne et la rabaissait. Que son propre père le traitât de sauvage à son tour, lui qui en était le principal responsable, venait de dépasser les bornes! Il s'avança vers la cheminée et pointa de son index le portrait de sa mère, tout en fixant Charles avec des yeux révoltés et arrogants.

— Parce qu'elle n'était qu'une sauvagesse, aussi bien dire une fille de rien, tu t'en es servi pour te satisfaire et, par la même occasion, lui faire un petit ou deux, puis la laisser crever au fond des bois.

L'irritation souleva Charles hors de son siège. Debout, face à son fils, offensé jusque dans ses tripes, il lui cria au visage:

— Ne parle jamais ainsi de ta mère! Et tu n'as aucun droit de me juger non plus!

Tommy ricana d'un air effronté.

— Si tu l'aimais à ce point, pourquoi ne l'as-tu jamais imposée à ta très digne famille de Grandmont?

La gifle partit si fortement que Tommy chancela et dut se cramponner à la cheminée pour ne pas tomber. Aussitôt, le visage de l'étudiant devint cramoisi. Il ne vit plus que du feu et fonça le poing en direction de son père. Charles eut le flair de prévenir le geste, et, avec une rapidité incroyable, il saisit le poignet de l'impulsif garçon, évitant de justesse un solide coup qui l'aurait atteint en plein abdomen.

L'un en face de l'autre, ils se regardèrent furieusement comme des animaux sauvages prêts à surgir à nouveau.

En reprenant ses sens, au bout d'un moment, Charles relâcha son étreinte, baissa les yeux et pâlit. Une sueur froide recouvrait son front. Il tourna le dos à son fils et se dirigea vers un siège. Il murmura comme un automate:

— Va dans ta chambre, Tommy! Nous reparlerons de tout cela quand nous serons redevenus des hommes civilisés.

Il n'eut pas besoin de le répéter deux fois; il entendit la porte de la chambre se refermer d'un coup sec.

Sidéré, écrasé par le poids des paroles injustes que son fils, bien qu'en colère, lui avait proférées au visage, il s'effondra dans un fauteuil, envahi par une tristesse amère qui le désempara complètement.

Il regarda le portrait de May, et ses yeux rejoignirent le tapis où si souvent ils s'étaient follement aimés. Il ne se souvenait pas d'avoir une seule fois désiré May avec son corps uniquement, et il l'avait aimée si fortement qu'aujourd'hui encore il frémissait rien qu'à y penser. Puis il revivait ce pénible voyage contre l'heure afin d'arriver à l'hôpital à temps pour la sauver.

Si aujourd'hui Tommy considérait ces événements d'une façon aussi erronée, c'est que lui, son père, n'avait pas su lui dévoiler cette partie de sa vie qui veillait en sourdine au fond de son âme.

L'heure des explications était venue. Aujourd'hui, sans faute, il lui parlerait de ce passé merveilleux; il lui parlerait aussi, en ami, de tout ce qui les divisait, pour que la paix et la compréhension règnent entre eux comme autrefois. Non, il ne pouvait pas vivre en guerre contre son fils! Son fils, le seul être au monde pour qui la vie avait vraiment de l'importance.

Une heure plus tard, après beaucoup de réflexion, il frappa à la porte de la chambre de son fils, et, sur invitation seulement, il pénétra dans la pièce.

Tommy se leva pour l'accueillir, et murmura d'une voix très basse, à peine perceptible:

— Excuse-moi!...

Charles hocha très brièvement la tête. Il acceptait ses excuses sans plus de formalités. Une paix intérieure dérida subitement son visage, car il avait la certitude maintenant que l'entente était réalisable.

— Puis-je m'asseoir? demanda-t-il avec cette condescendance qui lui était si familière et qui le rendait imposant.

— Oui, naturellement, dit Tommy poliment.

Il prit le fauteuil, alors que le jeune homme se contenta du bord de son lit.

Avec les yeux de l'amitié, il considéra son fils et remarqua soudain, comme s'il le voyait après une longue absence, combien il avait changé, ces derniers temps. Il était grand et robuste. Son visage de garçonnet se métamorphosait lentement en celui d'un homme, aux traits plus marqués et caractérisé surtout par des joues trop velues pour être propres.

— Il faudrait songer à te procurer un rasoir.

— C'est déjà fait! Mathilde y a pensé.

— Alors, il serait temps de t'en servir... J'ai l'impression que tu es devenu un homme, cette année, et j'ai l'intention de te considérer comme tel.

Tommy leva vers lui un regard très vif et lumineux qui, pendant une seconde, le saisit, tant il lui rappelait celui de May.

L'étudiant décida d'aborder le problème qui les divisait, en le présentant à son père sous son meilleur angle.

— Le Supérieur m'a dit qu'il m'accordait un délai de trois semaines avant de prendre la décision de me renvoyer du collège.

— Qu'as-tu l'intention de faire? demanda Charles, comme s'il le laissait libre de choisir.

L'étudiant baissa la tête et avoua:

— Le collège m'écœure cette année comme jamais cela ne m'est encore arrivé... Tu ne peux pas savoir à quel point!

— Aucun élève ne traverse ses études sans ressentir cela au moins une fois dans sa vie. Moi, je peux t'affirmer que j'ai ressenti cet écœurement total au moins cinq ou six fois, si ce n'est pas davantage.

Il se mit à sourire et il ajouta, sur un ton plus sérieux:

— Néanmoins, j'ai tout de même terminé mon cours classique, car j'avais, à ton âge, la conviction que l'instruction était un placement sûr pour réussir dans la vie. Ensuite, pour faire plaisir à mon père, je suis allé à l'université... Deux années seulement... Ce n'était pas ma place!

Il fit un arrêt, fixa ses yeux dans ceux de son fils et dit, sur un ton amical mais résolu:

— Quand le moment sera venu, je ne t'imposerai jamais l'université. Toi seul décideras, et je me soumettrai à tes goûts.

Intelligent et vif d'esprit, Tommy avait saisi la nuance. Il ajouta, après un bref moment d'hésitation:

— Ne te fais pas de souci pour moi! J'ai averti le Père supérieur, avant le congé du mois, que je serai dorénavant un élève appliqué, silencieux, doux, calme et sans défense.

Charles sourit de satisfaction. Il se garda bien, toutefois, d'éclater de joie.

— Et qu'est-ce qu'il a dit?

— Rien... Il avait l'air sceptique.

— Il a probablement d'excellentes raisons de douter de toi.

Après réflexion, Charles regarda son fils et dit tranquillement:

— Si tu tiens tes promesses et que tes professeurs n'ont pas à se plaindre de toi d'aucune façon jusqu'à la fin de l'année, moi, par contre, je peux t'assurer qu'une splendide récompense te sera réservée.

Tommy exhiba un immense sourire.

— Tu as ma promesse!... Pour la récompense, c'est moi qui choisirai, et le prix n'importera pas...

— D'accord! Ton prix sera le mien.

— Je veux un coursier, pur-sang, plus rapide que le tien, lança-t-il d'un trait.

Charles retint son souffle quelques instants, non pas que l'idée le surprenait de la part de son fils, mais c'était le prix qui le saisissait. Il regretta soudain son impulsive générosité.

— Tu l'auras! dit-il d'une voix atone.

— Je l'emmènerai avec moi l'été prochain chez grand-père pour le lui montrer. Je le lui ferai essayer... Il n'en reviendra pas! Et, quand Philippe viendra visiter ses grands-parents, je lui prêterai ma vieille picouille... et nous prendrons des courses ensemble... Pauvre Philippe! s'exclama-t-il, en éclatant de rire.

En voyant le bonheur imprégner la physionomie de son fils, Charles ne regrettait plus et se mit à sourire aussi.

Il lui restait maintenant une autre question à élucider, et ce n'était pas la moindre... Parler d'une grande passion en quelques mots, surtout à un garçon de quatorze ans qui se moquait pas mal de l'amour, pourrait manquer de chaleur, et son intensité pourrait aussi en devenir passablement réduite, voire même insignifiante. Néanmoins, il essaierait. Il se leva, fit quelques pas, un puissant effort, et prononça, presque mal à l'aise:

— Maintenant, je veux te parler du passé... Je crois que certaines explications s'imposent.

Il fit une pause et ajouta:

— Ta mère et moi... étions passionnément amoureux l'un de l'autre... comme il n'est pas possible de l'être souvent dans la vie.

Il se tut. Non! Il ne saurait pas expliquer ces choses-là. Se sentant déjà affreusement ridicule, il préféra dire:

— May a été la seule femme que j'aie vraiment aimée... Elle a été toute ma vie...

Ses lèvres tremblèrent quand il eut terminé cette simple phrase. Il se ressaisit vivement et poursuivit:

— Je l'ai traitée comme ma femme... d'ailleurs, elle l'était pour moi... et jamais comme une subalterne...

Et il regarda son fils, se demandant si ses paroles avaient su clarifier quelque peu la situation, parce que lui... il ne s'était pas trouvé brillant d'éloquence.

Tommy se taisait et l'écoutait, les yeux braqués sur lui. Charles aurait voulu lui crier: «Bon Dieu! ne me regarde pas ainsi, aie pitié. Tu ne vois donc pas que je m'empêtre?» Mais il n'osa pas... Pour une fois que son fils l'écoutait attentivement.

Et, ne voulant pas avoir l'air complètement pitoyable, il crut bon d'ajouter:

— Je te souhaite de connaître un jour un bonheur identique à celui que j'ai vécu avec cette femme merveilleuse qu'était ta mère. Tu seras alors un homme comblé.

Il s'arrêta de parler. Il ne s'était jamais senti aussi stupide de toute sa vie. Il était plus facile de vivre un amour que d'en parler... surtout à son fils, lui qui préférait de beaucoup disputer une partie de hockey que de contempler une belle paire de jambes, et qui devait se ficher pas mal d'être sur la terre l'homme le plus comblé d'amour...

Mais Tommy vint à sa rescousse:

— Je sais que tu l'aimais beaucoup et que tu es presque devenu fou quand elle est morte... C'est Mathilde qui me l'a dit... Elle me parle très souvent de ma mère... Elle l'aimait beaucoup, elle aussi.

— Alors, pourquoi m'as-tu lancé toutes ces paroles révoltantes? s'écria Charles.

Tommy hésita un moment avant de s'expliquer. Finalement, il se décida, et c'est du coin de l'œil qu'il interrogea son père.

— Elle était indienne. L'aurais-tu vraiment épousée, si elle avait vécu?

Dérouté, Charles le dévisagea froidement. Avait-il honte de ses origines indiennes, pour en arriver à douter même de son propre père? Aussi, il déclara sans la moindre hésitation:

— Si j'avais été libre, je l'aurais épousée avant qu'elle ne vienne vivre avec moi. Ce fut longtemps ma plus grande peine et même la cause de cette longue révolte contre Dieu, qui n'a pas permis que ma femme Lilian meure un peu plus tôt, m'accordant la liberté d'épouser ta mère. Au moins, May aurait eu le grand bonheur de porter mon nom, n'eût-été ce qu'une semaine avant de mourir.

Il se tut un moment, rejoignit ses souvenirs et ajouta:

— Non, je n'ai jamais eu honte d'elle parce qu'elle était indienne. Elle était très belle, tu sais... Partout où j'allais, elle venait avec moi, à mon bras. Et si ma très digne famille de Grandmont ne l'a jamais connue, c'est que May était trop bien pour eux. Ils avaient trop de préjugés pour accepter notre union. Ils nous auraient probablement critiqués et mal jugés, et je désirais garder jalousement intact ce grand bonheur que j'avais...

Charles alluma une cigarette, et, sans perdre de vue les problèmes raciaux qui assaillaient son fils, poursuivit:

— May n'était pas d'une race inférieure. Il n'y a pas de race inférieure, Tommy. Il n'y a que les sots qui se croient supérieurs aux autres. Il faut les ignorer comme s'ils n'existaient pas... Regarde ton grand-père: personne ne sait relever la tête mieux que lui, et il la porte si droite et si fière sur les épaules qu'il en impose à n'importe qui. Il est d'ailleurs l'homme le plus respecté et le plus considéré du village.

— S'il est devenu l'homme le plus respecté, c'est parce que toi tu l'as nommé contremaître de tes chantiers. Il est l'employeur. Les gens ne sont pas fous!

— Crois-tu que j'aurais confié un tel poste à n'importe qui? Non! C'est que j'avais la certitude qu'Allan Téwisha était un homme supérieur. Qu'il fût indien, africain, japonais, cela ne m'importait pas, à la condition qu'il fût à la hauteur!

Tommy se mit à sourire, à la pensée de son grand-père. Oui, il admirait cet homme qu'il aimait aussi profondément. Aux chantiers, Allan avait l'air d'un grand chef, et tous les hommes le craignaient et le respectaient. Comment pouvait-il en être autrement? Il maniait les armes si habilement.

Tommy ne pouvait oublier cette première fois où il avait accompagné Allan, au tout début des chantiers, à la fin de l'été, après la mort de sa mère. Son grand-père l'avait monté avec lui sur son cheval, et, toute la journée, sans lui laisser la main, il avait dirigé les hommes, ici et là, leur donnant des ordres. Tous ces hommes robustes lui obéissaient sans regimber, comme si son grand-père était le plus fort d'entre tous. Même encore aujourd'hui, quand il pensait à lui, c'est cette image de force, de supériorité, qui le personnifiait dans son esprit.

Charles jeta un coup d'œil à sa montre et dit précipitamment:

— Nous n'avons que le temps de prendre une bouchée avant de nous rendre au Forum assister à la partie de hockey.

Tommy fixa son père, étonné, n'en croyant pas ses oreilles.

— Veux-tu que je te dise ce à quoi je m'attendais?

— Inutile. Je le sais... Oui, j'avais l'intention de te priver de hockey au Forum jusqu'à la fin de l'année. Ta mauvaise conduite m'y obligeait... Toutefois, j'ai changé d'avis... il y a une heure. Il est possible d'impressionner un enfant avec des menaces, des punitions, mais pas un homme. Je sais que mon fils, quand il fait une promesse, il la respecte, et moi, j'ai foi en toi.

Sous l'effet d'une telle confiance, Tommy se sentit extrêmement gêné, mais se ressaisit aussitôt.

— Je te parie un dollar, dit-il, rayonnant de plaisir, que les Canadiens l'emporteront sur les Bruins. Ils n'ont pas encore connu la défaite cette année sur leur patinoire.

— Un dollar! dit Charles en se grattant la tête. Vraiment, tu veux me ruiner!

Le jeune homme se mit à sourire, le considéra avec affection, et ajouta en badinant:

— Si j'avais eu à choisir mon père, c'est toi que j'aurais pris!

XVI

Dans le bruit d'une musique infernale, amplifiée par les rires joyeux des jeunes gens qui dansaient à un rythme endiablé, résonnèrent subitement à l'horloge les douze coups de minuit. Aussitôt, les danseurs s'immobilisèrent, le silence se fit autour de Tommy, et le gai refrain *Bon anniversaire* déchira l'air environnant. Avec un enthousiasme soulevant, ses amis le saisirent et le basculèrent dix-huit fois bien comptées au bout de leurs bras. Ensuite, essoufflés, épuisés, ils le déposèrent sur ses jambes, et, en franche camaraderie, lui transmirent leurs vœux.

Tommy serra avec chaleur les mains qui se tendaient vers lui et remercia généreusement. Quand tous les garçons eurent terminé leurs souhaits, il se détacha d'eux et regarda les jeunes filles qui se tenaient un peu à l'écart, derrière leurs camarades. Ses yeux brillaient d'une lueur particulière. Maintenant, un large sourire illuminait son visage et découvrait ses belles dents blanches, qui contrastaient avec la couleur de sa peau basanée. De taille élancée, il avait hérité de son père cette allure sportive qui retenait les regards. Bien campé sur ses jambes, les mains appuyées sur les hanches, la chemise à moitié déboutonnée, et les manches retroussées, il les fixait audacieusement, l'une après l'autre. Il releva la tête avec assurance, et, d'un léger mouvement de celle-ci, qui le rendait provocant, il se débarrassa d'une mèche de cheveux qui encombrait son front.

— Mes poupées, laquelle d'entre vous m'offrira ses vœux la première? dit-il avec défi.

Intimidées, rougissantes, aucune des jeunes filles n'osa bouger. Mais, encouragé par les rires des garçons, Tommy ajouta, sur un ton plus abusif encore:

— De toute façon, vous allez toutes y passer! J'adore embrasser et je ne laisserai pas filer entre mes doigts pareille opportunité.

Puis il se tourna vers ses amis et leur dit en riant:

— Je vous donnerai ensuite un compte rendu de mes constatations.

Ses amis, qui étaient des confrères de collège et qui le connaissaient tenace et impétueux, savaient qu'il tiendrait parole. L'attitude réservée des filles ne l'impressionnait pas; cela le stimulait même davantage.

Il avança de deux pas et se trouva presque nez à nez avec Claire, qui le regardait avec des yeux de jeune biche effarouchée.

Il posa sur elle des yeux pénétrants.

— Eh bien! je ne te mangerai pas! Qu'attends-tu pour me souhaiter un joyeux anniversaire?

La jeune fille, bien que cramoisie, risqua un sourire timide et dit finalement, à voix basse:

— Bon anniversaire, Tommy!

Et elle lui déposa un tendre baiser sur la joue.

Il lui fit un signe négatif de la tête:

— Non, non, je ne suis pas ton grand frère, encore moins ton père. Recommence, et, cette fois, sur les lèvres, avec plus d'ardeur.

La pauvre Claire glissa un regard désespéré autour d'elle et ne vit que sourires ironiques dans son entourage. Elle fixa ses yeux sur Tommy et s'exécuta, pour ne pas être la risée générale. Toutefois, son cœur palpitait à vive allure dans sa poitrine. Pourtant, elle était folle de lui et rêvait de l'embrasser depuis si longtemps... C'est cette foule autour d'eux qui la paralysait. Quand de nouveau elle regarda le jeune homme, elle espéra fortement avoir trouvé grâce à ses yeux.

— Très... très bien, dit-il en lui pinçant la joue. On sent qu'il y a du potentiel en toi.

Tel que prédit, il fit le tour de chacune d'elles et quémanda un baiser, qu'il commentait ensuite avec humour et gentillesse. Après les avoir observées, il constata rapidement qu'il en manquait une et ce n'était pas la moindre.

— Où est ta sœur, demanda-t-il à Philippe?

— Dans la cuisine.

Il sortit du salon et se précipita vers la cuisine, pour y trouver Claudine qui garnissait un plateau de sandwiches qu'elle avait préparés dans l'après-midi avec l'aide de quelques amies.

En le voyant apparaître, elle leva vers lui un visage heureux, et ses yeux lui sourirent. Vivement, elle s'empara d'un petit paquet qu'elle avait dissimulé dans une armoire, à l'insu de tous, plus tôt dans la soirée, et le lui offrit.

— C'est pour toi, avec tous mes vœux, dit-elle en plongeant son bleu regard dans le sien.

À la fois surpris et réjoui, Tommy la remercia spontanément. Néanmoins, après réflexion, une certaine gravité escamota sa joie, et il la réprimanda.

— À cette période de l'année, les réserves d'argent des étudiants sont épuisées. Tu n'aurais pas dû faire la moindre dépense pour moi.

— Mon pauvre chou, je ne savais pas que tes réserves étaient épuisées. C'est curieux, pas les miennes!

Il se mit à sourire et lui ébouriffa les cheveux comme il le faisait si souvent.

— Tommy! Arrête, tu me décoiffes!

— Cela n'a aucune importance, tu es belle décoiffée.

Et il défit l'emballage; c'était un livre. Il l'avait bien deviné.

— *The Horses*, s'exclama-t-il en lisant le titre. Moi qui cherchais ce livre depuis des mois. Comment as-tu fait pour le trouver?

Elle haussa les épaules et murmura:

— Avec beaucoup de patience!

Elle réfléchit un moment et crut bon d'ajouter quelques explications afin qu'il comprît bien tout le mérite qui lui était dû de l'avoir trouvé.

— Après maintes démarches, je l'ai finalement dépisté dans une petite librairie située près de l'université McGill. Je savais que tu en serais heureux, depuis le temps que tu en parlais!

Il feuilleta le livre avec un intérêt marqué, puis le déposa sur la table et regarda Claudine. Un sourire imprégné de désir se dessina sur ses lèvres.

— Quelle fille merveilleuse tu es!

À seize ans, Claudine était un beau brin de fille. Elle ressemblait beaucoup à Thérèse sa mère, mais était encore plus jolie. Elle était de taille plus élancée, et des boucles tout aussi brunes encadraient un visage presque sans défaut. Un teint de pêche et des yeux couleur d'eau lui conféraient une douceur teintée de romantisme.

Tommy lui enlaça brusquement la taille et la serra fortement dans ses bras.

— Tu es belle et tu me plais!

Aussitôt, leurs lèvres se rencontrèrent avec ardeur. Elle ne résista pas, ayant l'habitude de ces caresses fougueuses, mais ce baiser toutefois ne s'éternisa pas. Bien qu'elle l'aimât de toute son âme et que cela remontât au temps où elle avait atteint l'âge de l'amour, elle s'éloigna de lui en disant ironiquement:

— Quel effet te produit un baiser de plus?

— Ma petite Claudine qui est jalouse! Je ne savais pas qu'il y avait en toi de vils sentiments, mais cela te va bien, cet excès de passion. J'aime les femmes passionnées, celles qui vibrent à l'intérieur. Les autres me laissent indifférent.

Il se rapprocha d'elle, prit sa main dans les siennes et lui caressa les doigts avec ses lèvres. Son regard était pensif. Elle le remarqua.

— Qu'est-ce que tu as?

Il fixait, au-delà de son épaule, un point invisible. Finalement, il expliqua, d'une voix hésitante:

— Tu as été mon premier amour, et je fus pour toi le premier aussi... À cause de cela, nos quinze ans ont été merveilleux. Toutefois, nous avons vieilli depuis, et cet amour que nous avons l'un pour l'autre ne doit pas nous limiter. Il faut regarder la vie avec plus d'ampleur et moins de restriction... Pour nous deux, il serait bon de connaître d'autres amours afin d'élargir nos horizons. Cependant, je tiens à ce que nous demeurions l'un pour l'autre de très bons amis.

Il baissa le ton et précisa avec sincérité:

— L'amitié d'une fille comme toi, c'est très important dans la vie. En tout cas, c'est très important pour moi.

Elle leva vers lui un regard brouillé de larmes.

— Si tu parles ainsi, c'est que tu ne m'aimes plus!

— Oui, je t'aime, Claudine... Mais je veux que nous nous aimions, toi et moi, d'une façon moins exclusive. C'est tout!

Elle dissimula son visage dans ses mains pour camoufler son chagrin. Désarmé, attendri, Tommy ne savait plus comment se tirer de ce mauvais pas.

— Pardonne-moi ma franchise... Je ne sais pas mentir.

Il ajouta avec tendresse:

— Je ne veux pas que tu sois triste... Pas ce soir.

Il s'empara du linge de vaisselle qui traînait sur l'armoire, essuya ses yeux et déposa un doux baiser sur ses paupières.

— Je ne pourrai jamais t'oublier, dit-elle en reniflant.

— Mais qui te parle d'oublier? Je ne tiens pas du tout à ce que tu m'oublies... Je ne suis pas fou!

Elle haussa les épaules et échappa un sourire qui lui venait naturellement.

— Tu as une façon de raisonner qui m'embrouille parfois.

Il se mit à sourire avec elle, visiblement heureux de la tournure des événements.

— Tu es si jolie quand tu souris... C'est ainsi que je t'aime.

Elle le fixa sans comprendre. Néanmoins, sa tristesse était dissipée. Depuis le temps qu'elle était sa confidente, elle ressentit subitement la certitude que Tommy ne pourrait se passer d'elle, et cela la rassura. Ses fréquentes visites à Philippe n'étaient-elles pas, souvent, qu'un prétexte pour la rencontrer, pour parler avec elle? Et même si, un jour, il vivait un amour avec une autre fille, il lui reviendrait parce qu'ils se complétaient si bien tous les deux... Ensemble, ils étaient heureux... Oui, elle saurait patienter et l'accueillir avec la même ferveur... Et puis ses parents l'avaient toujours considéré comme l'un de leurs enfants... Aussi, cette maison où elle vivait était un peu la sienne, et, pour toutes ces raisons qu'elle jugeait excellentes, elle se sentait confiante.

Tommy ouvrit le robinet et se servit un grand verre d'eau froide. Il se tourna vers elle, but la moitié du verre et dit, d'une voix contenue:

— J'ai une confidence à te faire, et personne ne le sait encore... Même pas Philippe.

Un sourire victorieux anima soudainement le visage de la jeune fille.

— Oui? J'écoute, dit-elle à voix basse.

— Mon père m'offre une voiture pour mon anniversaire. Une Ford décapotable, rouge marron, que nous avons choisie ensemble le mois dernier.

— Tu blagues?

— Non, je t'assure. C'est vrai!

Elle se jeta à son cou et l'embrassa.

— Mais c'est merveilleux! Oh! comme tu es chanceux, Tommy, d'avoir un père fortuné.

Il la souleva dans ses bras et virevolta avec elle, et ils rirent tous les deux de plaisir. Finalement, il la déposa à terre, et, dans un geste amical, mit ses mains sur les épaules de la jeune fille.

— Pour te prouver combien je tiens à toi, dit-il, je t'invite à te balader avec moi l'été prochain. Nous ferons des excursions en forêt, des pique-niques...

Elle l'interrompit brusquement:

— N'en dis pas davantage... Maman ne voudra jamais que j'aille me promener seule avec toi en automobile.

— Mais pourquoi pas? Tante Thérèse n'est pourtant pas vieux jeu... Je ne comprends pas.

— Parce qu'elle n'a pas confiance en toi. Elle te trouve trop sensuel, et ta façon d'agir, trop libre.

Tommy fronça les sourcils d'étonnement.

— Devant tes parents, je me suis toujours bien conduit.

— C'est ce que tu crois! Ma mère, elle, pense bien différemment. Elle n'aime pas te voir caresser mes bras et mon cou comme tu le fais si souvent, ni m'enlacer la taille lorsque nous sommes l'un près de l'autre.

Il se mit à rire de désinvolture.

— Si ta mère savait tout ce que j'aurais le goût de faire avec toi, ses cheveux se dresseraient bien sur sa tête!

Mal à l'aise, elle baissa les yeux, et ses joues se colorèrent.

La timidité de Claudine le ravissait et le provoquait à la fois. Ainsi, quand elle accusait cette faiblesse, il se sentait exhorté, par une impulsive tendresse, à la cajoler. Brusquement, il l'enlaça et la garda prisonnière dans ses bras, effleurant de baisers son cou et ses joues. Puis il lui chuchota à l'oreille:

— Et toi, mon trésor, ça te plairait de te balader avec moi?

— Tu le sais bien, Tommy.

— Alors, n'en parle pas à tes parents... C'est la seule façon de s'amuser, crois-moi!

Un bruit de pas se fit entendre, interrompant leur conversation. Philippe se passa la tête dans l'embrasure de la porte:

— On est en train de mourir de soif. Il n'y a plus une seule bière, ni de Coke.

Tommy lui fit un signe de la main, ouvrit le réfrigérateur et sortit quatre bouteilles de champagne.

— Wow! Du champagne! s'écria Philippe, ébahi. Je n'en ai jamais bu. Quelle idée géniale!

— Ton père est-il au courant de ta fabuleuse idée? demanda vivement Claudine.

Il se mit à rire.

— Non, penses-tu! Il l'apprendra bien assez vite! J'ai décidé qu'on fêterait royalement cet anniversaire. Quoi de plus pétillant que du champagne!

Philippe courut avertir les autres, et le groupe aussitôt se retrouva dans la cuisine. Le mot «champagne» produisit un effet magique, et chacun, sous le charme, contempla les bouteilles avec une expression de ravissement. Aux exclamations heureuses qui s'ensuivirent, il était facile de constater que, des douze jeunes gens présents, aucun n'avait jamais dégusté cette coûteuse et délicieuse boisson.

Claudine apporta un plateau contenant douze verres, qu'elle déposa sur la table en face de Tommy. Celui-ci prit la première bouteille et dit, en défiant ses amis:

— Si le bouchon ne va pas carabiner le plafond, je ne m'appelle pas Tommy Grandmont!

Se basant sur un principe élémentaire de physique, il agita vigoureusement la bouteille, et, la tenant juste au-dessus des verres pour ne pas perdre une seule goutte du contenu, il relâcha la broche qui fixait hermétiquement le bouchon à la bouteille.

Tous les regards étaient rivés sur lui. Soudain, telle une flèche, le bouchon céda sous la pression et atteignit le plafond, dans un bruit sec et retentissant qui fit tressaillir les spectateurs. D'heureux éclats de rire accompagnèrent la réussite, mais se transformèrent aussitôt en émoi, lorsque la délicieuse boisson jaillit en un torrent effervescent, éclaboussant une partie de la cuisine. La bouteille ainsi ouverte s'était vidée de la moitié de son contenu. Après cette expérience inédite, il fut décidé à l'unanimité que les autres bouteilles seraient débouchées avec plus de sagesse. Chacun finalement dégusta deux coupes de champagne qui agrémentèrent le goûter.

Mathilde avait, la veille, préparé le gâteau d'anniversaire, qui ne correspondait pas en volume aux besoins des invités, ne sachant pas qu'on se le partagerait à treize, car Tommy manifesta le désir d'en réserver une portion pour son père.

Avant d'éteindre les bougies, il ferma les yeux pour formuler un vœu, puis gratifia Claudine d'un regard et souffla énergiquement avec succès. Dans le bruit des applaudissements, leurs regards se croisèrent à nouveau, et un sourire de complicité s'établit entre eux.

La danse reprit, mais cette fois sur des airs plus langoureux. On avait pris soin de diminuer le volume du tourne-disque et de tamiser l'éclairage afin de créer une ambiance plus intime.

Vers les deux heures du matin, après avoir dansé avec tous et chacun, Claudine et Tommy se retrouvèrent dans les bras l'un de l'autre. Il l'entraîna lentement vers la sortie du salon, et, au rythme de la musique douce et sensuelle d'un slow, ils dansèrent seuls dans l'entrée de la salle à manger.

— Il y a foule ici, ce soir. J'aurais préféré fêter cet anniversaire seul avec toi, dans la plus parfaite intimité.

Il avait pris soin de mettre de la tendresse dans ses paroles, et, blottissant sa joue contre la sienne, il murmura:

— Je te désire, mon trésor... Tu ne peux pas savoir combien mon corps a besoin du tien pour s'apaiser.

Elle dégagea sa tête et le fixa avec des yeux ronds d'étonnement. Jamais encore il ne lui avait parler de la sorte, avec une telle crudité. Elle mit cela sur le compte de la bière et du champagne.

— C'est la pure vérité, je t'assure! Regarde comme j'ai le désir de toi.

Et, brusquement, il la saisit dans ses bras et la serra très fortement contre lui.

— Tu ne sens donc rien?

Oh si! elle sentait bien toute sa virilité qui se dressait sous le pantalon, mais elle savait aussi que ce n'était pas bien et elle essaya énergiquement de se libérer. Devant sa colère grandissante, il ricana sourdement, puis, d'un bras ferme, enlaça sa taille avec force, ayant soin de retenir ses bras prisonniers; de sa main libre, il entoura son cou, puis il rapprocha sa tête de la sienne. Elle sentit sa langue entrouvrir ses lèvres, desserrer ses dents et pénétrer vigoureusement dans sa bouche. Elle se débattait fermement, mais sa propre force n'était qu'une ombre à côté de celle de Tommy. Maintenant, sa main courait sur sa poitrine et caressait ses seins avec insistance. Il avait bien essayé de se faufiler les doigts sous le corsage, mais heureusement, l'échancrure trop petite de la robe ne permettait pas cette indiscrétion.

Après maints efforts, elle réussit à dégager son visage, puis ses bras, et dit rageusement, bien que d'une voix contenue, tout en lui chassant les mains de son corps:

— Tu es dégoûtant, Tommy Grandmont!

Il se mit à rire de sa fureur, et ses yeux brillaient de malice et de passion.

— Essaies-tu de me dire que cela ne t'a pas plu? Les femmes sont hypocrites ou bien elles sont idiotes, en n'admettant pas le plaisir où il se trouve ou en le refusant bêtement.

Elle baissa les yeux, désemparée. Oh! oui, elle avait bien ressenti une impérieuse sensation tout au creux de son corps, et c'était merveilleux, mais elle savait aussi que c'était mal. Au bout d'un moment, un certain calme se rétablit en elle. Avec conviction, elle éprouva le besoin d'argumenter d'une voix douce mais ferme:

— Tommy, ces intimités ne sont pas permises entre nous.

— Vraiment? Crois-tu que la terre ne s'est peuplée qu'avec des gens mariés? La preuve? J'y suis! Et je ne me sens pas différent de toi.

Elle demeura interdite. Que répondre à cette évidence? Il se dressait là, devant elle, comme ultime preuve de ce qu'il avançait, heureux, sans complexe, confortablement installé dans une société étroite et fermée qu'il ignorait complètement.

Plongée en plein dilemme, Claudine ne s'était pas rendu compte qu'il l'avait de nouveau enlacée et entraînée dans la danse. Il recommençait à la caresser, et ses mains devenaient de plus en plus baladeuses et indiscrètes.

— Ah non! Ça suffit! fit-elle en se dérobant.

Soudain, la lumière au-dessus de leur tête s'alluma, les éclairant à souhait. Charles se tenait dans l'embrasure de la porte, les yeux rivés sur eux.

En apercevant son père, Tommy relâcha son étreinte, le salua d'un air dégagé et lança, sans le moindre scrupule:

— Je ne t'attendais pas ce soir! Mais je suis heureux que tu sois là. Viens, je te présente à nos amis.

Charles referma la porte tout en dissimulant, non sans peine, la surprise qu'il éprouvait de s'apercevoir qu'il y avait fête chez lui ce soir à son insu. Il s'abstint de tout commentaire, mais n'en demeurait pas moins choqué.

— Bonsoir, oncle Charles! dit la jeune fille, d'un ton embarrassé.

Elle afficha son plus radieux sourire, comme si elle devinait les sentiments qui envahissaient le père de Tommy.

Il la salua aimablement, déposa son imperméable dans le placard et les accompagna de bonne grâce au salon. Ce dernier ne présentait plus l'aspect d'une pièce intime et reposante, mais était sens dessus dessous... Passe encore!... Il était normal, après tout, que pour danser on roulât les tapis, retirât les tables, déplaçât les meubles et les bibelots... Cependant, il lui semblait osé qu'on éteignît les lumières, et anormal que son fils ne l'eût pas prévenu de cette réception.

Nom de Dieu! il était encore le maître ici!

Néanmoins, de bon gré, il fit le tour des jeunes gens, qui lui parurent, à son avis, trop à l'aise pour avoir tous leurs esprits.

En passant devant le bar, il s'aperçut que plusieurs bouteilles étaient ouvertes, et leur contenu, amplement volatilisé.

Il se tourna vers la jeune fille de droite et remarqua soudain que son corsage était trop déboutonné pour être pudique.

— Quel âge avez-vous? demanda-t-il avec douceur.

— Dix-sept ans et demi!

Et elle leva vers lui des yeux de velours.

Il était évident qu'elle avait dépassé les limites de la sobriété. Il regarda sa montre et conclut à haute voix:

— Il est deux heures trente du matin. Je vous laisse une dernière danse, et la soirée se terminera là.

Il sortit du salon, ramassa son journal près du placard de l'entrée et se dirigea vers la salle à manger.

Il entendit aussitôt de vives exclamations et tendit une oreille intéressée.

— Tu ne nous avais pas dit combien il était beau, ton père!

— Il me pâme! ajouta une autre.

—Il ressemble à un acteur de cinéma. Quel regard magnifique!

— Sa taille et ses yeux bleus me chavirent le cœur!

Charles se mit à sourire et ne put s'empêcher de penser que ce genre de réflexion était l'apanage d'une verte jeunesse. Cependant il en fut flatté.

— Ça va faire, les filles, dit la voix de Tommy. Mon père a peut-être la «manière» de plaire aux femmes et toutes les qualités d'un don Juan, mais il aura cinquante-huit ans bientôt.

La vérité l'atteignait dans sa réalité la plus directe, tranchante comme une épée. Pour son fils, il était encore un homme séduisant, mais... il était vieux. Pourtant, à cinquante-sept ans, un homme en excellente santé est dans la force de l'âge! Il était robuste, infatigable, débordant de vitalité, et toutes ces qualités ne constituaient-elles pas le reflet de la jeunesse? Et puis ces désirs intenses qui l'assaillaient encore si souvent le prouvaient aussi. Charles se prit à se sourire à lui-même. Non, il n'était pas vieux! Ce soir, les commentaires de ces toutes jeunes filles ne le confirmaient-ils pas élogieusement? Il plaisait encore, cela ne faisait pas l'ombre d'un doute... Et encore, cette femme qui, quelques heures plus tôt, l'avait demandé en mariage le trouvait sûrement assez jeune pour en faire son compagnon de vie. Par chance, sa fortune, cette fois, n'était pas en jeu. Colette Dumais vivait suffisamment dans l'aisance pour terminer sa vie seule si elle le désirait, car son mari, en mourant, ne l'avait pas laissée dépourvue. Charles avait rencontré cette jolie veuve de Québec à Palm Beach, l'hiver dernier. Elle avait loué une jolie résidence qui faisait face à la mer, tout juste à côté de la sienne. Jolie, mince et blonde, elle n'affichait pas ses quarante-cinq ans. Immédiatement, cette femme distinguée et attrayante lui fit bonne impression. Il passèrent ensemble d'agréables vacances, et depuis trois mois, il la courtisait assidûment. Toutefois, ses sentiments pour elle se limitaient à une profonde amitié. Malgré de pressants efforts, il ne parvenait pas à l'aimer d'amour et de passion comme il avait aimé May, et cela l'attristait. Aussi, il décida à l'instant même qu'ils resteraient bons amis.

— Monsieur Grandmont?

Il tressaillit, n'ayant pas entendu de bruit de pas. Il se tourna, aperçut Claudine et lui sourit, la voyant rougissante.

— Excusez-moi, dit-elle, confuse. Je voulais vous offrir des sandwiches. J'en avais caché quelques morceaux dans le réfrigérateur pour le déjeuner de Tommy, demain. Pourrais-je vous les apporter avec une tasse de café?

Il la considéra avec affection. Elle ne l'avait pas appelé «oncle Charles» comme d'habitude. Pourquoi? Sûrement la gêne d'avoir été surprise dans les bras de Tommy qui la caressait.

— J'accepte volontiers, mais avec un verre de lait au lieu d'un café.

Il la regarda s'éloigner. Quelle fière allure! Que de classe pour une jeune fille qui n'avait pas encore ses dix-sept ans! Souvent, elle lui rappelait May. La taille, peut-être? Ou serait-ce cette façon de regarder? Il ne saurait dire... La démarche... Oui, c'était la démarche! Il en était convaincu maintenant. Élégante et fière!

Elle revint et déposa devant lui une appétissante assiette garnie de hors-d'œuvre et de sandwiches, et un grand verre de lait.

— Comme il ferait bon d'avoir une femme à la maison! constata-t-il en contemplant son assiette.

Avant d'attaquer, il leva un œil inquisiteur sur la jeune fille et lui demanda sans détour:

— Qui a eu l'idée de fêter Tommy?

— Lui-même! Il m'a téléphoné ce matin vers onze heures; je venais à peine de rentrer de l'office du Samedi saint. Il m'a suggéré de fêter la fin du carême et son anniversaire du même coup. J'ai trouvé l'idée sensationnelle, et nous avons convié les amis.

— C'est la vérité exacte?

— Oncle Charles! C'est la pure vérité!

Il parut réfléchir.

— Bon! Merci, Claudine.

Il plongea son regard dans son assiette et ajouta:

— Tommy n'a pas été correct avec toi, ce soir... N'est-ce pas, Claudine?

Extrêmement embarrassée, elle ne répondit pas tout de suite, cherchant plutôt un prétexte.

— L'effet de la bière et du champagne ne lui convenait pas.

— Le champagne?...

Dieu du ciel! elle venait de se trahir, bien malgré elle. Que répondre, maintenant, sinon dire la vérité?

— Tommy a ouvert quatre bouteilles de champagne... Il désirait fêter royalement son anniversaire.

Charles la dévisagea, visiblement décontenancé. Il échappa un long soupir, puis se frotta la nuque, résumant ainsi ses pensées: champagne, bière, gin ou rye, etc. Joli cocktail pour des enfants! Quel fils déroutant!

La sonnerie du téléphone retentit et le tira de ses réflexions. Il se leva et répondit, se doutant bien, à l'heure qu'il était, qu'il s'agissait de la mère de l'une de ces adolescentes. La voix de Thérèse lui arriva, inquiète et bouleversé, au bout du fil.

— Ils sont encore ici. Ne t'inquiète pas, je les renvoie tous à l'instant!

Il se tut quelques secondes pour écouter et reprit:

— Je suis attendu chez Louis-Philippe pour le repas du midi... Peut-être que Tommy ira chez toi... Je ne sais pas encore. Mais je te remercie pour nous deux. Joyeuses Pâques à vous tous... Oui, sans faute. Bonsoir!

Il ferma l'appareil. Les jeunes gens avaient compris qu'il était l'heure de partir, et ils avaient revêtu leurs manteaux avant que Charles n'ait eu le temps de les congédier.

Tommy salua ses amis et embrassa la joue des demoiselles. Quand vint le tour de Claudine, elle se déroba à son baiser, mais le convia chez elle au dîner du lendemain.

— Oui, je viendrai, dit-il, avec plaisir.

Charles rectifia aussitôt:

— Ce n'est pas certain!

Mais Tommy adressa à Claudine un clin d'œil que Charles ne vit pas, pour confirmer sa réponse.

La porte se referma, laissant les deux hommes face à face. Ils se dévisagèrent un long moment, chacun essayant de lire les pensées de l'autre. Leurs yeux se rejoignaient maintenant à la même hauteur, et leur taille presque identique trahissait une hérédité incontestable. Seuls les traits du visage différaient et accusaient également le fossé des années.

Tommy, le premier, rompit le silence pour s'informer, très décontracté:

— Tu as passé une bonne journée?

— Excellente, merci! dit Charles, sèchement.

Non troublé, le jeune homme poursuivit:

— La dame a été charmante? Qu'est-ce qui a fait défaut pour que tu rentres de Québec ce soir?

Charles demeura muet d'indignation et réprouva en l'accablant d'un regard hostile.

Quelles que fussent les circonstances, cette question lui paraissait inconvenante, mais, en cet instant précis, elle lui fit l'effet d'une douche glacée. Il crispa la mâchoire, ravala sa salive pour ne pas s'emporter. Avec Tommy, il le savait, la colère fermait toutes les portes au dialogue, et ce n'était pas le moment de se le mettre à dos; il avait une faveur à solliciter. Il fit un effort pour retrouver son calme. Finalement, il demanda, d'une voix mesurée:

— Quand as-tu décidé de fêter ton anniversaire?

— Pendant l'office, ce matin. Je n'ai jamais vu une cérémonie aussi longue. Trop, c'est trop! Presque deux heures, tu te rends compte? J'ai eu le temps de réfléchir à beaucoup de choses, entre autres, à mon anniversaire, et en revenant à la maison j'ai téléphoner à Claudine pour lui en parler. Elle fut d'accord.

Les réponses coïncidaient, et Tommy, en général, ne mentait pas. Toutefois, Charles n'arrivait pas à lui faire entièrement confiance, préférant sans doute être trop méfiant que trop bonasse.

— C'est d'ailleurs pour ça que je ne t'en ai pas parlé; tu étais déjà parti, ajouta Tommy.

Ils entrèrent dans le salon, qui, remis en ordre avant le départ des jeunes gens, présentait une allure plus respectable. Seuls des verres et des bouteilles vides gisant sur les tables, des cendriers débordants de mégots et des disques étalés un peu partout, demeuraient comme derniers vestiges d'un party mémorable. Sans parler, bien entendu, de la cuisine, où s'étalait un désordre sans précédent.

— Et tout cet alcool qui coulait à flots, tu trouves ça normal pour des jeunes de votre âge?

— Personne ne se roulait par terre!

— Bon Dieu, Tommy! Est-ce là ton barème de la tolérance?

Le jeune homme esquissa un sourire.

— Non! Mais c'est simplement pour te prouver qu'il n'y a pas eu d'excès.

— Moi, par contre, j'ai pu constater que les filles avaient des yeux langoureux et que les garçons, toi en particulier, vous étiez un peu trop entreprenants.

Tommy hocha la tête.

— Bon! Admettons que nous étions tous un peu réchauffés. Mais ce fut une sacrée soirée, et je peux t'assurer que personne n'oubliera cette fête de sitôt.

Il lui raconta en détail l'histoire du bouchon de champagne, et Charles ne put s'empêcher de sourire en le regardant mimer l'exploit. Néanmoins, il murmura tristement:

— Mes quatre derniers Dom Pérignon que j'avais rapportés de France...

— Qu'avaient-ils de si extraordinaire?

— Ils étaient de vieille date et hors de prix. Je les conservais précieusement pour une de ces rares occasions qui font étapes dans la vie.

— Oh!... Je regrette, je l'ignorais.

Charles releva la tête, et, une fois de plus, fit contre mauvaise fortune bon cœur.

— L'événement était de taille puisqu'ils ont arrosé tes dix-huit ans. Exactement l'âge qu'avait ta mère quand je l'ai connue... N'en parlons plus!

Tommy parut réjoui des bonnes dispositions de son père.

— Si cela peut te consoler, dis-toi que mes amis ont été épatés. La plupart d'entre eux n'avaient même jamais vu une bouteille de champagne, et si, par hasard, la vie ne les choyait pas, ils auront d'emblée dégusté le meilleur.

La pendule sonna trois heures. Tommy se leva et s'étira longuement.

— Je me sens fatigué. Je crois que je vais aller dormir.

Charles, au passage, le retint par le bras et lui tendit la main.

— Bon anniversaire, Tommy!

Et il sortit de sa poche un trousseau de clés et le lui offrit. Les yeux de Tommy flamboyèrent de joie.

— Merci! Merci infiniment, papa! Elle est splendide! Au cours de la journée, j'ai dû passer deux heures dans le garage à l'examiner.

Charles sourit.

— J'avais une espèce d'intuition que tu irais fureter au sous-sol. Bernard l'a apportée hier soir, pendant ton absence... Tu as de la chance d'avoir une voiture, à ton âge. Peu de jeunes gens sont aussi privilégiés que toi. J'espère que tu t'en rends compte.

Tommy ne put que hocher la tête, connaissant la sérénade par cœur.

Profitant à la fois des circonstances et de ces instants nocturnes où l'âme s'abandonne plus facilement aux confidences, Charles risqua d'une voix résolue, bien que pour tout dire il appréhendât la réponse:

— Ça me ferait plaisir si tu voulais m'accompagner demain chez Louis-Philippe. La famille au complet se réunit pour le repas du midi, et, le soir, nous pourrions assister aux fiançailles de Marc... Pour moi, vois-tu, l'heure de la paix est arrivée...

Le visage de Tommy se contracta. Il ne répondit pas. Aussi, Charles poursuivit, plus convaincant:

— La surprise atténuée, ils t'accueilleront comme l'un des leurs. Tu te sentiras vite à l'aise parmi eux... Chez les Grandmont, les enfants ont toujours tenu la première place... Et toi aussi tu es un Grandmont... Viens demain, avec moi.

— Je suis au courant. Mathilde m'a harassé avec cette idée depuis le début du congé de Pâques... Je regrette, mais ça ne m'intéresse pas de les rencontrer.

Charles, aussitôt, se rembrunit.

— Bon Dieu, fais un effort! Ça me semble justifié, après le cadeau que je viens de t'offrir.

Tommy fixa son père froidement.

— Écoute, Charles, ce genre de marchandage ne prend pas avec moi! Tu m'offres cette voiture de ton plein gré et de bon cœur. Et moi, si je refuse de rencontrer ta famille, ce n'est pas pour t'offenser mais bien parce que je ne ressens aucune affinité pour elle. Je porte le même nom qu'eux... et c'est tout!

Il avait si bien mordu sur les derniers mots, que Charles, plus offensé encore, lança furieusement son journal par terre.

— À ta guise! Je constate que c'était bien puéril de ma part de croire que nous aurions pu tomber d'accord, toi et moi, en même temps. Mais, sois tranquille, je ne te supplierai plus jamais de m'accompagner dans ma famille et c'est aussi la dernière fois que tu en entends parler!

Il leva l'index, fit quelques pas vers lui, et lança, sur un ton péremptoire:

— Toutefois, laisse-moi te dire une dernière chose: si j'étais à ta place et si je voulais pour une fois accepter un conseil d'ami, je modifierais immédiatement ma conduite avec Claudine. Sinon, crois-moi, et je les connais bien, les Gagnon te fermeront leur porte. L'honneur de leur fille, ils y tiennent! Et, avec toutes ces portes que tu te fermes volontairement, tu ne sauras plus où aller avant longtemps.

Sur ce, il vira brusquement et s'engagea dans sa chambre, tandis que Tommy demeura cloué sur place, opiniâtre, intransigeant. Mais pouvait-il agir autrement? Et pourquoi la très digne famille de son père l'accepterait-elle, lui, aujourd'hui, alors que jadis elle n'avait pas su accepter sa mère? La rancune... toujours cette maudite rancune acharnée et constante!

XVII

La réception des fiançailles s'étant étirée plus tard que prévu, Charles décida de passer la nuit sur le boulevard Gouin. Le lundi matin, quand il revint à l'appartement, la concierge y faisait le nettoyage. Depuis trois ans, cette femme venait quotidiennement mettre de l'ordre dans la maison, tandis que Mathilde ne se consacrait plus qu'à la préparation de la nourriture, qu'il réchauffait lui-même quand il n'avait pas le goût d'aller au restaurant ou le temps de traverser la ville pour faire honneur à la table de Céline.

Il fut surpris de ne pas y trouver son fils.

— Il est parti jouer au tennis avec son ami Philippe, expliqua la femme sans se faire prier.

Charles frissonna à cette idée, car, bien qu'ensoleillée, la matinée était glaciale. Mais eux, bien sûr, ils étaient jeunes et ne sentaient pas le froid. Il s'isola dans le salon avec ses journaux et attendit son fils.

À midi trente, Tommy arriva essoufflé. Il prit une douche rapidement, et, dans sa nouvelle voiture, ils se rendirent ensemble prendre le lunch au restaurant. Le repas, quoique excellent, fut plutôt long et ennuyeux, car l'ambiance n'était guère à la cordialité, et ni l'un ni l'autre ne firent un effort quelconque pour l'agrémenter. Ensuite, bien que ce fût jour férié, Charles se fit conduire au bureau: du travail en retard à mettre à jour. Tommy, lui, en profita pour dactylographier dans le bureau de la secrétaire, la programmation des parties de balle molle qui se disputeraient dans le cadre des loisirs de cette dernière partie de l'année scolaire.

Mais, vingt minutes plus tard, Charles, tout en maugréant, dut se rendre chez Denis chercher un dossier qui lui manquait et dont il avait absolument besoin pour compléter son travail. Au passage, il avertit son fils que son frère Jacques devait passer et le pria de lui transmettre le message de l'attendre, qu'il ne serait absent que pour l'aller et le retour.

Tommy se remit au travail, mais s'aperçut soudain qu'une erreur s'était glissée dans la programmation. Après réflexion, comme il n'arrivait pas à se souvenir, il s'empara du téléphone et composa le numéro de Philippe, car ils avaient formé les équipes ensemble. Il raccrocha, déçu: la ligne était occupée. Il attendit quelques minutes, puis recomposa. Toujours occupée!

— Ça, c'est Claudine qui papote avec ses amies! Ce que les filles peuvent en perdre, du temps au téléphone!

Il patienta quelques instants et décida, pendant qu'il n'avait rien à faire, de rejoindre la jolie demoiselle aux yeux verts, aux cheveux d'or et à l'exaltante poitrine, qu'il avait rencontrée, par un heureux hasard, deux jours plus tôt, à la bijouterie où il avait acheté le bracelet de Claudine.

La voix chaude de Marie-Louise Brillon lui arriva au bout du fil comme une douce musique. Immédiatement, elle lui spécifia que tous ses amis l'appelaient Marie-Lou; il trouva ce diminutif ravissant, mais, à son grand désespoir, elle n'était pas libre cet après-midi. Non, il ne pourrait attendre le mois prochain pour la rencontrer; c'était beaucoup trop loin... Au diable le collège, il n'y rentrerait que demain matin! Il l'invita à dîner en ville, dans un bel hôtel. Elle accepta sur-le-champ. Quel bonheur suprême, elle avait dit oui! Il l'attendrait dans le hall du Sheraton Mont-Royal, à sept heures, puisqu'elle refusait qu'il se rendît la prendre chez elle.

— Prenez un taxi, Marie-Lou, je vous le rembourserai.

Il ferma l'appareil. Il était si heureux qu'il se sentit flotter dans l'air. Son bonheur, il le palpait déjà avec ses mains. Un sourire victorieux illumina son visage. Il se cala au fond de son fauteuil et déposa confortablement ses pieds sur le bureau de la secrétaire. La «manière», il l'aurait, quel qu'en fût le prix! D'ailleurs, son père était assez riche pour l'avoir pour deux.

Il entendit des bruits de pas dans l'escalier et reconnut le pas de son père. Il lui communiquerait sans tarder l'heureuse nouvelle. Qu'importe s'il ne partageait pas son bonheur; il saurait tout de même!

La surprise le figea sur place quand il vit Jacques se dresser devant lui, le fixant d'un œil fortement réprobateur.

D'un bond, il fut sur ses jambes.

— Monsieur Grandmont, s'il vous plaît! dit Jacques avec froideur.

Il retrouva son aplomb et répondit calmement:

— Je regrette, il est absent pour quelques minutes. Vous êtes son frère, Maître Grandmont? Il vous attendait! Si vous voulez passer dans son bureau, il devrait être de retour d'une minute à l'autre.

— Merci. Je l'attendrai ici.

Jacques prit un fauteuil, déposa sa serviette sur la table d'en face et regarda Tommy d'une façon suspecte. Puis il croisa ses mains sur sa large poitrine dans un geste imposant.

«Ces Grandmont, songea Tommy, ils sont bien tous les mêmes, avec leurs grands airs.»

— Vous êtes un employé? demanda le visiteur, du bout des lèvres.

Tommy se rassit, le fixa dans les yeux, hésita avant de répondre, finalement dit avec conviction:

— Pas tout à fait... Je travaille à ses chantiers durant les vacances estivales... J'étudie encore. Comme il venait au bureau cet après-midi, il m'a donné la permission d'utiliser sa machine à écrire. Un service... ajouta-t-il, en souriant.

Le visage de Jacques se dérida. Il lui avoua aussitôt:

— Il est heureux pour vous que vous ne fussiez pas un employé régulier, car avec une telle tenue je vous aurais fait flanquer à la porte.

Tommy fronça les sourcils et esquissa un sourire subtil.

— Je l'ai échappé belle! dit-il avec insolence.

Et il se mit à penser à son père, au problème qu'il aurait eu à mettre son successeur à la porte, et son visage s'illumina complètement.

Il posa sur son oncle un regard perçant:

— J'en connais un qui aurait eu un énorme dilemme à résoudre.

Ne prenant de ces paroles que leur sens propre, Jacques se mit à rire aussi et trouva le jeune homme fort sympathique.

— Où étudiez-vous? demanda-t-il d'une voix très décontractée.

— Au collège de Montréal. Je terminerai ma première philosophie bientôt.

— Excellent collège! J'y ai fait moi-même mes études.

— Excellent collège, en effet, dit Tommy sans enthousiasme.

Il ajouta, avec une impertinence à peine voilée:

— J'ai l'impression que vous vous entendriez très bien avec mon père... Il pense exactement comme vous.

La sonnerie du téléphone retentit. Il en fut heureux car il s'aventurait sur un terrain trop glissant. Aussi il répondit sans tarder. Une voix féminine, très douce, murmura au bout du fil:

— Charles, mon chéri, c'est toi!

Tommy sourit.

— Non, je regrette... Il est absent pour quelques minutes. Puis-je prendre votre message? Il vous rappellera sans faute.

La dame au bout du fil se sentit confuse, presque honteuse d'avoir confondu les voix. Tommy s'en rendit compte. Il jeta un regard de biais à son oncle. Bien que ce dernier feuilletât une revue, Tommy se doutait qu'il suivait attentivement la conversation. Il s'abstint d'appeler poliment son interlocuteur «Madame», comme il l'aurait fait en d'autres circonstances, sachant bien que son père n'aimait pas étaler sa vie privée dans sa famille. Il saisit un papier et griffonna le nom de Madame Colette Dumais, le numéro de téléphone, ainsi que le numéro de la chambre. Il la salua et ferma l'appareil. En relisant, il constata que la dame se trouvait à Montréal dans un hôtel du centre-ville. Il ajouta sur le papier, tout au bas, en post-scriptum: «La voix est douce et caressante. Bonne soirée!»

Il leva les yeux et vit que Jacques le dévisageait d'une drôle de façon.

— J'ai l'impression de vous avoir déjà vu quelque part!

— Cela est possible... mais je ne peux pas me souvenir, dit-il en mentant effrontément.

À deux ou trois reprises, ils s'étaient croisés au bureau ou dans l'escalier de l'appartement. La dernière fois remontait à peine à l'été dernier. Il remarqua soudain combien son oncle avait vieilli depuis. Ses cheveux étaient nettement grisonnants, et des rides plus profondes lignaient son visage. Toutefois, il avait encore la prestance d'un homme dans la force de l'âge. Que penser de Charles maintenant, qui paraissait sûrement dix années de moins!

Jacques feuilletait toujours la revue, tout en lançant régulièrement vers Tommy de brefs regards scrutateurs. De toute évidence, il fouillait dans ses souvenirs afin de trouver le lien.

Tommy se rappela tout à coup que son père lui avait mentionné un jour qu'il possédait une incroyable mémoire visuelle, ce qui faisait sa force aux cartes, disait-il. Aussitôt, il se pencha sur son travail pour se dérober à l'œil observateur.

Ce fut peine perdue, car Jacques s'exclama:

— C'est votre regard! J'ai la certitude d'avoir vu ces yeux-là quelque part...

Grand Dieu! le portrait de sa mère! Il l'avait complètement oublié. Selon Charles, Jacques était un admirateur de cette belle femme qui décorait la cheminée du salon, et, à plusieurs reprises, il lui avait même offert d'acheter la toile. En cet instant précis, Tommy souhaita de n'avoir point hérité de personne. Sortir d'une feuille de chou, comme dans l'histoire...

Soudain, il entendit des pas gravir l'escalier. Un sourire de soulagement éclaira son visage.

— Voilà Monsieur Grandmont qui revient!

Charles salua son frère et s'excusa de son absence. Il jeta un regard inquisiteur sur les deux hommes qui se tenaient debout, les examinant tour à tour. Presque avec joie, il crut un instant que le mystère s'était clarifié, mais Tommy le tira brusquement de son rêve en l'interpellant comme un étranger:

— Monsieur Grandmont, voici un message pour vous!

Il lui tendit le billet, que Charles parcourut en l'espace d'un éclair. Sa mâchoire se crispa en lisant le commentaire.

— Merci, fit-il en le gratifiant d'un regard glacial.

Puis les deux frères disparurent dans le bureau de Charles. Tommy entendit son père lui offrir un verre.

Déjà la pause cognac, songea-t-il en fronçant les sourcils. Tous les problèmes de cette bonne vieille terre sont-ils toujours immergés dans une solution d'alcool avant d'être abordés?

Sans véritablement s'en rendre compte, il venait tout simplement de saisir les prémisses du monde des affaires.

Tommy concentra son esprit sur son problème de l'heure et composa de nouveau le numéro de Philippe. Rageusement, il raccrocha!

— Ce qu'elles peuvent être bavardes, ces filles!

Il se leva furieux et frappa à la porte du bureau de Charles. Il dut attendre un long moment avant que son père ne daignât apparaître dans la salle d'attente.

— Excuse-moi de te déranger, dit-il poliment. Il y a une erreur dans la programmation des équipes, et je n'arrive pas à rejoindre Philippe au téléphone, la ligne n'est jamais libre. Je me rends chez lui et je terminerai là mon travail avec le clavier de son père. Désires-tu que je te reprenne dans une heure ou deux?

— À quatre heures trente, j'aurai terminé. Je t'attendrai!

Pour ne pas l'irriter davantage, il crut bon de se composer une voix neutre avant d'ajouter:

— N'oublie pas de rappeler la dame, j'ai promis que je ferais son message.

— Je n'aime pas qu'on se mêle de mes affaires, Tommy. Souviens-t'en! Je ferai comme je l'entendrai!

Sans paraître brusqué, il opina:

— Bon! je m'en souviendrai... Moi, par contre, je voulais que tu saches que je passerai une soirée délicieuse. Mon bel ange a accepté mon invitation à dîner. (Il lui en avait soufflé un mot pendant le repas.)

Le visage de Charles s'empourpra. Il lui chuchota, sans desserrer les dents:

— Tu dois rentrer au collège après le souper!

— Non! Je ne rentrerai pas au collège ce soir. Demain matin! N'importe qui peut avoir une indigestion, non?

Il y avait une si profonde détermination dans ses paroles que Charles passa du rouge au blanc et lança sèchement:

— Très bien! Si j'ai des problèmes avec la direction du collège, crois-moi que tes allocations mensuelles seront passablement réduites.

Les yeux de Tommy s'adoucirent sous les menaces. Il ajouta même sur un ton badin:

— Tu n'auras aucun problème avec moi. C'est promis! Je n'ai jamais eu tant besoin de fric qu'en ce moment. Acquérir la «manière», ça prend plus d'argent que je ne le prévoyais.

Charles haussa les épaules sans chercher à comprendre. Tommy avait promis, ça lui suffisait. Il tourna le dos à son fils et disparut dans son bureau.

XVIII

D'une chose à l'autre, l'été s'installa, entraînant aussi cette merveilleuse période des vacances. Tommy présenta à son père un bulletin qui remplit celui-ci d'orgueil; il se classait au premier rang avec une moyenne qui lui conférait une marge confortable sur la seconde place. Charles, ravi des brillants succès de son fils, oublia les remarques désobligeantes du préfet de discipline et maintint les allocations au tarif convenu.

C'est à cette période de l'année que Charles était le plus heureux. Le travail marchait rondement, et Tommy subissait avec un intérêt marqué un entraînement qui lui apprenait au fil des jours à devenir un chef d'entreprise. Ainsi, quelques jours par semaine, il lui abandonnait son bureau et ses problèmes pour se payer du bon temps. Il en profitait pour disputer quelques parties de tennis et faire de l'équitation; ou bien, si, quand il se levait tôt, la journée était radieuse et qu'il se sentait particulièrement amoureux, il montait le fleuve et arpentait le chemin du roi jusqu'à Québec. Colette, prévenue quelques heures à l'avance, l'attendait à bras ouverts, et ils passaient ensemble des journées délicieuses. Toutefois, il n'était plus question de mariage entre eux. Charles lui avait exprimé clairement ses vues sur ce sujet. À sa grande surprise, elle s'était montrée compréhensive. Aussi, ils demeuraient les meilleurs amis du monde, au sens le plus intime de l'expression.

Quand il revenait chez lui tard dans la nuit ou tôt le lendemain matin, après quelques heures de sommeil, il arrivait au bureau en pleine forme avec un énorme sourire sur le visage.

Vers la mi-juillet, Tommy, s'apercevant qu'il manquait d'exercice, car au tennis il n'avait plus l'endurance de Philippe, manifesta à son père le désir de travailler sur les chantiers comme il l'avait fait l'année précédente. Il débattit sa cause, argumentant qu'il était bon aussi de suivre l'évolution des chantiers en œuvrant dans les différents corps de métiers. Opposé à cette décision, Charles finalement ne lui donna son autorisation que pour lui laisser l'impression qu'il le dominait encore.

Chaque jour, Tommy allait d'un ouvrage à l'autre, s'instruisant des noms de matériaux, des procédés, des termes communs, tout en constatant, non sans plaisir, que ce travail harassant de manœuvre durcissait ses muscles.

Bien qu'exténué après ces chaudes journées de labeur, Tommy reprenait sous la douche l'énergie dont il avait besoin pour partager ses soirées entre le tennis, le base-ball des Royaux, sa douce Claudine et son bel ange adoré.

Il était devenu au tennis la meilleure raquette de tout son entourage, et personne ne pouvait plus le battre, ni Charles, ni Philippe, ni aucun autre membre du club. Il jubilait et il ne s'estimait vraiment que lorsqu'il atteignait la première place.

Toutefois, durant ce bel été, une seule ombre atténuait son bonheur, et cette ombre s'appelait Marie-Lou. Elle ne lui permettait de la voir que deux soirs par semaine, le mercredi et le vendredi, et cela, dans un cadre d'horaire bien défini: de neuf heures à onze heures. Jamais ils ne se fréquentaient les fins de semaine et jamais non plus elle ne le recevait chez elle. Il klaxonnait deux petits coups devant sa porte pour l'avertir de son arrivée, et lui ouvrait la portière de l'auto à onze heures pour la laisser repartir. Elle lui avait expliqué qu'elle partageait son logis avec une infirmière qui travaillait de nuit. Celle-ci dormait en arrivant le matin, se récréait l'après-midi et se recouchait après le souper jusqu'à l'heure du travail. Ces heures irrégulières de sommeil devaient être formellement respectées dans l'entente qu'elles avaient conclue entre elles. Tout cela semblait normal et bien compréhensible. Toutefois, cette explication ne le satisfaisait pas complètement... Par la suite, elle ne répondit plus à ses questions. Devant son impatience grandissante, Tommy renonça, de peur de la perdre, et se conforma à ses désirs.

À cette même période, on célébra le mariage de Marc et de Christiane sur le boulevard Gouin. La semaine suivante, Céline et sa famille partaient en vacances pour l'île d'Orléans. Aussitôt la maison libérée, Mathilde exhorta Tommy à venir la retrouver pendant leur absence. Elle ne l'avait presque pas vu ces derniers temps et s'ennuyait beaucoup de lui. Il accepta pour lui faire plaisir et promit qu'il irait s'y installer dès le lendemain, le travail terminé.

Quand il arriva, Mathilde l'accueillit à bras ouverts et l'embrassa à plusieurs reprises. Enfin, elle pourrait dorloter son cher enfant pendant toute une quinzaine.

Après avoir chassé la poussière et la chaleur du jour sous la douche et revêtu des vêtements propres, Tommy réintégra la cuisine, où Mathilde terminait la préparation de son plat favori. Elle avait déposé près de son couvert les photos prises lors du mariage de Marc, et il les observa d'un œil neutre tout en formulant parfois quelques commentaires du genre: «Oh, ce qu'elle a vieilli!» attestant qu'il avait pu suivre régulièrement, par le truchement de la photographie, l'évolution de sa famille. Toutefois, devant le portrait d'Isabelle, sa jeune cousine, il lança un long sifflement qui valut à celle-ci l'honneur d'être classée au rang des fort jolies filles.

— Beau visage, taille fine, jambes longues. A-t-elle une jolie poitrine, Mathilde?

— Tommy!

Il se mit à sourire, de son air offensé.

— On ne voit pas très bien sur la photo, sinon je ne te l'aurais pas demandé.

Offusquée, elle détourna la tête et ne répondit pas, jugeant la question trop osée.

Un bruit de voiture se fit entendre. Tommy sut que son père arrivait. Il se rendit à sa rencontre, pas tant pour le saluer que pour porter plainte. Il avait perçu son salaire la journée même, et celui-ci accusait une diminution marquée.

À l'air sombre qu'il affichait, Charles devina aussitôt ce qui menait son fils vers lui. S'il avait dû agir ainsi, ce n'était que pour lui prouver son mécontentement au sujet de son départ du bureau, concevant très bien que Tommy perdait son temps à travailler sur les chantiers, qu'il était plus utile pour eux deux qu'il apprît à diriger convenablement cette énorme entreprise et qu'il n'y parviendrait qu'en travaillant sous sa direction. Que ses muscles fussent les plus fermes d'entre tous, Dieu! ce qu'il pouvait s'en ficher! Charles savait qu'en diminuant ses revenus il lui assénait un coup bas qui l'inciterait peut-être... à réfléchir.

La question arriva comme une bombe, et Charles y répondit d'assaut.

— Quand tu travaillais au bureau, tu dirigeais, tu prenais des responsabilités et tu recevais alors un salaire de contremaître. Maintenant, tu as décidé de travailler avec tes bras et tu perçois un salaire de manœuvre. Ne trouves-tu pas cela équitable?

Tommy fixa son père froidement, réfléchit à peine quelques secondes et comprit soudain que c'était sa façon de s'opposer à son changement de travail. Il lui tiendrait tête, bien que ça le dérangeât passablement, car son train de vie n'était pas celui d'un manœuvre, mais il s'en accommoderait.

— C'est juste! dit-il en ravalant sa salive et en s'efforçant de sourire.

Devant l'attitude trop complaisante de son fils, Charles passa à l'attaque, ordonnant qu'on le soumît aux besognes les plus épuisantes.

La première journée, Tommy s'étonna qu'on lui fît transporter des brouettes pleines de mortier, et, le soir, il arriva sur le boulevard Gouin complètement épuisé. Il annula sa partie de tennis, n'eut pas le courage de prendre sa douche, ni la force de manger. Il tomba comme une poche sur le canapé du pavillon et y passa la nuit sans s'éveiller, avec Huron qui dormait à ses pieds.

Alors, Mathilde réprimanda Charles de faire travailler son cher petit au-delà de ses forces.

— Ne vous en faites pas, Mathilde! Ça ne le fera pas mourir! Il a une robuste constitution.

Toutefois, le lendemain et le surlendemain, Tommy ne s'étonna plus qu'on l'avilît dans cette sale besogne, se rendant compte qu'il s'agissait là d'une autre manigance paternelle. Il y laisserait sa peau plutôt que de lire un sourire triomphateur sur le visage de son père.

Le jeudi, sur le coup de midi, il entendit des employés qui travaillaient face à la rue, lancer des sifflements d'admiration, et en déduisit qu'une belle fille devait passer tout près d'eux. Il recula de quelques pas et eut la magnifique et incroyable surprise d'apercevoir sa Marie-Lou, qui semblait chercher quelqu'un du regard.

Grand Dieu! était-ce possible? Son bel ange en chair et en os, en chair surtout, qui venait lui rendre visite!

Il la vit toute en un clin d'œil, et son regard s'émerveilla tandis qu'un désir violent s'emparait de lui. Vêtue d'une robe vert tendre qui menaçait d'éclater à chaque mouvement de la hanche, elle dévoilait, grâce à un large décolleté, des rondeurs absolument désirables. Il abandonna son travail, et, d'un pas rapide, se dirigea vers elle.

Dès qu'elle l'aperçut, un splendide sourire égaya le visage de la jeune fille. Il se sentit soudain léger comme un oiseau. Toute sa fatigue venait de s'évanouir. Elle avait apporté avec elle des sandwiches et des liqueurs douces. Ils partageraient ensemble le repas du midi... Comme la vie était belle! C'était absolument merveilleux! Il lui montra sa voiture, garée de l'autre côté de la rue, l'invita à s'y installer bien confortablement: il viendrait la retrouver dans quelques minutes, dès que le sifflet indiquerait l'arrêt du travail.

Il ne se permettait pas de déroger d'un seul centimètre aux règlements, afin que son père ne puisse lui adresser le moindre reproche.

À peine cinq minutes plus tard, il la rejoignait, alors qu'un grand bonheur l'enveloppait. Quelle chance il avait! Sa belle Marie-Lou était là!

Il mangea avec appétit... C'était délicieux puisqu'elle avait tout préparé elle-même. De plus, elle se montrait gentille et compréhensive comme jamais elle ne l'avait été encore... Pas une seule fois, elle ne s'était dérobée à ses baisers ni à ses caresses. Lorsqu'ils eurent terminé le repas, elle blottit sa tête au creux de son épaule et se fit toute câline.

— J'ai un très grand service à te demander, Tommy.

— Tu sais bien, mon bel ange, que je ne peux rien te refuser, murmura-t-il tout en embrassant sa gorge tout près du décolleté.

La voix de Marie-Lou devint toute mielleuse.

— Peux-tu me prêter cent dollars? J'en ai absolument besoin.

Il releva brusquement la tête.

— Combien, dis-tu?

— Cent dollars.

Il la regarda, stupéfait.

— Je t'ai prêté vingt-cinq dollars la semaine dernière et la même somme la semaine précédente. Ce n'est pas moi le millionnaire, mon chou, c'est mon père!

Charles arriva alors dans sa superbe Continental noire et se gara juste devant la voiture de son fils.

— Oh! lala! quelle splendide voiture! fit Marie-Lou en ouvrant très grands des yeux éblouis.

Charles en descendit, vêtu d'un complet d'un bleu-gris très pâle, qui lui seyait à merveille. Il paraissait à son meilleur, d'autant plus qu'il avait passé la journée de la veille à Québec.

— J'ai rarement vu un homme aussi séduisant. Il regarde le chantier... Le connais-tu, Tommy?

Il hésita avant de répondre. Puis il avoua, presque peiné:

— Très bien... C'est mon père!

Elle le dévisagea, incrédule.

— Tu plaisantes, non? Cet homme doit avoir à peine quarante-cinq ans!... Vous n'êtes pas dans les mêmes tons, non plus!

— Parce que je ressemble à ma mère en ce qui concerne les coloris. Et, aussi vrai que moi je suis ici, cet homme-là est mon père... Je regrette de te décevoir, mon ange, mais, le pauvre, il aura cinquante-huit ans dans trois semaines. La preuve? Quand il m'a eu, il atteignait presque la quarantaine.

Il s'arrêta net. Il venait de lui dévoiler son âge véritable.

— Oui, j'ai dix-huit ans et non vingt-trois, admit-il, prenant les devants sur elle.

Il s'était vieilli de quelques années quand elle lui avait avoué ses vingt-quatre ans, ne désirant pas qu'elle le dédaignât, le trouvant trop jeune. Avec sa taille, il n'avait eu aucun problème; il paraissait plus vieux que son âge.

— C'est vilain de mentir, mon bel Indien, dit-elle sans détourner son regard de Charles.

Non, Tommy ne plaisantait pas. Elle vit cet homme se diriger vers eux. Il avait sur le visage un léger sourire qui frisait la raillerie, et Tommy s'en aperçut. Arrivé à la hauteur de la portière, Charles lança:

— Comment vas-tu, fiston? Pas trop fatigué?

Tommy fixa son père avec du défi plein les yeux:

— Non! Pourquoi? Je suis en pleine forme!

— Je suis heureux de te l'entendre dire.

Charles se pencha et remarqua une paire de jolies jambes qui s'allongeaient pieds nus dans des sandales, tout près des jambes de son fils. Il se baissa un peu plus et jeta un coup d'œil sur la jeune fille. Il en eut le souffle coupé et comprit qu'il s'agissait de Marie-Lou. Mais la description que Tommy lui en avait faite était bien inférieure à la réalité. Elle était beaucoup plus belle qu'il ne se l'était représentée... Elle était sensuellement belle.

Tommy fit les présentations d'usage, et, au regard soutenu qu'elle lui offrit, Charles eut la certitude que cette fille n'avait rien d'un ange.

Pour ne pas déplaire à son fils, qui n'avait pas du tout l'air d'apprécier sa présence, il ne s'éternisa pas longtemps auprès d'eux. Il traversa la rue, rejoignit François Desjardins, discuta avec lui une dizaine de minutes et regagna sa voiture machinalement, sans détourner les yeux.

Quand Charles fut parti, un silence pénible plana dans la voiture. Tommy scruta le visage de Marie-Lou pour y lire ses impressions; il demeurait impénétrable.

— Qu'attends-tu pour te pâmer?... Tu serais bien la première fille que je connaisse que ces maudits yeux bleus laisseraient indifférente.

— C'est exact! Il a de très beaux yeux bleus, et sa taille est remarquable.

Elle posa sur Tommy un regard pénétrant, et son sourire se fit angélique.

— Mais moi je préfère les yeux noirs et les hommes bruns... Ils sont plus passionnés.

Enfin, une réponse sensée! Voilà une femme qui avait du goût! Il la tira vers lui et lui donna un de ces baisers qui vous retourne l'être tout entier, laissant cette bienheureuse sensation de flottement.

Elle délivra ses lèvres des siennes et se mit à rire délicieusement, tout en emprisonnant dans ses mains des doigts trop caressants qui se faufilaient sous la robe.

— Je suis seule ce soir chez moi. Ça te plairait de venir passer quelques heures d'intimité?

Il sentit son sang bouillir dans ses veines. Il était fou de joie.

— Oh! mon amour, tu ne peux pas m'offrir de plus grand plaisir!

— Je t'attendrai à neuf heures. Sonne deux petits coups, et je saurai que c'est toi.

Elle fit un arrêt, puis ajouta, en posant sur lui des yeux suppliants:

— Ça m'arrangerait vraiment si tu pouvais me prêter cet argent. Dans une quinzaine de jours, je pourrais te rembourser le tout.

— Je viendrai et j'aurai l'argent... C'est promis!

Elle le quitta, et il retourna au travail le cœur plein d'ardeur. Le maître-briqueteur, un beau gaillard d'une trentaine d'années, regarda la jeune fille s'éloigner, avec des yeux pleins de convoitise. Il s'approcha de Tommy et opina:

— Elle est toujours aussi belle et désirable, Marie-Lou. Tu ne peux pas savoir tout ce que j'ai dû faire pour espérer avoir les moyens de l'entretenir!... Au lit, elle était sensationnelle... Tu as de la chance d'être riche.

Le coup l'atteignit en pleine poitrine si brusquement, qu'il fut renrenversé sur le sol, incapable de reprendre son souffle. Déjà, les hommes s'attroupaient autour d'eux. L'œil vif et habitué, François Desjardins avait vu la scène, et, bien avant que l'assailli ne se retrouvât sur ses jambes, il était rendu sur les lieux. Il dispersa les hommes en ordonnant de reprendre le travail sur-le-champ. Puis il s'approcha de Tommy; son visage était écarlate et ses yeux exorbités.

— Si je te reprends une seule autre fois à te servir de tes poings sur le chantier, tu ficheras le camp d'ici. La discipline, j'y tiens! Tu régleras tes comptes ailleurs. C'est clair?

À peine Tommy eut-il le temps d'acquiescer que François lui tournait le dos et s'éloignait.

XIX

Assis à son bureau, Charles condensait avec acharnement deux journées de travail dans une seule. Il avait ordonné à sa secrétaire de retenir tous ses appels afin de n'être pas dérangé dans sa concentration. Cependant, à deux heures, elle frappa timidement à sa porte pour lui annoncer qu'une dame désirait absolument le voir. Il s'écarta de la consigne, sans maugréer, puisqu'il s'agissait d'une dame et que ça ne se produisait pas souvent dans son bureau.

La surprise le figea momentanément quand il vit entrer la très belle Marie-Lou. Charles se leva et lui offrit un siège avec courtoisie, tout en se pressant de questions sur le but de cette visite. Marie-Lou choisit le fauteuil en face de Charles, croisa la jambe avec grâce et le fixa avec des yeux troublants. Un sourire doux comme une caresse baigna son visage. Alors, il la dévisagea aussi avec la même familiarité.

— À quoi dois-je attribuer le plaisir de votre visite, demanda-t-il au bout d'un moment, puisqu'elle ne semblait pas vouloir parler.

— Je suis venue vous offrir mes services de secrétaire, fit-elle de sa voix douce et chaude.

Il se mit à sourire, baissa les yeux et lui avoua sans prétention:

— Moi qui croyais que vous désiriez me parler de mon fils...

— Je suis une excellente secrétaire, vous savez... J'ai beaucoup de talents...

— Oh! mais je n'en doute pas une minute, dit-il en suspendant son regard dans le sien. C'est qu'actuellement, voyez-vous, mon personnel est complet, et je n'ai aucun besoin d'une secrétaire supplémentaire.

Elle ne désarma pas pour autant et se contenta de sourire.

— Comme secrétaire privée, je suis très compréhensive... surtout quand les heures s'éternisent.

Il se tut et parut réfléchir, sans toutefois la quitter des yeux.

— Oui, je vois... Je comprends très bien ce que vous voulez dire... Mais, vraiment, ma secrétaire actuelle se tire très bien d'affaire toute seule.

Il crut préférable de se défiler derrière un mur de mots, espérant qu'elle saisirait les sous-entendus.

Ce fut peine perdue; elle se mit à rire par brefs intervalles, émettant des sons en crescendo qui ne signifiaient que sarcasme.

— Votre secrétaire? C'est un laideron... Nous ne parlons pas le même langage, Monsieur Grandmont. Moi, je m'appelle Marie-Lou... et je suis très différente. Il n'y a aucune comparaison possible. Voyez vous-même...

À son grand étonnement, il la vit déboutonner sa robe, l'enlever, retirer son soutien-gorge, puis son slip. Finalement, elle se trouva debout, nue devant lui. C'était la première fois qu'un tel incident se produisait dans son bureau, et, pourtant, Dieu sait qu'il n'était pas né d'hier! Et il fallait justement que cette fille tombât dans les bras de son fils, lui qui, bouillant comme un volcan, n'attendait que l'étincelle. Cette fille n'était pas une étincelle mais bien un véritable brasier. Pendant quelques secondes, Charles ne put maîtriser la surprise qui le clouait sur place. Soudain, une sorte d'instinct protecteur lui ordonna de se lever et de s'appuyer contre la porte du bureau pour que personne ne pût l'ouvrir. Le fait de se lever lui fit reprendre possession de ses facultés.

Non! elle ne viendrait pas lui faire la loi dans son bureau. Il se croisa les bras sur l'estomac. Il la contemplerait jusqu'à ce que le rouge lui monte aux joues... Mais le rouge ne vint pas, et elle semblait même très à l'aise dans sa nudité.

Elle s'approcha de lui en se déhanchant avec souplesse, l'enveloppa d'un regard envoûtant et lui dédia son lumineux sourire.

«Quel corps splendide», songea-t-il, à nouveau troublé. Elle était parfaite, et même, elle égalait May dans toute sa beauté, mais il se sentait honteux d'avoir un moment comparé sa tendre chérie à cette putain. Non, May était encore plus belle, parce que son âme et son cœur étaient sincères et bons, tandis qu'elle, cette Marie-Lou, cette salope, trafiquait son corps pour de l'argent.

Elle était maintenant si près de lui que leurs corps se frôlaient. Il sentait sur son cou sa respiration rapide et tiède.

— Écoute, Charles, dit-elle d'une voix très tendre, tu es de la race d'homme qui me plaît... Nous pourrions facilement trouver un terrain d'entente, tous les deux.

L'intimité grandissait. Elle l'appelait par son prénom et le tutoyait. Il en fit autant.

— Et que fais-tu de Tommy dans tout ça?

Elle sourit.

— Tommy! C'est un enfant, à côté de toi. Moi, j'aime les hommes, les vrais!

— Et en particulier ceux qui ont de l'argent?

Elle lui caressa la joue du bout des doigts.

— Je ne déteste pas l'argent. Il m'en faut beaucoup pour vivre. Je n'y peux rien. J'ai toujours aimé le luxe.

Sans gêne, elle lui chatouilla les bras de ses seins et baisa la fossette de son menton.

— Je t'assure que nous formerions une jolie équipe, tous les deux... Tu me fais vivre comme une princesse, et je te réserve tout cela en exclusivité... Il ne te plaît pas, mon petit corps?

Comme elle se frôlait contre lui, il se sentit soudain défaillir. La tentation dépassait les limites du tolérable. Dans un instant, il ne pourrait plus garder le contrôle de ses mains. Même cette douce odeur qui se dégageait d'elle l'enivrait et l'agaçait à la fois. Leurs lèvres s'effleurèrent et restèrent jointes quelques secondes à peine. Il ferma les yeux pour s'abandonner à la jouissance qui montait en lui.

Subitement, le regard méprisant de Tommy lui apparut à l'esprit comme un ultime avertissement. Son fils, le seul être au monde qui donnait un véritable sens à sa vie. Se quereller avec lui! Le perdre à tout jamais pour avoir le plaisir de baiser une putain! NON! BON DIEU, NON JAMAIS!

Charles se ressaisit à temps et se dégagea d'elle en relevant la tête. Puis il se fixa un sourire ironique aux coins des lèvres et emprunta son air imposant des grands jours.

— Ton corps est assez bien... mais, à moi, il ne plaît pas! Tu n'as pas de classe, petite!

Le visage de Marie-Lou se colora instantanément. Il ne lui laissa pas le temps de réfléchir et ajouta:

— Je n'ai plus de temps à perdre! Tu peux te rhabiller. Merci pour le strip-tease, surtout qu'il était gratuit.

Sur ce, il entrouvrit la porte du bureau, s'y glissa rapidement et se rendit tout droit à la chambre de bains. Là, il échappa un soupir de soulagement et but un grand verre d'eau froide. Dieu! qu'il en avait besoin! Il s'épongea même le visage avec la serviette. Finalement, il y resta dix minutes; le temps qu'elle ait disparu. Quand il revint dans la salle d'attente, il demanda à la secrétaire si la dame était partie; malheureusement, elle secoua négativement la tête.

La colère l'envahit, et il pénétra dans son bureau avec la ferme intention de la mettre à la porte. Elle s'était rhabillée et l'attendait, confortablement assise sur son bureau, tout en grillant une cigarette.

Elle se leva, le voyant entrer.

— Je voulais vous dire au revoir, Monsieur Grandmont, fit-elle avec une impudence incroyable.

Et elle ajouta, avec son sourire le plus arrogant:

— Je ferai un homme de ton fils, Charles! Dès ce soir!

Il l'aurait tuée, mais il n'eut même pas le temps d'échapper un juron qu'elle avait déjà claqué la porte.

Tout le reste de l'après-midi, Charles n'arriva pas une seule minute à se concentrer sur son travail, tant son esprit demeurait ficelé à ce problème qui le dépassait souverainement. Plusieurs fois, il se leva, fit les cent pas dans son bureau, cherchant en vain la meilleure solution.

Bien sûr, raconter à Tommy les faits tels qu'ils s'étaient passés entre elle et lui était une solution, probablement la seule qui vaille... Mais Tommy le croirait-il sans le soupçonner? Il la juchait si haut sur un piédestal... alors que lui il connaissait bien sa vulnérabilité vis-à-vis de ces dames. Bon Dieu! Que faire? Que dire? Comment agir avec un fils aussi impétueux, aussi total quand il se donnait? Et cette fille avait tout ce qu'il fallait pour le faire ramper à sa guise ou même le faire danser sur la tête si elle le voulait. Des sueurs froides perlaient déjà à son front à la seule pensée que son propre fils pût dégringoler si bas.

Il dut prendre deux aspirines pour atténuer une migraine qui lui martelait la tête, et finalement avala un cognac pour se donner de l'allant.

En quittant le bureau, il avait décidé, en dépit de ce cordon d'angoisse qui lui nouait la gorge, de dire à Tommy la vérité, toute la vérité... en ses moindres détails.

* * *

Tommy avait tout écouté sans broncher. Toutefois, quand Charles eut terminé son incroyable récit, ses yeux exprimaient la froideur de la haine, et son visage, la couleur de la mort. Il le vit serrer les poings, et ce fut tout… tout comme Allan Téwisha… Et, pour la première fois de sa vie, Charles connut véritablement la peur, tout ce qu'il y a de plus véritable, ne parvenant pas à lire en son fils.

Alors, se dépouillant de tout orgueil, Charles supplia:

— Je t'en conjure, au nom de cette affection que nous avons l'un pour l'autre, ne fais pas de bêtise! Tommy, promets-le-moi!

— Promis! dit le jeune homme d'une voix métallique.

XX

À huit heures trente précises, vêtu avec une élégance digne de son père, Tommy gara sa voiture un peu à l'écart de la maison où habitait Marie-Lou. Il remarqua soudain combien cette maison avait une somptueuse apparence. Il examina l'entourage comme s'il le voyait pour la première fois et constata qu'il fallait avoir une certaine aisance pour habiter ces vastes demeures du chemin de la Côte-Sainte-Catherine. Il se reprocha sur-le-champ ses œillères et cette attitude puérile face à des faits qui semblaient aujourd'hui l'évidence même.

Dix minutes plus tard, un homme qui devait avoir l'âge de son père sortit du logement où vivait cette jolie putain. Il le suivit du regard et le vit ouvrir la portière d'une voiture qui pouvait rivaliser en valeur avec celle de Charles.

À neuf heures très exactement, il sonna deux petits coups, ouvrit la porte et escalada, la rage au cœur, l'escalier qui montait à l'étage. Il tourna la poignée de la porte; elle n'était pas verrouillée. Il se retrouva dans le hall d'un magnifique logis richement meublé et décoré avec élégance.

— C'est toi Tommy, fit la voix de Marie-Lou, venant de la pièce voisine.

— Oui, c'est moi!

— Je sors de la baignoire à l'instant. Installe-toi au salon. Je suis à toi dans deux minutes.

Du hall, il voyait la chambre sous un éclairage tamisé. Le lit était défait, mais les draps, impeccables. Elle avait eu le temps de changer la literie. Maintenant, par souci d'hygiène élémentaire, elle prenait un bain pour effacer les traces du dernier client.

Tommy arpenta le salon dans l'espoir de se calmer, examinant les bibelots, les meubles, le décor. Une bouteille de scotch et deux verres de cristal garnissaient un petit plateau abandonné sur la table à café.

— Bonsoir, Tommy!

Il se retourna brusquement. Elle était devant lui, enroulée dans une serviette de bain, avec son plus charmant sourire.

— Bonsoir!

Il l'examina longuement. Ses yeux vagabondèrent sur son corps et s'attardèrent longuement à la ligne du cou. Il était petit, blanc et souple.

Deux petites minutes, en serrant très fortement, et son bel ange partirait en douceur, presque sans souffrir. Sa mort atténuerait peut-être sa propre souffrance, ou du moins sa haine.

— Je suis heureuse que tu sois là, dit-elle de sa voix chaude et caressante.

Il s'avança de quelques pas, se dressa implacable devant elle et la fixa d'un regard de pierre.

— Pas la peine de bluffer! Mon père, qui est également mon meilleur ami, m'a tout raconté.

Le sourire de la jeune fille s'escamota instantanément.

— Alors, pourquoi es-tu venu?

— Chercher l'argent que tu me dois.

— Je ne l'ai pas!

Tommy saisit son poignet et serra énergiquement.

— Cet homme qui sort de chez toi, combien t'a-t-il donné?

— Il paie le loyer... Il vient ici deux fois par semaine.

— Mademoiselle est une putain de grande classe. Un homme paie le loyer, un autre la nourriture, un troisième les vêtements et les bijoux. Pas un seul ne réussit à combler les exigences de cette candide enfant.

Il raffermit son étreinte. Elle hurla de douleur.

— Lâche-moi! Tu me fais mal.

Elle se débattit si vigoureusement que la serviette se détacha et tomba à ses pieds. Il relâcha son étreinte... d'émerveillement.

C'était la première fois qu'il voyait une fille nue. Bien sûr qu'il en avait vu des tas sur papier et dans toutes les positions imaginables, mais c'était vraiment la première fois de sa vie qu'il en voyait une toute nue... belle... incroyablement belle... et si près de lui.

Il la considéra comme un objet d'une rare beauté. Marie-Lou s'aperçut de l'effet qu'elle produisait sur lui, et un rire très léger s'échappa de ses lèvres. Ce rire le rapatria dans la réalité. Tommy braqua ses yeux dans les siens et dit, en la soulevant brusquement dans ses bras:

— Tu n'as pas l'argent... Eh bien, tu me paieras en espèces!

Il la conduisit dans la chambre et la jeta sur le lit sans aucune douceur. Marie-Lou ébaucha un sourire subtil qu'il ne vit pas. Elle savait qu'elle venait de gagner la première manche. La deuxième serait facile; sur ce terrain, elle excellait.

Il se dévêtit rapidement. Elle suivait ses gestes sans la moindre gêne. Elle eut même un regard d'admiration pour son sexe, et, s'il en ressentit un certain orgueil, cela ne parut pas. Avant de la rejoindre sur le lit, il lui lança, sur un ton très dur et défiant:

— Tu as besoin de te faire aller, ma beauté. J'en veux exactement pour cinquante dollars!

Elle sourit et lui tendit les bras... Il sauta dessus comme un animal sauvage sur sa proie. Maintenant, il ressemblait à un bambin, mettait ses mains partout, explorait avec toutes les audaces. Puis, cette fois, des mains d'homme, des mains plus vigoureuses caressèrent ses seins, ses cuisses, son ventre, alors que ses lèvres couraient sur son visage, son cou, ses épaules... Aucun recoin de son corps n'avait été épargné de ses caresses.

Sa respiration se fit de plus en plus rapide. Soudain, son désir devint impérieux. Il la pénétra. L'orgasme se déchaîna presque aussitôt... Il vivait l'extase... Ah Dieu! que c'était divin, le bonheur suprême! Jamais encore, de toute sa vie, il n'avait vécu une exaltation semblable. Et lorsque Marie-Lou émit des plaintes et de doux gémissements témoignant de sa propre joie, il en ressentit du plaisir. Il l'avait rendue heureuse. Il le savait.

Submergé de bonheur, il demeura longtemps en elle, la sentant prisonnière au creux de lui. Le plaisir durait... et s'étirait encore. Il ferma les yeux, la tête blottie contre son épaule, et sentit les mains de Marie-Lou qui caressaient avec tendresse son dos, sa nuque, et s'attardaient sur ses fesses. Elle avait la main douce, et c'était délicieux.

Tommy se souleva sur ses bras et la regarda, ébloui. Puis il se laissa retomber à ses côtés, le corps moite de chaleur. Elle soupira de plaisir, l'embrassa et se leva.

Il lui tira le bras et la ramena vers lui.

— Ne t'en va pas! Nous recommençons!

Elle lui sourit.

— Eh bien! dit-elle, je sais maintenant que tu n'as que dix-huit ans.

Elle fit une pause et souffla de sa voix chaude:

— Surtout, ne viens pas me dire que tu n'as jamais fait l'amour... Tu es un maître, Tommy! C'est la première fois que cela m'arrive d'être pleinement heureuse.

Elle s'était allongée à ses côtés. Il se hissa sur son coude et la contempla silencieusement, laissant courir sa main sur son corps. Avec ravissement, leurs yeux se rejoignirent et demeurèrent longtemps suspendus. Soudain, il s'aperçut qu'il la regardait à nouveau avec les yeux de l'amour. Il se pencha sur elle et l'embrassa fougueusement... Oui, il l'aimait encore... Ce n'était pas possible! Il n'arrivait plus à ressentir de la haine pour elle. C'était honteux! Il n'avait donc pas de tripes au ventre?

Elle s'était moquée de lui... l'avait même ridiculisé devant son père... Pourquoi ne la haïssait-il plus? Pourtant, elle l'avait dupé, elle était mauvaise et ne méritait pas son amour.

Sa gorge se crispait. Une vive douleur contractait le creux de son abdomen. Il sortit vivement du lit et se rhabilla.

— Tu t'en vas? Pourquoi? Tu n'es pas satisfait?

Oh! non, mon Dieu, pas ça! Elle avait été parfaite. Il s'éloignait d'elle pour qu'elle ne vît pas les larmes briller dans ses yeux.

Quand Tommy eut fini de se vêtir, il la regarda une dernière fois. Comme elle était splendide dans sa nudité! Il se remplit les yeux de cette belle femme avec qui il avait découvert l'amour... dans la haine.

— Adieu, Marie-Lou... Tu as payé ta dette. Nous sommes quittes.

Elle sortit du lit et s'accrocha à son cou.

— Non, Tommy, ne t'en va pas!... Mon bel Indien, je t'en prie, reste... Nous passerons la nuit ensemble... Pour toi, ce sera toujours gratuit... Ce sera pour le plaisir... Dis-moi que tu reviendras...

Il s'était durement dérobé à son étreinte et avait quitté la pièce. Il entendit, le cœur baigné de larmes, ses dernières paroles le suivre dans l'escalier...

Pour Tommy, l'été venait de mourir ce soir. Longtemps, il erra dans la ville, traînant son malheur un peu partout. Au milieu des piétons qui se prélassaient insouciamment dans la tiédeur de cette belle nuit d'été, il chercha à apprivoiser cette terrible douleur qui étreignait son cœur comme dans un étau. N'y parvenant pas, il pénétra dans un bar et prit un gin. Comme sa peine demeurait toujours aussi vive, il entra dans un autre et se commanda une bière, deux bières... Au volant de sa voiture, le chagrin embrouillait sa vue si souvent, qu'il dut s'arrêter plusieurs fois pour ne pas devenir un danger public. Il devait être trois heures du matin quand il atteignit finalement le boulevard Gouin, où Charles et Mathilde, mise au courant, faisaient le guet derrière la porte.

Tommy franchit le seuil et s'avança vers eux, le visage décomposé. Il s'arrêta devant son père et murmura, d'une voix qu'il ne reconnut pas:

— J'ai fait l'amour avec elle!

Un très long temps, Charles et Mathilde le dévisagèrent, estomaqués.

— Oui, reprit Tommy dans un murmure, j'ai fait l'amour avec elle et je la haïssais.

Charles toucha le bras de son fils et bredouilla:

— Tu avais... promis de ne pas faire de bêtise.

Tommy fixa sur Charles un regard vide.

— J'ai tenu... Je ne l'ai pas tuée!

XXI

Tommy ne put fermer l'œil du reste de la nuit et noya son chagrin dans la bière. Quand Charles se leva, vers les sept heures trente, Tommy venait de partir pour le chantier. Il se rendit au bureau, courbaturé, plus mal en point que s'il n'avait pas dormi du tout.

Au début de l'après-midi, sa secrétaire lui transmit un appel de François Desjardins, qu'il prit aussitôt dans le bureau. Charles soupira lorsqu'il entendit son collègue lui parler de son fils.

— Je ne sais pas s'il est malade ou s'il est ivre, mais il n'est pas dans son assiette, ton gars! Hier, il s'est battu avec un employé. Aujourd'hui, il a renversé deux brouettes de mortier, et il a failli en blesser un autre avec sa pelle. Je viens de le renvoyer chez vous.

— Tu as bien fait, dit Charles. Il traverse une mauvaise période.

— Qu'est-ce qui lui arrive? demanda-t-il sur un ton paternel.

— Rien de spécial. Une simple aventure de jeunesse. Ces derniers temps, il planait au septième ciel, et, hier soir, il est subitement retombé sur les fesses. La chute a été plutôt... brutale. Dans quelques jours, ça lui passera. À part mon fils, rien d'imprévu sur le chantier?

— Non. Tout va rondement.

— Au sujet de Tommy, ne l'attends plus à l'ouvrage. J'ai d'autres projets pour lui à partir de demain.

— Parfait!

Charles appuya sur le bouton pour libérer sa ligne et composa immédiatement le numéro de Mathilde. Celle-ci lui arriva au bout du fil, tout essoufflée et affolée.

— Oh! Monsieur Charles... Quel soulagement de vous rejoindre. Tommy est ici, et, Ô doux Jésus... il est ivre!

Cette phobie que Mathilde éprouvait à l'égard de l'alcool exaspérait Charles. Aussi, il lui lança d'une voix autoritaire:

— Calmez-vous, Mathilde, il n'en mourra pas! Essayez plutôt de le convaincre d'aller dormir. Il se remettra plus rapidement.

— Oui... Je vais essayer, Monsieur Grandmont.

Elle l'avait appelé «Monsieur Grandmont». Il l'avait donc offensée. Aussitôt, il regretta sa brutalité et ajouta avec plus de douceur:

— Voulez-vous vérifier son linge et faire sa valise, s'il vous plaît. Il partira demain matin pour le Nord rejoindre son grand-père. C'est le seul endroit où il pourra récupérer, dans les circonstances...

— Oh! oui... C'est une excellente idée! approuva-t-elle subitement, retrouvant son bon sens naturel.

Elle raccrocha et sortit vivement sur la galerie. Un soleil chaud et généreux illuminait cette dernière journée de juillet. À la recherche de Tommy, son regard parcourut le jardin. Partout, les fleurs riches de beau temps, égayaient à foison les plates-bandes, alors que des bosquets de rosiers, lourds de leur parure, embaumaient délicieusement l'air environnant. À l'ombre du gros sapin, son front se rida en apercevant Tommy qui débouchait une nouvelle bouteille de bière. Elle courut le rejoindre et s'empara vivement de la bouteille.

— Tu ne commenceras pas à dix-huit ans ta carrière de Grandmont. Tu es un peu trop jeune à mon goût!

Bien qu'à demi chancelant, Tommy lui arracha la bouteille des mains et rit de sa réussite.

— Écoute-moi... ma belle Mathilde... J'en bois la moitié, et toi... tu bois l'autre. Marché conclu?

Il salua et porta la bouteille à ses lèvres. Il but rapidement... gorgée après gorgée... sans reprendre son souffle.

Mathilde essaya énergiquement de lui enlever la bouteille, mais sans succès. Désemparée, elle frappa de ses poings le thorax du jeune homme, mais ne parvint qu'à le faire rire, et la bière débordait de ses lèvres et coulait sur ses vêtements.

Finalement, à bout de souffle, il s'arrêta et lui tendit la bouteille à demi vide.

— À ton tour, future championne! Bois, je te regarde!

Furieuse, elle saisit la bouteille et vida le reste sur la pelouse.

— Oh! Quel gaspillage!... Mon père ne sera pas content.

Il secoua son index devant ses yeux et reprit:

— Crois-tu que le gazon aime la bière, Mathilde?... Oui... ou... non?

— Tu n'as pas honte de t'enivrer de la sorte?

Il éclata de rire et entoura de ses bras le cou de la domestique.

— Non! Je n'ai pas honte... d'être ivre et je n'ai pas honte non plus d'avoir fait l'amour avec elle... C'était merveilleux!

Toute sa vie, elle l'avait si bien couvert de son aile, le guidant dans le droit chemin, qu'elle se souleva d'indignation.

— Mais c'est très mal, ce que tu as fait, t'en rends-tu compte?

— Mal? Tu crois vraiment que c'est mal?... Eh bien! si je suis allé en enfer... hier soir... Mathilde... c'était divin! C'est là... que je veux vivre!

Elle couvrit son visage de ses mains. Elle était si bouleversée, si consternée de l'attitude de Tommy que des larmes de déception brouillèrent son regard. Elle échouait sur toute la ligne avec lui. Aucun sens moral, et mauvaise conduite. Voilà le résultat de dix-huit années d'amour désintéressé, de soins vigilants, de conseils judicieux et de prières inlassables. Non! il ne sera jamais cet homme de bien dont elle rêvait depuis toujours avec la fierté au cœur d'en être un peu la mère.

— Je n'aurais jamais dû accepter d'être ta marraine... Tu n'en valais pas la peine, dit-elle en reniflant.

Il la prit dans ses bras, la serra contre lui et embrassa ses cheveux, recouvrant d'un seul coup la possession de ses facultés.

— Ne pleure pas... Je t'en prie... Je ne peux pas supporter que tu pleures à cause de moi... Tu sais bien que je t'aime, Mathilde... Je t'aime comme ma mère.

Il saisit le coin de son tablier et lui sécha les larmes. Mathilde ne pleurait plus... elle souriait presque. C'était la première fois qu'il lui avouait ses sentiments avec des mots si tendres.

Elle prit ses mains dans les siennes et les caressa. Puis elle releva la tête et le fixa avec des yeux suppliants.

— Écoute, mon petit, tu ne peux pas rester ainsi. Il faut que tu sollicites le pardon de Dieu pour tes mauvaises actions et que tu recommences à vivre honnêtement.

Il haussa les épaules et secoua la tête.

— S'il te plaît, Mathilde, j'ai la nausée... Surtout, ne me parle pas de religion.

Il regarda au loin et murmura:

— Peut-on regretter d'avoir été heureux... immensément heureux?

Mais déjà une expression d'affolement se lisait dans le regard de la domestique.

— As-tu perdu la foi, Tommy? En serais-tu rendu au point de ne plus croire en Dieu, de ne plus faire de discernement entre le bien et le mal?

— Je ne le sais pas... et, pour l'instant, j'ai la tête trop lourde pour m'y attarder. Mais une chose dont j'ai cependant la certitude, c'est que, depuis des années, on m'a trop farci de religion, et maintenant ça déborde! Je ne veux surtout plus croire en un Dieu impitoyable dont le châtiment est plus simple que le pardon...

C'est sûr qu'il n'était pas dans son état normal! Aussi, Mathilde lui tira la main et l'entraîna vivement vers le pavillon.

Charles arriva sur le boulevard Gouin à l'heure du souper. Il pénétra dans le pavillon par la porte du garage et y trouva Tommy, étendu sur le canapé, les yeux encore lourds de sommeil, qui venait à peine de s'éveiller. Il saisit une chaise, la souleva et l'enfourcha, faisant face à son fils.

— Comment vas-tu maintenant?

— J'ai un de ces maux de tête! Oh! mon Dieu, dit Tommy en portant la main à son front.

— C'est toujours comme ça après une bonne brosse.

Charles se tut, réfléchit un moment et lança d'une voix ferme:

— Tu pars pour le Nord demain matin. Tu vas aller aider ton grand-père à organiser les chantiers.

Tommy ouvrit légèrement les paupières, le regarda en biais, sans toutefois bouger sa pauvre tête souffrante.

— Ça ressemble à un ordre...

— C'est un ordre!

Le silence tomba d'un coup sec. Charles se leva, arpenta la pièce et s'immobilisa devant Tommy.

— Il faut que tu partes d'ici. D'abord, pour t'éloigner de cette femme... Ensuite, pour te permettre de faire le point... Finalement, pour exécuter un travail utile. Avec ton grand-père, tu ne perdras pas ton temps, et ta présence le réjouira. Tel que je te connais, c'est le seul endroit au monde où tu pourras récupérer convenablement, et il ne te reste qu'un mois avant d'entreprendre cette dernière année d'étude...

Tommy savait bien que son père avait raison. Au contact de la nature, il redeviendrait lui-même et retrouverait le goût de vivre. Mais, bon sang! qu'il n'aimait pas les ordres... mais pas du tout!

Aussi, il ne mordrait pas à l'hameçon si facilement. Il n'avait jamais été docile, et ce n'était pas aujourd'hui qu'il commencerait à l'être, bien que sa tête martelât en la soulevant, qu'il eût la nausée en s'asseyant, qu'un vertige l'ébranlât en se levant. Lorsque finalement il réussit à redresser son grand corps affligé et à se tenir correctement sur ses jambes, il avança péniblement vers son père tout en feignant de se bien porter. Arrivé devant lui, il releva la tête et le regarda droit dans les yeux. Il espérait bien le regarder droit dans les yeux, car il le voyait en double.

Il fallait pourtant qu'il se levât, car un homme, un vrai, un homme digne de porter ce nom, ne fait pas face à son adversaire couché, mais bien debout avec dignité.

— Très bien, je partirai demain chez grand-père, dit-il d'une voix solide. Tes raisons sont nombreuses et convaincantes.

Il détourna son regard de lui et soupira.

— Dommage que Claudine travaille cet été, car je l'emmènerais avec moi pour combler la solitude de mes soirées et peut-être... de mes nuits.

Il jeta un coup d'œil à son père et vit sa mâchoire se crisper. Il ajouta, sur un ton badin:

— Tu as raison. La vie en forêt me convient parfaitement. Je crois même que j'y passerai l'hiver.

Charles serra les dents et blêmit. Il lui tourna subitement le dos et se dirigea vers son cabinet à boisson. Il se versa un cognac qu'il avala d'un trait.

Un sourire de satisfaction se dessina sur les lèvres de Tommy. Il jouissait déjà de sa victoire, car il savait que Charles était ébranlé. Il avait atteint sa corde sensible, en menaçant de ne pas retourner au collège. Dieu, que la vengeance est douce au cœur de l'Indien!

Dès qu'il eut déposé son verre, Charles se retourna, s'appuya contre son bureau, croisa ses bras sur sa large poitrine et adopta une attitude imposante.

— Très dommage, en effet, que tu ne désires pas retourner au collège, car j'avais prévu comme cadeau ou récompense pour fêter la fin de tes études... un magnifique voyage en Europe. Oh non! pas un maigre voyage de quêteux... Mais un vrai beau voyage où l'on dépense sans trop regarder filer l'argent... Tu sais ce que je veux dire, n'est-ce pas?

Il alluma une cigarette et poursuivit:

— Nous serions partis en juin prochain, toi et moi, soit en bateau, soit en avion, selon ton choix... J'aurais acheté une voiture là-bas, pour nous balader à notre guise... Nous aurions visité les pays les plus intéressants... J'avais même projeté, pour le début d'août, une croisière d'une dizaine de jours en Méditerranée, plus précisément dans les îles grecques, qui pourrait, selon notre goût, être remplacée par un safari en Afrique, si, à cette période de l'année, la température demeure supportable. Comme tu peux voir, les possibilités sont très nombreuses et... des plus agréables. Moi, je serais revenu à la fin de l'été, alors que toi tu aurais pu passer l'année entière à visiter le continent... à ta guise... et sans la moindre restriction d'argent.

Le sourire était disparu sur le visage de Tommy. Immobile comme une statue, il devenait livide à vue d'œil. Il passa même au bleu, ayant de la difficulté à reprendre son souffle.

— Si par hasard ce voyage pouvait t'intéresser, dit Charles en esquissant un sourire malicieux, tu n'aurais qu'à revenir pour la rentrée des classes.

Charles regarda sa montre; elle indiquait six heures trente. Il se dirigea vers la porte et fixa à nouveau son fils.

— C'est tout ce que j'avais à te dire. Je vais aller manger; tu m'excuseras, car moi je me sens bien et j'ai l'estomac dans les talons... Mais, je t'en prie, fiston, tu peux te recoucher si par hasard tu avais un mal de tête lancinant, de fréquentes nausées, des vertiges étourdissants, et si un dédoublement de la vue te laissait l'impression d'avoir eu devant toi... deux imbéciles.

Charles sortit du pavillon mais s'arrêta sur la marche; il avait oublié de lui dire l'important. Il se passa la tête dans l'embrasure de la porte et lança à Tommy, qui ne voyait que l'arrogance de ses yeux bleus:

— Tu verras, Tommy, la seule chose qui ne s'achète pas dans la vie... c'est l'expérience.

Il referma la porte vivement, et, aussitôt, entendit contre celle-ci le bruit d'un verre qui éclatait en mille miettes.

Il échappa un sourire amusé, plongea ses mains dans ses poches, et, tout en s'acheminant vers la cuisine de Mathilde, il siffla entre ses lèvres un air de triomphe...

TOMMY

XXII

À l'aéroport de Montréal, dans la salle des arrivées internationales, Tommy Grandmont, le regard dissimulé sous d'épais verres fumés, se dirigeait vers un appareil téléphonique, d'un pas énergique malgré cet air d'épuisement qu'il affichait. Épuisé? Ah oui! il l'était à en avoir des vertiges! Et comment ne l'aurait-il pas été après ce long trajet entraînant un bon décalage horaire, et toutes ces heures d'attente passées dans les aérogares, de Paris d'abord, de New York ensuite, à essayer d'obtenir une place à bord d'un avion afin de rentrer au pays le plus rapidement possible? Mais cette profonde fatigue, cependant, était bien peu de chose à côté de cette cruelle douleur qui, depuis trois jours, vivait avec lui et l'écrasait comme une masse.

Devant l'appareil téléphonique, il fut saisi d'hésitation quelques secondes: effectivement, il ne savait plus s'il devait appeler ou non. Finalement, il se décida, introduisit la monnaie et composa le numéro. Au bout du fil, il entendit sonner cinq coups, six coups, et raccrocha, perplexe de n'avoir point de réponse. Dans la maison où habite un médecin, n'y a-t-il pas toujours quelqu'un? Où Mathilde se trouvait-elle donc? Il réfléchit un moment, fit demi-tour et revint prendre ses bagages: deux bonnes valises, bottines et paire de skis, serviette et imperméable. Il fit déposer le tout sur un chariot et se dirigea vers la sortie. Il héla un taxi, indiqua l'adresse au chauffeur, et la voiture démarra avec une paire de skis trop longs pour permettre de refermer le coffre arrière.

Arrivé sur le boulevard Gouin, il jeta un regard oblique vers la grande maison: aucun signe de vie. Alors, il sortit son trousseau de clés et déverrouilla la porte du pavillon. Il déposa ses bagages sur le tapis du vivoir, lança son imperméable sur un fauteuil, puis son regard fit le tour de la pièce. Les tentures des fenêtres étant fermées, la pénombre dissimulait toute trace de vie à l'intérieur. L'absence était ici particulièrement évidente et cruelle. Il avança quelques pas vers le secrétaire, alluma la lampe et découvrit des dépliants de voitures neuves. À côté, quelques factures se trouvaient empilées. Il y jeta un coup d'œil et vit une note épinglée sur le coin de la première feuille: «À payer avant le premier mai.» Il reconnut l'écriture de son père. «Probablement les derniers mots qu'il ait écrits», pensa Tommy, et des larmes remplirent ses yeux. Il laissa tomber insouciamment la facture sur la table et se laissa choir sur le fauteuil voisin. Il allongea ses jambes sur la chaise d'en face, retira ses verres fumés et couvrit son visage de ses mains.

Ses pensées rejoignirent les quelques conversations téléphoniques qu'il avait échangées avec Charles, lors de son séjour en Europe. La première datait d'octobre dernier. Il lui avait fait part de son intention de s'inscrire à l'école des Hautes Études commerciales de Paris pour y suivre un cours d'un an en administration. Charles s'était montré enthousiaste à son projet. Le premier janvier, ils dialoguaient de nouveau ensemble, s'offrant mutuellement des vœux de bonne année. Tommy en avait profité pour le prévenir qu'il partait avec un ami de l'université passer la période des fêtes aux sports d'hiver à Megève. Puis cette dernière conversation toute récente à la mi-avril, le jour de son vingtième anniversaire, où Charles lui avait formulé ses vœux. Au bout du fil, à des milliers de kilomètres de distance, sa voix lui était parvenue forte, heureuse et pleine d'entrain. Il lui avait même brossé un tableau des projets sensationnels qu'il formait pour l'été à venir.

Et voilà, à peine trois semaines s'étaient écoulées depuis ce jour, et maintenant tout était fini, bien fini... Seuls le vide et la tristesse demeuraient. Et les souvenirs, donc!

C'est d'une façon tout à fait inextricable que ses souvenirs jaillirent de sa mémoire les uns après les autres. Quelques images seulement, et le souvenir prenait forme, nettement dessiné, sans être voilé par le temps. Ici, il devait avoir huit ans, et parce qu'il avait, au collège, obtenu de bonnes notes, son père l'avait emmené pêcher sur la rivière. Eh oui! il avait pris son premier poisson en ce beau dimanche de mai... Là, quinze ans, la colère sur le visage de Charles n'était guère rassurante à lire. Monter ainsi sur ses grands chevaux tout simplement parce qu'il avait eu l'idée de prendre la voiture pour se balader un peu... Ici encore, cinq ans, et, pour lui faire plaisir, il l'avait conduit au cirque. Quel spectacle! Il s'en souvient encore... Là peut-être bien dix ans, quand l'idée lui vint de voir de près, de très près, tout juste devant sa porte, les nouveaux et rutilants camions rouges des pompiers! Oh! là là! quelle fessée pour un tout petit coup de téléphone! Au fait, ça c'est un mauvais souvenir... et un sourire se dessina sur ses lèvres... En voilà un autre encore: celui-là, jamais il ne pourra l'oublier! Il venait tout juste d'avoir seize ans, et la confiance débordait, ce jour-là, quand il paria avec Charles vingt-cinq dollars, en somme toutes ses économies, qu'il réussirait à le battre au tennis six parties à quatre. Et Charles, en bon sportif qu'il était, avait dû, après le match, lui tendre la main et les dollars en même temps... Ouf! Quelle imprudence, tout de même! C'était sa première victoire sur son père...

Et puis il y avait aussi des souvenirs plus simples, ceux qui ne viennent pas spontanément à l'esprit, non pas parce qu'ils sont plus insignifiants, mais bien parce qu'ils épousent tout bonnement le quotidien. Tenez, par exemple... ces humbles soupers qu'ils se préparaient parfois le soir après le travail, lors des vacances d'été, et qu'ils mangeaient sur le coin de la table, tout en discutant de la dernière partie de base-ball des Royaux. C'était bien agréable... Ensuite, cette bonne bière qu'ils buvaient ensemble après la soirée, sur la terrasse, bavardant de choses et d'autres... Ça aussi, c'était bien!

Et, s'il n'avait pas été si rompu, il aurait pu des heures durant se souvenir... et se souvenir encore de tous ces grands et petits faits qui permettaient aujourd'hui de dire combien, en ce temps-là, la vie était bonne.

Maintenant, Charles, son père, son ami, n'était plus. Désormais, il fallait penser à LUI et parler de LUI au passé, et sa gorge, brusquement, se contracta d'un sanglot. Et que serait, dorénavant, l'avenir sans lui? Vingt ans, vingt ans qu'ils marchaient ensemble, côte à côte, dans la vie. Vingt ans, qu'il aurait volontiers multipliés par cinq s'il avait été maître du destin. Non, cent ans, ça n'aurait pas été trop long pour se mesurer à Charles, le seul être au monde qu'il connaissait à ce point obstiné, déterminé, capable de lui tenir tête, de soutenir la lutte, leur lutte. Un homme, quoi! Un homme comme il en existe peu. Et c'est cet homme-là qui était parti, définitivement parti.

Tommy ferma les yeux; l'angoisse, comme une douleur au creux du ventre, l'étreignit de plus belle. Il préférait, maintenant, faire taire ses souvenirs, car penser faisait mal. L'esprit au repos, il sentit alors la fatigue le submerger, tandis que ses dernières forces se réduisaient à néant. Il y avait si longtemps qu'il n'avait pas dormi... peut-être trois jours... il ne savait plus. Et, pendant tout ce temps, il avait réussi à comprimer les larmes, là derrière sa gorge. Les voilà, tout à coup, qui, comme un torrent trop contenu, inondaient ses yeux, et, pour la première fois depuis la lecture des deux câbles envoyés par Mathilde à cinq jours d'intervalle, il se laissa aller tout entier à sa peine, librement, sans aucune contrainte.

Longtemps, il sanglota pour alléger sa douleur, sans parvenir toutefois, malgré ses larmes, à cesser de maudire ce long week-end passé sur la Côte d'Azur, qui l'avait empêché de prendre connaissance de cette première dépêche lui annonçant, non pas encore la mort, mais seulement l'infarctus du myocarde, car, sans cette absence de Paris, il serait sûrement arrivé à temps pour revoir son père une dernière fois.

Un bruit de voiture attira son attention. Il se leva, se dirigea vers la fenêtre, et, relevant un coin de la tenture, vit arriver Bernard au volant de la voiture de son oncle Louis-Philippe, et, à ses côtés, Mathilde, sa chère Mathilde était assise. Ses yeux se posèrent longuement sur elle avec tendresse, mais elle ne vit pas, cependant, le sourire que dans ses larmes Tommy lui adressait. Marc, Hélène, Isabelle et Roger, ses quatre cousins, que Charles avait aimés comme ses propres enfants, les accompagnaient.

Une deuxième voiture s'engagea lentement dans l'entrée, mais il ne put l'identifier. Effectivement, il s'agissait d'une voiture qu'il n'avait jamais vue, et il comprit, en voyant descendre sa tante Julie et son oncle Jacques, que ce dernier avait, tout comme son père, échangé sa voiture durant son absence. Quand la portière arrière dégagea ses passagers, il reconnut sans aucune peine Céline et Louis-Philippe. Ah! ce qu'ils avaient tout de même changé, ces oncles et tantes, depuis un an! Peut-être était-ce seulement la fatigue des derniers événements qui leur donnait à tous cet air lugubre.

Mais, dissimulé derrière sa tenture, Tommy Grandmont ignorait qu'ils avaient tous été convoqués, une heure plus tôt, chez le notaire Pierre Dussault, ami de la famille, et qu'ils en revenaient.

La fortune que Charles laissait en mourant, personne ne fut surpris d'entendre dire qu'elle se chiffrait au-delà du million. Que Charles, dans ses dernières volontés, ne léguât rien à ses frères et belles-sœurs, stipulant qu'il les avait bien choyés de son vivant, cela produisit tout de même un certain remous dans l'assistance! Que Charles avantageât chacun de ses neveux d'un bon montant d'argent, on n'en fut guère étonné: ça allait de soi! Que Charles fît un don généreux à son vieil ami, le Père Laurent Vézina, missionnaire chez les Indiens de la baie James, on le calcula comme un laissez-passer pour l'éternité! Mais que Charles gratifiât Mathilde et Bernard Lemieux, simples domestiques à son domicile, d'une telle somme, là on cessa subitement de respirer! Et, pour finir, que Charles laissât toute sa fortune à quelqu'un dont jamais personne de leur famille n'avait entendu parler, alors là, on eût pu croire, à les voir, que la mort, une deuxième fois, venait de planer sur eux!

* * *

Après avoir déposé ses passagers près de l'entrée latérale, Bernard décida d'aller garer la voiture de Louis-Philippe à côté de celle de Charles. Mathilde, préférant pour l'instant s'isoler de la famille, accompagna son mari au garage. Elle offrit le bras à son époux, qui l'aidait, fait nouveau, à descendre de la voiture. Encore stupéfaite, elle retira son chapeau et le tint précieusement entre ses mains. Elle s'adossa à l'embrasure de la porte qui faisait face à la rivière, et, le regard pensif, elle murmura:

— Mille ou deux mille dollars, j'aurais compris que Monsieur Charles désirait nous offrir un beau cadeau; il nous a toujours si bien rémunérés.

Bernard enchaîna, tout en poursuivant l'idée de sa femme:

— Mais 25 000 dollars, quelle fortune incroyable!

— Et il n'a rien laissé à ses frères et belles-sœurs! Comme ils doivent être encore assommés par cette révélation! Puis toutes ces questions qu'ils doivent maintenant se poser à notre sujet...

Mathilde baissa la tête, perdue dans ses réflexions. Huron, qui était venu les rejoindre, reniflait autour d'elle.

— Depuis le départ de Monsieur Charles, ils ont tous l'air si abasourdis... Le docteur Louis-Philippe, surtout, me fait pitié. Il est complètement dérouté, distrait et absent. Tout en étant parmi nous, son esprit est continuellement ailleurs.

— Oui, constata Bernard, lui aussi malheureux pour cette famille qu'il estimait plus que la sienne propre.

Le silence s'installa entre eux un très long moment. Soudain, une idée lumineuse jaillit dans le cerveau de Mathilde.

— J'ai presque la certitude, dit-elle, que Monsieur Charles, en nous léguant une telle somme, comptait sur nous pour jeter un peu de lumière sur tout ce mystère qui accable profondément les Grandmont... N'es-tu pas de mon avis, Bernard?

— Tu dois avoir raison, ma femme!

Le domestique regarda son épouse avec admiration. Il avait toujours su apprécier intérieurement, il va sans dire, la subtile intelligence de sa compagne et surtout sa grande force de caractère.

Huron s'était éloigné d'eux. Il se tenait au fond du garage et grattait avec sa patte la porte qui donnait sur le pavillon. Brusquement, celle-ci céda sur l'insistance, et le chien se faufila et disparut à l'intérieur.

Bernard demeura interdit.

— Pourtant, je l'avais bien verrouillée, cette porte!

— Elle était verrouillée, c'est moi qui l'ai ouverte, répondit une voix de l'intérieur.

Mathilde, livide, tremblotante, reconnue le timbre de la voix. Elle s'écria, la gorge serrée:

— Tommy, mon petit Tommy! Tu es enfin revenu!

Il apparut dans la porte, avec Huron à ses côtés. Comme il ressemblait à son père: la même taille, les mêmes épaules et la même carrure aussi. Il avait également hérité de Charles cette prestance qui attirait et retenait les regards. Quelle fière allure il avait! Au cours de cette dernière année vécue à l'étranger, son visage s'était virilisé. Il était devenu un homme, à présent.

Mathilde le regarda avec amour. Ses yeux se brouillèrent de larmes, son bonheur était immense. Enfin, il était là devant elle! Son filleul, son cher enfant était revenu! Elle courut vers lui, et lui vers elle, et la rencontre de ces deux êtres sans aucun lien de parenté se métamorphosa en l'union émouvante d'une mère et de son fils. Il referma ses bras sur elle et dit, d'une voix entrecoupée par l'émotion:

— C'est donc vrai qu'il nous a quittés! Je ne peux pas le croire... Il était encore si débordant de vie, lors de cette dernière conversation téléphonique, il y a trois semaines à peine...

— Mon cher enfant, la mort est venue si rapidement... presque sans avertir. Une crise cardiaque l'a foudroyé en pleine santé!

Il se détacha d'elle; des larmes perlaient à ses cils. Bernard s'était rapproché pour lui donner la main, mais Tommy lui avait donné l'accolade. À ce moment, le domestique comprit à quel point ils étaient unis et se sentit ému de cette profonde marque d'affection. Tommy, dont le visage était ravagé par l'épuisement et la douleur, poursuivit péniblement:

— Je ne peux pas m'imaginer que je ne le reverrai plus jamais... Il était tout pour moi... Comme grand-père doit être aussi bouleversé de sa disparition!

Mathilde, hésitante, ajouta:

— Ton grand-père n'a pas été averti de son décès... Tes oncles n'ont pu trouver son adresse. Ils sont bien excusables, ne connaissant pas le degré de parenté qui l'unissait à ton père. Bernard et moi avons pensé lui télégraphier la nouvelle, mais, vu son âge avancé, nous nous sommes abstenus.

Tommy hocha la tête.

— Vous avez bien fait. Je la lui annoncerai moi-même; ce sera moins pénible pour lui.

Mathilde et Tommy prirent place tous deux sur le fauteuil du vivoir tandis que Bernard écartait les tentures pour permettre au soleil de s'infiltrer dans la pièce. Il entrouvrit la porte, une bouffée d'air frais s'engouffra et fit grand bien. Alors, Mathilde raconta en détail la courte maladie et la mort de Charles Grandmont. Tommy captait avec une vive attention les moindres péripéties qui, enfin, mettaient un terme dans son esprit à toutes ces questions qu'il s'était posées concernant cette subite maladie qui avait entraîné son père dans la mort trop prématurément.

Quand elle eut terminé son récit, Mathilde se leva, ouvrit le tiroir du secrétaire, en sortit deux lettres que Charles lui avait confiées à l'hôpital, quelques jours avant sa mort, et les tendit à Tommy; l'une était pour lui, l'autre, adressée à son grand-père. Son bouleversement était tel, en lisant son nom inscrit sur l'enveloppe, que Tommy fut incapable de formuler le moindre mot.

— Nous allons te laisser seul, mon enfant. Tu seras plus à l'aise pour lire cette lettre.

Elle se tut, hésita un instant, puis ajouta:

— J'avais l'intention de renseigner ta famille à ton sujet... De leur parler de ta mère aussi, qu'ils ne connaissent pas... Ils vivent en plein mystère depuis la mort de ton père et ne comprennent plus rien... La situation est pénible, je t'assure! Par exemple, l'autre jour, au salon funéraire, Monsieur Desjardins a demandé à ton oncle Jacques si tu étais de retour... Tu comprends qu'il a plissé les yeux, se demandant de qui il voulait parler. Et puis il y a aussi cette très jolie dame dans la quarantaine qui est restée un très long moment sur le prie-Dieu à contempler ton père. Quand Madame Céline s'est approchée d'elle, elle a vu des larmes couler sur les joues de cette femme qu'elle ne connaissait pas, et celle-ci, en lui offrant ses condoléances, lui a expliqué qu'ils étaient, Charles et elle, de très, très bons amis...

— Il aura été un bourreau des cœurs jusqu'à la fin! conclut simplement Tommy.

Mathilde haussa les épaules d'impatience. Mais il ne comprenait rien à rien! Ce n'était pas du tout ce qu'elle avait cherché à lui démontrer en lui relatant tout ça. Dieu non! Aussi, elle renchérit plus énergiquement:

— Il faut comprendre, Tommy, que, face à de tels faits, ils se posent des questions. Tiens, encore... Un soir, un jeune homme est venu, qui, d'après Madame Julie, devait avoir l'âge de Roger; tu te rends compte, pour eux, l'âge de Roger! Et ce jeune homme est demeuré devant la dépouille de ton père près d'une demi-heure à se recueillir, puis il est parti sans adresser la parole à personne.

— Ça doit être Philippe! déduisit Tommy.

— J'ai cru aussi qu'il devait s'agir de ton ami, mais eux ils ne savaient pas et ils ont trouvé son comportement étrange.

Tommy admit d'un froncement de sourcils qu'il y avait peut-être là de quoi s'étonner... Une demi-heure à prier! Mathilde soupira en tournant les yeux vers le ciel. Il comprit, à ce geste, qu'il l'étonnait. Il n'avait pas encore tout entendu.

— Qu'y a-t-il encore?

— Eh bien, voilà! L'événement le plus invraisemblable s'est produit la veille des funérailles, devant une salle comble... Cette fois, il s'agit d'une toute jeune fille qui s'est mise à sangloter si fortement en apercevant ton père, que toute la salle s'est tue pour la regarder. Le docteur Louis-Philippe s'est approché d'elle, et la jeune fille s'est excusée et s'est enfuie en courant. Il y a vraiment ici de quoi troubler le plus simple d'esprit!... Et, d'après la description que Louis-Philippe a faite de la demoiselle: grande, élancée, des yeux couleur d'eau, cheveux bruns, très jolie...

— Il s'est bien rincé l'œil, à ce que je vois!

— ... J'ai cru qu'il s'agissait peut-être de... Claudine.

Tommy leva brusquement la tête, ses yeux noirs s'enflammèrent, et, dans l'espace d'une demi-seconde, son attitude ne ressembla plus du tout à celle d'un homme qui, une minute plus tôt, semblait avoir atteint les limites de l'épuisement. Il s'écria, offensé:

— Tout à fait ridicule, cette déduction, Mathilde! Qu'est-ce que ma fiancée peut avoir à pleurer sur la tombe de mon père?

Maintenant, c'était au tour de Mathilde de gonfler la poitrine, de s'insurger.

— J'ignorais que tu étais fiancé! dit-elle sèchement.

Aussitôt, Tommy esquissa un doux sourire pour l'apaiser, et ses yeux empruntèrent aussi une expression de douceur.

— Voyons, ma belle Mathilde, ne le prends pas ainsi... Claudine ne le sait pas non plus, qu'elle est fiancée!

Ils s'esclaffèrent en même temps... Elle reconnaissait bien là son filleul: le fils de Charles! Ah! cette facilité qui était leur, de mettre ainsi en un tournemain, le monde à leurs pieds.

Il encercla ses épaules de son bras et lui baisa la joue. Une fois de plus, il la possédait. Néanmoins, c'est avec un peu de gêne dans la voix qu'elle ajouta:

— Nous sommes allés chez le notaire cet après-midi...

Il l'empêcha de poursuivre en clouant de son index ses petites lèvres à peine teintées de rouge.

— N'en dis pas plus! J'ai compris. Ils savent maintenant que j'existe... C'est pour ça qu'ils avaient tout à l'heure une tête d'enterrement... J'aurais payé cher pour assister à la scène.

Et le sourire qu'il n'essaya même pas de dissimuler se teintait de vengeance.

Elle détourna la tête, chagrinée. Non, il n'avait pas changé depuis un an; le temps passait, mais la rancœur, en lui, demeurait toujours aussi vive. Cette vague tristesse qui subitement se faufilait entre eux lui parut insupportable. Mathilde, malheureuse? À cause de lui? Une fois de plus? Non, pas aujourd'hui tout de même!

— Voudrais-tu me rendre un service, un très grand service, Mathilde? Encore un autre... murmura-t-il, penaud. Tu as dit, au début de notre entretien, que tu avais l'intention de renseigner ma famille à mon sujet. Eh bien! c'est moi qui te le réclame comme une faveur, et je te saurai vraiment gré de le faire... Ça me serait tellement plus facile de me présenter à eux par la suite... puisqu'il le faut... Pour te faire plaisir... et aussi pour honorer la mémoire de mon père.

Quand il vit son regard café au lait fondre dans le sien, il comprit qu'il venait de la combler d'un bien grand bonheur.

XXIII

La pendule sonna sept heures. Épuisée, à bout de souffle, Mathilde venait de terminer le palpitant récit de May Téwisha et de Charles Grandmont, ainsi que de certains traits de la vie de Tommy et de son père, qui pouvaient les identifier sans toutefois accabler leur réputation. Durant deux longues heures, elle avait fait revivre le passé, n'épargnant point le détail, cherchant la nuance, accusant les émotions pour que la vérité éclatât sous son angle le plus objectif. Toute sa vie, elle avait recherché la vérité, la puisant aux sources mêmes de sa foi. Mais nombreuses surtout étaient ces années d'incertitude, constata-t-elle soudain, où elle avait piétiné dans l'ombre au nom de la tolérance et de l'amour...

Après vingt-cinq années de compromis avec elle-même, ne sachant plus très bien où se situait la ligne de démarcation entre le bien et le mal, elle venait de saisir l'importance de sa vie. Parmi toutes ces tâches dérisoires, accomplies au fil des jours, elle avait été la main charitable, l'oreille attentive, le sourire réconfortant pour tous ceux dont la vie, parfois, n'avait rien de la ligne droite.

Dans ce silence pénible, quasi insupportable, qui s'accrochait à ses dernières paroles, Mathilde ferma les yeux, souriant maintenant à ce passé qui la faisait frémir rien que d'y penser. Elle venait, ce soir, de vivre deux vies. C'était à peine croyable, mais c'était la vérité, cette fois-ci, toute vraie.

— Bois ce verre, Mathilde, cela te remontera!

Elle ouvrit les yeux et vit son mari, le visage réconfortant, qui lui tendait un verre. Elle le remercia d'un sourire, prit le cognac et le porta à ses lèvres. L'occasion était de taille; son lourd secret n'existait plus. Un profond bien-être l'enveloppa et s'intensifia à mesure que le stimulant s'infiltrait dans son organisme.

Bernard avait pris de lui-même l'heureuse initiative de réconforter toute cette famille estomaquée, anéantie par cette troublante révélation.

Jacques et Louis-Philippe, livides, bouleversés, burent leur verre d'un trait alors que les autres imitèrent le geste de Mathilde.

— Est-ce possible, dit Louis-Philippe en regardant fixement devant lui, d'avoir vécu toute une vie côte à côte et de nous être ignorés à ce point?... Pourtant, nous étions ce que nous appelons communément une famille unie. Charles en était partie intégrante et nous avions de l'affection les uns pour les autres. Malgré tout, il a été un étranger parmi nous. Comment cela peut-il s'expliquer?

Cet homme simple et bon ne comprenait plus. Il était dépassé par les événements. Sa vie, commandée par un travail profondément humain, bien qu'inlassable et harassant, n'avait rien du mystère. Elle était limpide et reflétait la droiture de son âme. Mais cet homme avait eu un frère, et ce frère, il venait tout juste de le découvrir. Maintenant, il était trop tard; Charles l'avait quitté sans lui ouvrir son cœur. Louis-Philippe courba la tête et s'accabla de reproches.

Jacques prolongea ses pensées en soulignant:

— S'il existe une explication logique, nous la trouverons en nous-mêmes, au niveau de l'indulgence dans nos relations avec nos semblables.

Chacun coiffa le bonnet, car il s'ajustait parfaitement à toutes les têtes.

— Oui, reconnut Julie. J'ai bien l'impression que la compréhension n'a pas été notre lot.

En ouvrant ainsi son âme, elle avait parlé en son nom, et Jacques eut pour sa femme un regard tendre. À part de reconnaître leurs torts et de rendre ainsi justice à Charles, on ne pouvait plus rien pour lui, alors que, dans leur cas, la vie continuait...

Louis-Philippe se leva, marcha vers la fenêtre, les mains derrière le dos, puis se retourna et considéra longuement les siens.

— Si, ce soir, nous avions tous à étaler nos vies les uns devant les autres, comme nous venons de le faire pour Charles, serions-nous capables de nous identifier ensuite?

À cet énoncé, le silence tomba, et les yeux se baissèrent. L'examen de conscience commençait... En admettant aujourd'hui que Charles n'était plus l'homme qu'ils croyaient connaître, il était presque logique d'admettre qu'il en serait de même pour chacun d'eux ici présent.

— Je pense que nous devrions nous en tenir là, opina Céline, se sentant parcourue d'un frisson.

— Oui, je le crois aussi, ajouta Mathilde. La vie dans cette maison doit continuer, et la gaieté doit reprendre sa place après une période aussi triste.

Elle se tut, hésita un moment avant de reprendre, d'une voix émue:

— Tommy est arrivé d'Europe cet après-midi, pendant que nous étions chez le notaire. Il dort actuellement dans le pavillon. Il est facile de comprendre qu'après ce long trajet et ce terrible événement il soit très épuisé. Je sais que, dès qu'il se réveillera, il viendra vous rencontrer...

Sa voix se fit insistante.

— Tel que je le connais, cette démarche lui coûtera beaucoup d'efforts. Il devra marcher sur sa rancune pour venir jusqu'ici... Soyez indulgents envers lui... Ce cher petit est si bouleversé de la mort de son père. Ils étaient très attachés l'un à l'autre, vous ne pouvez pas deviner à quel point...

Ses yeux s'humidifièrent, alors qu'elle ajoutait:

— J'aimerais tellement que cet enfant se sente heureux... parmi nous.

Tous les regards, une fois de plus, se suspendaient à Mathilde.

— Le fils de Charles revient chez lui. Nous l'accueillerons avec joie! s'exclama Louis-Philippe.

* * *

Tommy ouvrit lentement les yeux. Le feu s'éteignait dans la cheminée, alors que dehors le jour s'estompait rapidement. Il jeta un coup d'œil à sa montre: sept heures trente. Il se leva et s'assit sur le bord du canapé. Il frictionna son visage de ses mains et s'aperçut soudain que ces quelques heures de sommeil lui avaient été bénéfiques. Il tourna la tête et vit la lettre de son père qui s'étalait sur la table, tout près de la lampe: trois longues pages qu'il réunit ensemble, plia et inséra dans la poche de sa chemise. À plusieurs reprises, il avait parcouru cette lettre; chaque fois avec la même avidité, et sa peine s'était amoindrie. Son père l'avait quitté, mais toujours il resterait vivant dans sa mémoire. Il lui communiquait de nombreuses informations sur son travail, multipliait les conseils avec sagesse et le mettait surtout en garde contre un mariage irréfléchi. Il y avait même une phrase qui le fit sourire et le laissa perplexe; elle concernait les enfants. Toutefois, cela ne le surprenait pas de la part de Charles. Il adorait les enfants.

Il se leva et se rendit dans la salle de bains. Il aspergea d'eau froide son visage et passa le peigne dans ses cheveux. Il revint dans le vivoir et enfila son veston. Sur le mur, suspendu en haut du canapé, il aperçut soudain le portrait de sa mère, que son père avait dû apporter ici au cours de cette dernière année. Plus il la regardait, plus il lui semblait que son doux sourire, cette fois, lui était personnellement adressé.

Il lui rendit son sourire et dit à haute voix, comme si elle pouvait l'entendre:

— Eh bien! puisque le grand moment est venu, allons courageusement la rencontrer, ma très digne famille Grandmont.

Il décrocha le portrait de sa mère et ajouta, en la contemplant:

— Nous irons tous les deux, et par la grande porte, s'il vous plaît! Je suis chez moi dans cette maison!

Il sortit dehors, accéléra le pas. Le soir était frais. Il se dirigea vers l'entrée principale de la maison. Il escalada le perron, vint pour sonner, mais se ravisa.

«On ne sonne pas quand on entre chez soi», se dit-il. Alors, il pénétra dans la maison et se retrouva dans l'embrasure du salon, face à toute la famille réunie. Il demeura stupéfait devant leur nombre, ne se l'étant jamais représentée en groupe.

«Quelle grosse famille!», songea-t-il.

Mais cette surprise fut aussi partagée et figea tous les visages.

Le fils de Charles était un fort beau garçon de taille imposante à l'allure désinvolte et fière. Son regard sombre et lumineux brillait d'intelligence, tandis qu'une fossette au menton, identique à celle de son père, s'élabora avec un sourire, et chacun, en l'observant, était fier de savoir qu'il portait leur nom.

Aussitôt, Mathilde s'avança vers lui, et Tommy lui entoura affectueusement les épaules de son bras en lui souriant. Par ce geste d'affection délibéré, il venait tout simplement de transformer le statut de celle qui, depuis vingt-cinq ans, logeait à l'enseigne de la domesticité, faisant d'elle en quelques secondes la première dame de la maison, puisque lui, l'héritier, la considérait comme sa mère.

Mathilde avait compris. Elle l'enveloppa de son doux regard maternel et lui tapota légèrement le bras, dans un geste de gratitude.

Jacques, le premier, lui tendit la main.

— Bonsoir, oncle Jacques!

À ces paroles, une vive émotion secoua l'avocat.

— Bonsoir, Tommy!... C'était donc toi, le fils de Charles!

Tommy inclina la tête, esquissant un léger sourire.

— Ce jour-là, les yeux que vous aviez vus quelque part...

— Oui, c'étaient ceux de ta mère...

Jacques aperçut le portrait de May que Tommy tenait sous le bras, le prit et contempla les deux regards.

— C'est incroyable, l'hérédité! admit-il d'une voix troublée.

Et il se dirigea vers la cheminée avec la peinture, décrocha la scène laurentienne et y suspendit dans toute sa grâce la belle image de celle qui serait aujourd'hui, si elle avait vécu, Madame Charles Grandmont.

— Elle mérite la place d'honneur, dit-il en regardant son neveu.

— C'est d'ailleurs la seule place qui lui convienne, répondit le jeune homme.

Selon l'ordre, il alla ensuite vers Louis-Philippe, qui avait du mal à contenir son émotion.

— Bonsoir, oncle Louis-Philippe!

Celui-ci lui donna l'accolade, incapable d'exprimer un seul mot.

— Je tiens à vous remercier pour tous ces soins que vous lui avez prodigués... Dans cette lettre qu'il m'a écrite, il me disait combien vous le soigniez avec dévouement.

Des larmes brillaient dans les yeux du médecin.

— Non... Je n'ai pas su le traiter adéquatement... puisque la mort est venue.

— Je pense, au contraire, que vous avez tenté tout ce qui était humainement possible de faire pour le sauver. Il n'était pas un patient commode... n'ayant pas voulu s'astreindre au repos complet que vous lui aviez prescrit et qui était indispensable à la prolongation de sa vie. Il a donc, en pleine liberté, choisi la mort qui lui convenait: rapide et sûre.

Comme Louis-Philippe secouait tristement la tête, Tommy ajouta, d'un bref sourire narquois à peine dissimulé:

— Bien que vous soyez un Grandmont, ce serait prétentieux de votre part de vous prendre pour Dieu le Père.

— Tommy! s'écria aussitôt Mathilde, offensée.

Mais le visage de Louis-Philippe s'égaya sous l'allusion. C'était la première fois qu'il souriait depuis quinze jours. Il le regarda avec affection.

— Tu es bien le fils de Charles!

Puis il se tourna vers Céline, qui lui souhaita chaleureusement la bienvenue dans cette maison. Julie l'embrassa avec affection. Ensuite, il serra la main de ses cousins, et, en voyant les yeux rougis d'Isabelle, il déclara:

— J'espère que ce n'est pas ma vue qui te déprime à ce point.

— Oh non! dit-elle candidement. Je suis très heureuse de faire ta connaissance. C'est que je viens d'entendre une très jolie histoire d'amour et j'en suis encore tout émue.

Tommy sourit, ne croyant pas possible de pleurer sur l'histoire d'amour des autres.

— Avec un aussi joli minois, tu ferais bien de garder tes larmes pour toi-même!

Quand il s'arrêta devant Roger, il demeura stupéfait de la ressemblance avec son père.

— Comme tu lui ressembles! J'ai l'impression que nous allons bien nous entendre, tous les deux.

— Peut-être que oui... peut-être que non!

Tommy sursauta et le regarda d'un air inquisiteur.

— Roger! s'exclama Céline.

Mais Tommy fit un signe de la main pour qu'on n'intervînt pas entre eux, n'ayant jamais eu besoin de l'aide de personne pour régler ses problèmes.

— Qu'est-ce que tu veux dire par «Peut-être que oui, peut-être que non»?

Roger redressa fièrement la tête devant son nouveau cousin.

«Sur la défensive, l'expression est identique à celle de Charles. Les mêmes yeux bleus, juste un peu moins cochons, probablement à cause de l'âge», pensa Tommy.

— Ta présence me dérange... Oncle Charles m'avait laissé entendre à plusieurs reprises que j'étais fait pour diriger... Tu comprends?

— Et tu croyais hériter de l'entreprise... Combien t'a-t-il laissé?

— Vingt mille dollars! Pour moi, ce n'est pas assez!

— Tu as de la chance... Moi, je trouve que c'est trop!

Louis-Philippe, visiblement malheureux de la conduite de son fils, intervint sans tarder, alors que les autres, tout oreilles, demeurèrent silencieux d'étonnement. Mais Roger, qui n'avait rien non plus du garçon docile, ne s'inclina pas et poursuivit son idée avec une arrogance incroyable:

— Et sais-tu combien il a laissé à ses frères? Ça m'écœure rien que d'y penser!

— Oui. Rien! Et sais-tu pourquoi?

— Non, je ne le sais pas, dit-il d'une voix coupante.

— Mon père avait une théorie bien nette sur les héritages. Quand un homme, me disait-il, atteignait la soixantaine et qu'il n'avait pas réussi à gagner plus d'argent, c'est qu'il n'en avait pas besoin davantage.

Jacques et Louis-Philippe se regardèrent, d'abord étonnés, puis se mirent à rire... trouvant que l'idée ne manquait pas de justesse.

Tommy fixa Roger d'un regard fulgurant.

— Si, dans cinq ans, tu es parvenu à doubler le montant que mon père t'a laissé, je saurai alors qu'il avait raison. Tu seras fait pour diriger... et nous en rediscuterons.

Roger lui tendit la main, un sourire franc et jovial, tout comme celui de Charles, égayant son visage, qui cependant noua la gorge de Tommy tant la ressemblance et l'allure lui faisaient mal; mais, au lieu de prendre en grippe ce cousin mal léché et combien impudent, il lui jeta un regard sympathique. «Enfin un Grandmont capable de discuter convenablement», pensa-t-il.

Puis il se retourna vers sa famille et s'adressa à elle sans la moindre arrogance... car l'idée d'honorer la mémoire de son père ne le quittait pas.

— Cette maison où vous avez toujours vécu restera la vôtre et... la mienne. Ce sont-là les dernières volontés de mon père, et je les respecterai. La vie continuera comme avant, et je ne veux pas que vous changiez vos habitudes pour moi. D'ailleurs, j'ai l'intention d'habiter l'appartement où j'ai toujours vécu et de considérer cette maison comme une maison de campagne où l'on vient les fins de semaine, comme le faisait d'ailleurs mon père.

Un groupe serein s'attabla dans la salle à manger, où un menu de sandwiches et de hors-d'œuvre résuma le souper. Jacques et Louis-

Philippe parlèrent beaucoup de Charles, de cette dernière année qu'il avait vécue parmi eux sur le boulevard Gouin, et ce fut apaisant. Tommy les écoutait silencieusement, ayant presque l'impression que son père était absent et qu'il reviendrait bientôt. Souvent, des phrases lui échappaient sans qu'il pût les retracer. Son esprit s'engourdissait à son insu, échappait à son contrôle, alors qu'une étrange sensation de flottement l'enveloppait, lui laissant l'accablante impression de ne pas vivre réellement. Depuis la lecture du télégramme (il ne savait plus quand), tout se déroulait comme dans un rêve. Seule cette étreinte constante au creux de l'estomac demeurait l'indice tangible du drame qui le frappait. Maintenant, ce serrement était brusquement disparu après ces quelques heures de sommeil dans le pavillon, et, sans cette douleur, il ne savait plus très bien... s'il existait vraiment. Il regarda autour de lui et se demanda encore comment il avait réussi à parcourir toute cette distance sans presque s'en rendre compte, pour se retrouver au milieu de toutes ces personnes qui disaient être sa famille...

C'est à sa deuxième tasse de café qu'il s'aperçut qu'il était un être bien vivant, quand, à son esprit retentirent, comme un écho douloureux, des paroles étranges: «Charles nous a quittés. Le vide qu'il laisse derrière lui ne sera pas facile à combler.» La douleur à l'estomac était revenue...

Jacques, assis à ses côtés, les avait prononcées avec amertume. Il regarda son oncle avec des yeux brouillés de larmes et remarqua soudain qu'il ne restait plus qu'eux autour de la table...

Sur l'insistance de Tommy, bien que l'avocat ne trouvât guère le moment propice, ils s'isolèrent tous les deux dans la bibliothèque. On rejoignit le notaire Dussault, qui accepta de bonne grâce de venir, documents en mains, informer le principal héritier. On discuta pendant près d'une heure du testament, des problèmes légaux et des dispositions à prendre dans les circonstances.

Dès que le notaire fut parti, Tommy téléphona à François Desjardins, l'avisant de son retour et des dernières volontés de son père, et ce dernier accepta de convoquer la direction pour onze heures, le lendemain matin. Puis, rompu par la fatigue des derniers jours et par le décalage horaire, il réintégra la chambre de son père, qui était devenue la sienne.

XXIV

Le lendemain matin, Tommy se réveilla très tôt, mais, à l'heure européenne, il devait être midi. Il mit quelques instants à se rendre compte qu'il était revenu chez lui et qu'il occupait la chambre de son père... parce que ce dernier n'était plus là...

Son premier geste fut d'allumer une cigarette. Après quelques bouffées, il parvint à réfléchir. À sa troisième cigarette, il avait réussi à faire le point.

Il se leva. Il savait maintenant qu'une vie nouvelle commençait pour lui, où Charles serait définitivement absent. Il prit une douche d'eau froide pour inhiber cette impression d'irréalité qui persistait encore. Après, il ne se sentit pas en grande forme mais il était un peu plus conscient, et c'était tout de même une légère amélioration avec la veille. Et ce serrement au creux de l'estomac était disparu... Enfin! Il soupira d'aise.

Il descendit à la cuisine et y trouva Mathilde. Elle prépara les œufs au bacon, et, malgré son insistance, il ne parvint qu'à grignoter un peu. Ainsi, en dépit de ce manque d'appétit, ils déjeunèrent seuls, l'un en face de l'autre, pour la première fois depuis un an.

Une heure plus tard, après avoir commandé des fleurs chez un fleuriste du centre-ville et trié dans le tiroir de son père certains vêtements dont il avait besoin pour passer quelques jours chez son grand-père, il revint à la cuisine la saluer. Elle l'embrassa à deux reprises, tout en lui déclarant encore combien elle était heureuse de sa conduite de la veille.

— Ton père aurait été fier de toi, ajouta-t-elle.

Il lui sourit tout en regardant l'heure: le temps fuyait vite. Il se précipita au garage et y rencontra Bernard, qui faisait reluire le chrome de la nouvelle voiture de Charles.

— J'arrive tout juste de faire le plein. Elle est belle, hein? Nous l'avions choisie ensemble... il l'aimait bien, lui aussi.

— Absolument splendide, dit Tommy en la parcourant du regard.

Et, sans s'attarder davantage, il déposa sa valise et son imperméable sur la banquette arrière, salua le domestique et démarra aussitôt. Mais il n'avait pas encore tourné à la croisée des chemins qu'il avait décidé de garder sa décapotable, que celle-ci ne lui convenait pas en volume et qu'il la donnerait... Oui, il la donnerait. C'était bien beau, la donner! Mais la donner à qui? Oui, c'est ça! Il l'offrirait à l'oncle Claude Gagnon, parce qu'il l'aimait bien et que ce dernier n'avait jamais eu de voiture. Toute une famille qui pourrait maintenant se balader le dimanche, et en limousine, s'il vous plaît! Et il se mit à sourire au plaisir... surtout à la surprise qui serait la leur.

Ainsi, il traversa la ville sans tellement s'en apercevoir, perdu dans ses réflexions, longea le boulevard Saint-Joseph vers l'est, et, au second feu de circulation, emprunta la rue des Gagnon. Il se languissait de Claudine. Comment aurait-il pu en être autrement après toute une année de séparation? Toute une année vécue loin d'elle, comment cela avait-il été possible? Et toutes ces lettres échangées durant son absence n'avaient réussi qu'à accentuer son ennui. Sa chère petite Claudine! Comme il avait hâte de la voir, de la serrer dans ses bras. Sa peine, sa douleur comme une brûlure au creux de lui en serait allégée. Sa Claudine saurait partager sa souffrance!

Arrivé devant la maison, il gara sa voiture et se précipita à la porte. Il sonna un coup... deux coups. Aucune réponse. Il vérifia l'heure: neuf heures trente. Pourtant, à cette heure matinale, un samedi par surcroît, sur huit personnes, il devrait sûrement y avoir quelqu'un, ne fût-ce que Thérèse. Le rideau de la fenêtre du salon avait frémi lorsqu'il était descendu de sa voiture. Il l'avait vu bouger; ce n'était pas un rêve. Il était bien réveillé! Il sonna une troisième fois, supposant que la sonnette pouvait être défectueuse. Décidément, non, il n'y avait personne! Il regagna sa voiture, déçu... et sceptique.

Toutefois, avant de démarrer, il jeta un coup d'œil au rideau du salon. Cette fois, il demeura immobile; il en était certain!

C'est avec la tête pleine d'idées enchevêtrées qu'il fit un arrêt chez le fleuriste. La gerbe était magnifique, et le prix, élevé: mais rien n'était trop beau ni trop cher pour Charles. Aussitôt, il emprunta la direction du cimetière de la Côte-des-Neiges. Péniblement, il chercha le terrain de son père, le contourna à deux reprises sans s'en apercevoir, puis s'arrêta, faisant face à l'université au loin: c'était là son point de repère; il tourna à droite et finalement aboutit juste en face.

Tristement, il descendit de voiture, s'empara du bouquet et demeura sidéré devant l'amas de fleurs mortes qui recouvrait la terre fraîchement remuée. La réalité était ici cruelle et évidente. Il fit quelques pas, se pencha, prit une poignée de terre et la regarda longuement. Ses yeux s'embuèrent de larmes. Son père se trouvait là, englouti sous presque deux mètres de terre. C'était ça, la mort! Son regard rejoignit le monument et parcourut l'inscription. Ils étaient maintenant de nouveau ensemble... elle et lui, mais quelles tristes retrouvailles!

Cependant, il n'était pas venu ici pour s'attrister ni pour philosopher sur la mort, mais bien pour rendre hommage à Charles, à ce père exceptionnel et merveilleux qu'il avait été.

Tommy déposa les fleurs contre le monument et revint au pied du terrain. Il aurait voulu relever la tête et accrocher un pauvre sourire à ses lèvres, mais il en fut absolument incapable. Des larmes coulaient sur ses joues. D'une voix toute remuée, il réussit finalement à murmurer:

— Tu ne sauras jamais combien j'aurai voulu être auprès de toi pour ces dernières heures de ta vie. Tu n'as pu m'attendre, et tu es parti sans que je te dise adieu. Ce n'est pas de ta faute, c'est moi qui étais en retard. Pardonne-moi... je me le reprocherai toujours! (Il ne put contenir un sanglot qui l'étreignait.) Mais, très franchement, je pense que je n'aurais jamais pu te dire adieu. Je t'aurais plutôt parlé des belles années que nous avons vécues ensemble. Te dire combien la vie a été belle et magnifique avec toi. Oui, j'ai été heureux! Tu n'as jamais été un père mesquin, ni pour ton affection ni pour le reste. Tu n'as peut-être pas été en tout point un homme exemplaire. (Il haussa les épaules.) Ne t'en fais pas, je te ferai chanter des messes. Si on peut acheter le ciel, je te jure que tu n'en manqueras pas! Surtout, ne crois pas que je viens ainsi me poser en juge de ta vie: elle ne regarde que toi! Et, après tout, qui est si parfait? Tu avais de si belles qualités... et quand je considère ta générosité, ton ambition, ton travail constant, je ne peux que m'attarder à réfléchir sur ma vie. Je te promets que tu n'auras jamais honte de moi, car moi non plus je ne crains pas de travailler, et ce successeur que tu désirais tant pour la relève ne sera pas ton inférieur. Ça, je te le jure! Et, aussi vrai que je m'appelle Tommy Grandmont, les bénéfices de ces entreprises que tu as mises sur pied un jour se décupleront. Tu as réussi... je réussirai aussi! Avant de partir, je voudrais que tu saches que je les ai tous rencontrés, les membres de ta digne famille Grandmont. C'est pour toi que je l'ai fait... pour te faire plaisir, pour honorer ta mémoire. Et, d'après Mathilde, si tu m'avais vu, tu aurais été gonflé d'orgueil... tant je me suis surpassé en gentillesse. (Il se mit à sourire à ces dernières paroles.) Un dernier mot. Je te remercie pour la belle fortune que tu m'as laissée, mais c'est en toute sincérité que je l'aurais volontiers donnée pour que dix années de plus s'additionnent à ta vie... ou même cinq... Merci, papa.

Puis il se recueillit religieusement, une courte période; ensuite, il baissa les yeux sur l'amoncellement de fleurs et se rendit compte que ses amis lui avaient témoigné un bel hommage. Il vit soudainement un petit bouquet de boutons de roses qui ressortait de fraîcheur sur le reste. Il se pencha, le prit dans ses mains et admira sa petitesse. Une carte épinglée exprimait les sentiments. «À cet homme merveilleux qui m'a tendu si généreusement la main.»

Son visage se décolora subitement. Aucune signature n'endossait le message, mais l'écriture était en soi une signature... C'était celle de Claudine... Il en était sûr! Il plongea la main dans la poche intérieure de sa veste; sa dernière lettre y était encore, et il compara les deux écritures. Aucun doute possible. Claudine avait écrit ces mots qu'elle dédiait à son père. Mais pourquoi avait-il fallu qu'il lui tendît la main?

Et, tandis qu'il se dirigeait vers le bureau, il se posa une foule de questions qui, tout comme le frémissement des rideaux, ne s'expliquaient pas.

* * *

François Desjardins, Denis Girard, les deux ingénieurs et le comptable étaient déjà réunis dans le bureau de Charles quand Tommy arriva. François, le premier, lui présenta ses condoléances, et les autres l'imitèrent. Puis chacun prit un des fauteuils qui entouraient la longue table de travail de Charles. Alors, François se leva, prit la parole, et, s'adressant au nom de tous, rendit hommage au président disparu. Quand il eut terminé, Tommy dut reconnaître qu'il avait fait un prodigieux effort pour parler si longtemps, surtout qu'il ne s'agissait pas là de construction, et que, de toute évidence, il n'était pas né orateur.

Tommy demanda la parole, et, en dépit du nœud qui lui comprimait la gorge, réussit à le remercier pour ce sincère témoignage qu'il venait de rendre à son père. C'est toutefois en fixant le fauteuil resté vide qu'il retrouva subitement son aplomb. Ainsi, pendant près de quinze minutes, les mots s'écoulèrent de sa bouche aisément, très vifs, nettement définis, exprimant les idées les plus avant-gardistes sur ce qu'il croyait être le progrès... Et, quand il reprit son siège, la confusion ne régnait pas; c'est l'étonnement qui prenait toute la place. L'instant qui suivit ne fut que silence, et les yeux demeurèrent braqués sur lui. Un si jeune homme avec autant d'envergure et de détermination, était-ce possible? Oui, puisque cet héritier était le fils de Charles Grandmont. Les qualités du père s'étaient infiltrées dans le fils, mais avec une ténacité accrue qui n'avait d'égal que son entêtement. La relève était assurée...

Il était évident qu'il visait la première place; il l'aurait, et François Desjardins, en le regardant, savait d'avance qu'il réussirait. Bien sûr, il se casserait le nez, même plusieurs fois, mais ça ne l'empêcherait pas de secouer le monde, d'ébranler tout sur son passage. C'est maintenant le regard lointain, voilé par un écran de brume, que le vieux menuisier voyait se défiler l'âge de la retraite. Modérer... tempérer... voilà quelle serait encore sa tâche pour des mois, des années à venir...

En quittant le bureau, Tommy fit un arrêt à son appartement de la rue Sherbrooke. Il retira au passage le courrier du casier postal.

Dans l'appartement, rien n'était modifié, si bien qu'il eût pu croire que toute cette année vécue à l'extérieur se résumait ici à quelques jours. Un ordre impeccable, presque sinistre y régnait. Dans la chambre de Charles, seule une cravate traînait sur le lit... Il la fixa quasi religieusement un très long moment. Vivement impressionné, il s'éloigna de la chambre pour ne pas percevoir davantage ce goût amer de larmes dans la bouche. L'absence était ici plus insupportable encore...

Il revint dans la salle à dîner et occupa son esprit à examiner le courrier. Il sépara des lettres importantes, les papiers publicitaires, qu'il jeta aux ordures sans leur accorder un regard. C'est alors qu'il trouva, coincée entre deux revues, la dernière lettre qu'il avait écrite à son père et que ce dernier n'avait pas lue... n'en ayant pas eu le temps.

«Dommage», pensa-t-il, car c'est dans celle-ci qu'il lui annonçait son intention de poursuivre ses études. Il deviendrait ingénieur, et son père ne le saurait jamais. Il soupira de déception, et sa tristesse s'accentua.

Le courrier parcouru, il décrocha le téléphone et composa le numéro de Claudine. Il fallait pourtant qu'il la vît, qu'il la prît dans ses bras et qu'il la serrât fortement contre lui avant de partir pour le Nord. Il avait tant besoin de retrouver son équilibre; auprès d'elle, il se sentirait mieux, car, bien sûr, elle saurait si bien le comprendre.

— Allo! fit la voix de Claude Gagnon.

— Bonjour, oncle Claude...

Soudain, un déclic retentit sourdement à son oreille. Il avait brusquement raccroché. La ligne ne s'était pas interrompue. Non, le père de Claudine avait volontairement raccroché.

Abasourdi, dérouté, il prit une chaise, alluma une cigarette et se mit à réfléchir froidement à toute cette affaire, réunissant entre eux les points saillants, mais s'aperçut rapidement que les données essentielles lui échappaient. Décidément, il ne comprenait pas ce qui se passait dans cette maison, mais pas du tout.

La sonnerie du téléphone le fit sursauter. Il était si profondément enfoui dans ses pensées que ce geste nerveux lui arracha un bref sourire. Au deuxième coup, il répondit, et la voix amicale de Philippe lui arriva au bout du fil, le priant de venir le rejoindre immédiatement.

Tommy accéda avec plaisir et soulagement. Enfin, l'énigme serait bientôt élucidée. Il lui fixa rendez-vous à l'angle des rues Sherbrooke et Saint-Denis, dix minutes plus tard. Philippe arriva sur les lieux si exactement qu'il n'eut même pas besoin de se garer. Aussitôt, il grimpa dans la voiture, et Tommy l'invita à partager le repas de midi.

Au restaurant, bien qu'il n'eût pas faim, il commanda un bon repas, connaissant l'excellent appétit de son ami, qui équivalait le sien en temps normal. Maintenant, face à lui, il se sentait mieux, plus détendu. Même sa peine s'amoindrissait, comme si elle s'était noyée entre eux. Vraiment, il était très heureux de le revoir, de parler avec lui, car Philippe était de loin son meilleur ami; leur amitié remontait à l'enfance, et les années de collège n'avaient cessé de la raffermir. Et aujourd'hui il faisait partie de sa vie comme une bonne vieille habitude dont on ne voudrait pas avoir à se départir et que l'on retrouve avec plaisir quand on redevient soi-même, dans une relaxante intimité.

C'est pourquoi il ne contourna pas plus longtemps la question qui lui brûlait les lèvres et la posa directement:

— Qu'est-il arrivé... à Claudine?

Le visage de Philippe se durcit brusquement, et la réponse arriva comme un bloc de glace:

— Elle a eu un bébé!

Tommy le fixa avec des yeux exorbités, ayant tout envisagé sauf cela.

— Elle s'est mariée? dit-il, ahuri.

Philippe secoua la tête.

— Non, elle n'est pas mariée. Elle est ce qu'on appelle communément une fille mère, et, dans la très puritaine Province de Québec, en 1949, ce n'est pas précisément un statut convoité.

— Ce n'est pas possible!

Tommy s'effondra dans son fauteuil, et sa fourchette demeura en suspens. Mais la colère anima son visage.

— Quel sale cochon lui a fait ça?

— Toi!

— Moi?... Tu veux rire! C'est la première nouvelle que j'en ai!

Toutefois, son regard rejoignit le parquet et emprunta aussitôt une attitude de réflexion. Il demanda, hésitant.

— Quand le bébé est-il né?

— Le vingt-trois mars dernier, précisa Philippe d'un ton sec.

Il fit le calcul. Il était parti le vingt-neuf juin, et, la veille de son départ, il avait invité Claudine à dîner avec lui. Puis ils étaient venus à l'appartement terminer la soirée. Charles n'y était pas... Ils étaient seuls... et avaient le cœur plein de nostalgie à la perspective de cette longue séparation. Ils avaient puisé des réserves d'amour en passant deux petites heures absolument délicieuses dans un même lit. De cette première union... neuf mois plus tard, un enfant était né.

— Non, ce n'est pas possible... une seule fois, murmura Tommy désemparé.

— Quand on a une grosse nature, c'est comme ça! s'écria Philippe.

Il avait haussé le ton, et voilà maintenant que tous les regards convergeaient vers eux. Il ébaucha un sourire timide en direction des clients, et l'ordre se rétablit.

Il poursuivit, cette fois sur un ton plus confidentiel:

— Tu n'as pas pensé qu'en couchant avec elle tu pouvais lui faire un enfant?

Tommy le fixa de son regard le plus vif.

— Non, je n'y ai pas pensé. Peut-être n'ai-je pas voulu y penser? Je ne le sais pas. Et elle non plus, d'ailleurs... puisqu'elle ne m'en a pas parlé. Et si tu crois, quand on se retrouve dans un lit avec une aussi belle fille que ta sœur, qu'on se met à philosopher ou à réciter les dix commandements de Dieu... Il y a beaucoup mieux à faire, je peux te le jurer...

Le silence tomba subitement, et ils se remirent à manger. Philippe ajouta:

— Il ne faudra pas t'étonner si mes parents ne t'ouvrent plus leur porte. Tu connais mon père; c'est un intransigeant. Il a foutu sa propre fille à la porte. Ma mère en verse encore des larmes. Ah! mon vieux, je t'aurais massacré la face avec mon poing au moins une vingtaine de fois, l'hiver dernier. C'était pitoyable à voir, la panique qui se lisait sur le visage de Claudine quand elle a su... Elle n'a pas souri depuis un an.

Visiblement bouleversé, Tommy regarda Philippe.

— Pourquoi ne m'a-t-elle pas averti qu'elle était enceinte? Aucune de ses lettres ne me laissait supposer un problème quelconque... Je ne comprends pas son attitude.

Le visage de Philippe s'était adouci sous la révélation. Il savait que Claudine n'avait pas voulu le prévenir de l'attente de cet enfant. Aussi, comment l'accuser de tous les malheurs?

— Ce fut une erreur de sa part. Je l'ai toujours cru. Elle ne désirait pas que tu reviennes pour l'épouser... à cause de l'enfant... mais bien pour elle-même.

Tommy haussa les épaules.

— Ce qu'elle a tendance à se compliquer la vie! Comme si elle ne savait pas que je l'aime.

Et il leva des yeux angoissés sur son ami.

— Comment a-t-elle fait pour passer au travers de cette longue période sans appui?

— Oh! elle a trouvé un excellent appui dans la personne de ton père. Elle s'est jetée dans ses bras, et il l'a prise chez lui tout l'hiver. Il a été merveilleux pour elle... et s'en est occupé comme de sa propre fille. C'est grâce à lui, d'ailleurs, à sa gentillesse, à ses attentions si Claudine a pu conserver un certain équilibre... Quand le bébé est né, il l'a couverte de fleurs comme une grande dame... Et, aussi incroyable que cela puisse paraître... il était fou de joie d'être grand-père.

Tommy esquissa un sourire. Non, ce n'était pas incroyable de la part de Charles, car il n'était pas imbu de ces sortes de préjugés. Qu'un enfant naisse dans les cadres d'un mariage ou non, il n'en demeurait pas moins un enfant, et, pour lui, un enfant c'était intrinsèquement merveilleux! Tommy comprit soudain le sens de cette phrase qui, dans la lettre, l'avait laissé perplexe: «Un enfant, c'est la plus grande richesse du monde.» Charles pensait sûrement à cet enfant que Claudine venait de mettre au monde et qui appartenait à son fils.

Philippe attaquait la tarte aux pommes lorsque Tommy apprit que c'était une petite fille, qu'elle se prénommait Caroline et... qu'elle lui ressemblait beaucoup. Le visage de Tommy s'illumina d'un large sourire. Il était ravi. Une petite fille... Pourquoi pas?

Incapable d'avaler une bouchée de plus, il ne pouvait résister plus longtemps au désir d'aller les embrasser.

— Dis-moi, où est Claudine?

— Elle est partie avant-hier pour l'Abitibi.

Tommy plissa les yeux.

— Mais qu'est-ce qu'elle est allée faire là?

— L'un des frères de mon père, qui est cultivateur, l'a recueillie chez lui, à la demande de mes parents. Sachant que tu reviendrais incessamment, mon père ne voulait pas que tu rôdes encore autour d'elle, et il a pris des dispositions pour l'éloigner de ton chemin.

Philippe termina sa tasse de café et raconta aussi:

— Ton père a avantagé Claudine de $25 000 pour qu'elle conserve son indépendance, si elle le désirait... et aussi pour que l'enfant reçoive la meilleure éducation possible. Puis, la veille de sa mort, je pense qu'il a eu un pressentiment qu'il ne s'en sortirait pas, car il lui a téléphoné de passer le voir la journée même. Je l'ai accompagnée, et il lui a signé un bail, lui accordant la jouissance, pour une période de cinq ans, de l'un de ses logements encore en construction et qui sera habitable à partir de juin.

Tommy lança un sifflement qu'il dut atténuer pour ne pas retenir l'attention une fois de plus. Il était mécontent et ne se priva pas de le dire.

— La seule bonne idée que mon père ait eue, c'est de la prendre chez lui pendant sa grossesse. Quant à l'argent et à la maison, c'est de la pure folie!

Philippe le fixait avec des yeux furieux. Il comprit qu'il devait s'expliquer.

— Il n'y a pas d'erreur plus grande qu'un homme puisse commettre que de donner l'indépendance à une femme. Te rends-tu compte? Je serai peut-être obligé à présent de la supplier pour qu'elle m'épouse!

Le visage de Philippe se dérida; il se mit à sourire.

— Même si tu devais la supplier ou même... ramper devant elle, dans toute cette affaire, tu seras encore le plus privilégié. Crois-moi!

Tommy reconduisit Philippe chez lui, prenant garde de ne pas s'arrêter devant la porte des Gagnon: il ne fallait pas que le père eût connaissance de cet entretien.

— Nous nous reverrons à mon retour, lança Tommy. Dis à ta mère qu'elle peut sécher ses pleurs. J'irai voir Claudine. Je la demanderai en mariage, et, si elle veut bien m'épouser, je la ramènerai avec moi, ainsi que ma petite fille.

XXV

C'est en filant sur la route du Nord que Tommy s'aperçut que le printemps était arrivé. Ces dernières vingt-quatre heures avaient été si mouvementées qu'il n'avait pas eu le temps de s'en rendre compte. Bien qu'il aimât l'automne, le printemps était sa saison préférée, et nul autre pays au monde n'avait un printemps plus magnifique. C'est la délivrance du long hiver. C'est une vie nouvelle qui jaillit de toutes parts dans toute sa plénitude. Même le soleil brille d'un éclat différent. Il teinte la nature avec douceur, sans l'effaroucher par des rayons trop violents, et tout se fait graduellement dans un ordre immuable. Aujourd'hui, les arbres portent de lourds bourgeons, demain, des ébauches de feuilles, la semaine suivante, de petites feuilles bien formées, et, dans quinze jours, elles atteindront leur maturité.

Il pensa à Claudine, qui avait vécu en elle le printemps. Maintenant, la petite feuille bien formée d'un vert tendre était un petit bébé de six semaines qui porterait son nom. Il sourit à sa petite tête brune, à la jolie petite fille qu'elle serait, puis à la belle jeune fille qu'elle deviendrait sûrement. Il lui apprendrait à jouer au tennis, à monter à cheval, à chasser. Il en ferait une vraie jeune fille... et les hommes se retourneraient sur son passage.

Il l'aimerait comme son père l'avait aimé et serait un aussi bon père que Charles...

Il pensa à Charles, qui ne reverrait plus jamais le printemps. Il était parti pour ce long voyage de l'autre côté de la vie, et cette aventure mystérieuse ne comportait qu'une seule réalité: celle du non-retour. Sa gorge se crispa d'un sanglot... Comme la vie est cruelle! Pourquoi nous sépare-t-elle de ceux que l'on aime? Charles n'était pas comme les autres. Il était différent des autres. Il était son père... Son ami... Ensemble, ils pouvaient se battre, se quereller, se déchirer, ils se seraient toujours aimés! La vie sans Charles ne sera plus jamais la même. Il faudra s'habituer à l'absence... À son absence. Bon Dieu, que ce ne sera pas facile!

Il pensa à lui... À lui, qui aujourd'hui, tout comme le printemps, commençait une vie nouvelle. Hier encore, à cette même heure, enfermé dans la carlingue d'un avion le ramenant au pays, il se sentait écrasé par la solitude qu'engendrait la mort de son père. Aujourd'hui, vingt-quatre heures après, il se retrouvait maintenant avec deux familles à la fois. La solitude... puis l'invasion, coup sur coup. Quel étrange destin que le sien!... Et que sera demain, à ce rythme-là?

Il cessa de penser.

Il traversa un village et s'arrêta dans un garage pour faire le plein. Ensuite, dans un restaurant, il se réconforta d'un café et poursuivit sa route.

Le chemin était isolé. Il atteignit une vitesse de croisière respectable, sans être incommodé par les rencontres. Il alluma la radio, manipula les postes, mais les ondes se captaient mal dans les montagnes; aussi, il l'éteignit. À la dérobée, il examina le tableau de bord, les sièges, l'intérieur de la voiture. Quel bolide luxueux! Tout le confort qu'engendrait le progrès dans l'industrie de l'automobile se résumait ici; rien ne manquait. Le visage de Tommy s'éclaira d'un sourire.

Ce que Charles avait pu aimer l'abondance, dans la vie! La possession des richesses avait motivé son travail. Son ambition et son esprit des grandeurs lui avaient permis d'arrondir sa fortune. Lui aussi, il aimait bien les bonnes choses de la vie, mais pas autant que son père. Non! Pour lui, l'important, dans la vie, c'était la première place. Et si l'argent pouvait la lui apporter, alors il lui en faudrait beaucoup, et... il en gagnerait.

Le seul homme au monde pour qui l'argent ne signifiait rien, c'était son grand-père.

Il pensa à Allan Téwisha, qui, à son âge, n'avait plus aucune ressemblance avec le printemps, ce qui ne l'empêchait pas de l'aimer et de le vivre encore plus que quiconque. Au déclin de sa vie, rien ne lui échappait dans la nature. Elle était toujours son royaume, et, de cet imposant royaume, l'Indien demeurait le chef incontesté.

L'admiration que Tommy vouait à son grand-père ne s'était jamais altérée. Toutefois, un certain déplacement des valeurs s'était imposé au cours des dernières années; il connaissait mieux l'homme et prêtait moins d'attention au chasseur ou au trappeur qu'il était; et jamais, de cette connaissance profonde, n'était survenue une déception quelconque. Tel ne fut pas le cas cependant, en ce qui concernait son père...

Il venait d'avoir treize ans, quand il vit Charles pour la première fois avec des yeux différents. C'est en rentrant du collège un vendredi soir plutôt qu'un samedi matin que le choc se produisit. À l'encontre de son habitude, il pénétra dans l'appartement sans bruit et surprit, bien sans le vouloir, son père avec une femme dans son lit. Il demeura stupéfait devant eux, bouleversé, incapable de faire un geste. Dès qu'il eut repris le contrôle de ses facultés, il fit demi-tour, sortit de l'appartement en courant et se réfugia dehors. Comment son propre père avait-il pu oser faire une telle chose, puisque sa mère était la seule femme qu'il aimait? Ce soir-là, s'il avait eu une arme à feu à sa portée, il l'aurait tué! Dieu! ce qu'il avait pu le trouver vicieux et dégradé! Ensuite, Charles lui avait expliqué, bien maladroitement, d'ailleurs, que ce qu'il avait vu ne répondait qu'à un besoin physique absolument normal pour un homme, que la nature était ainsi faite et qu'il comprendrait dans quelques années. Deux ans plus tard, il ne trouvait plus son père aussi vicieux. À seize ans, il comprenait ces besoins impérieux de la nature. À dix-huit ans, dans les bras de Marie-Lou, il savait désormais qu'il ne pourrait plus s'en passer. Aujourd'hui, au volant de sa voiture, il se demandait encore comment son père, après la mort de sa mère, avait pu vivre tout le reste de sa vie sans avoir une femme tous les soirs dans son lit...

Soudain, il pensa à Claudine... Ce qu'il avait hâte de serrer son petit corps contre le sien!...

Mais son esprit, au bout d'un moment, revint à son grand-père. Il s'aperçut qu'il l'avait toujours considéré comme un être asexué, du fait probablement qu'il l'avait connu vieux, sans femme et solitaire. Pourtant, un jour, cet homme s'était marié, et, disait-on, adorait sa femme, dont il avait eu une fille. Ils s'étaient donc aimés, au moins une fois...

Tommy se mit à rire.

Son grand-père... son grand-père faire l'amour... Non, vraiment, ça n'avait aucun sens! Il n'était pas réellement du genre à aimer ça...

C'est avec toutes ces idées en tête qu'il atteignit, au crépuscule, la maison du grand Indien. Il stoppa sa voiture sur le chemin de gravier et d'un coup d'œil embrassa les environs. Rien n'avait changé... Oui... la maison avait été repeinte; sa blancheur contrastait avec la verdure des conifères.

Quand Tommy descendit de voiture, le serrement au creux de l'estomac l'étreignit de nouveau. Il apportait à ce vieillard la souffrance. Il aurait mal, comme lui-même avait eu mal, quand il avait su...

Mais voilà que son grand-père sortait de l'écurie et se dirigeait vers lui. Son corps mince et droit n'accusait pas les années, alors que sa tête avait la couleur de la neige et que des rides sillonnaient son visage.

D'un pas rapide et volontaire, l'Indien s'avança vers lui en ouvrant les bras. Une joie évidente modifiait la courbe des rides.

— Bonjour, grand-père! dit Tommy, d'une voix étouffée.

— Mon fils, te voilà revenu du bout du monde... Je ne t'attendais pas avant juin. Charles m'avait dit que tu...

Soudain Allan se tut, s'immobilisa sur place, constatant d'un coup le retour prématuré de son petit-fils. Ses yeux fixèrent la voiture, puis Tommy, de nouveau la voiture, puis son petit-fils. Sa joie s'estompa subitement, et une expression de stupeur y prit place.

— Non, c'est pas vrai! s'écria-t-il.

Tommy hocha la tête et baissa les yeux.

— Où est Charles?... Vous êtes pas venus ensemble? Dis-moi que c'est pas vrai... Tommy!

— Oui, c'est la triste vérité. Il nous a quittés... définitivement, il y a une semaine aujourd'hui. Son cœur était très malade... Il a succombé à une crise cardiaque.

Tommy s'approcha de son grand-père et vit le reflet du chagrin voiler son regard. Le vieil homme fixa son petit-fils avec une tristesse indéfinissable; ensuite, ses yeux se perdirent dans l'immensité de la forêt.

L'Indien secoua la tête de désarroi.

— Non, c'est pas possible! Y a à peine un mois qu'y est venu avec la tête pleine de projets... Y débordait de vitalité... C'était donc sa dernière visite... Y sont tous partis... les uns après les autres... Marie... May... et Charles.

— Moi, je suis toujours là, grand-père...

Il accrocha sa main au bras de Tommy, posa sur lui un regard tendre et s'isola... dans le silence.

Désormais, Tommy savait qu'Allan Téwisha souffrirait avec dignité, dans le silence quasi total... comme il l'avait fait après le départ de sa mère.

Le jeune homme sortit la lettre de la poche de sa veste et la tendit à son aïeul.

— Quelques jours avant sa mort, mon père a tenu à vous dire au revoir, dit-il d'une voix brisée.

L'Indien prit l'enveloppe entre ses mains et la considéra avec une expression de respect teintée de consternation.

— Il a une de ces écritures horribles. Voulez-vous que je vous la lise, grand-père?

Tommy n'avait jamais vu Allan lire une seule fois dans sa vie. Peut-être ne savait-il pas ou ne savait-il plus? Il ne voulait pas l'humilier et l'excuse lui vint facilement.

L'Indien lui remit la lettre, et Tommy la décacheta puis lut à haute voix, alors qu'Allan, le regard lointain, tendait l'oreille avec respect.

Monsieur Allan Téwisha

Cher Allan,

Me sentant oppressé par un serrement constant dans la poitrine, je suis aujourd'hui conscient que la fin approche. Je ne voudrais pas quitter ce monde sans saluer mon meilleur ami. Insister en ces heures dernières sur l'amitié qui nous unissait me semble superflu. Par contre, comment remercier suffisamment un homme qui a su, par sa loyauté, partager mes intérêts comme s'il s'agissait des siens...

Comment surtout remercier l'homme qui m'a donné sa fille, sachant très bien que cette union ne se basait que sur l'amour... May n'a pas vécu longtemps, mais je l'aurais gardée toujours. Jamais une autre femme n'a pris sa place dans mon cœur. Cela, je tenais à ce que vous le sachiez.

Vous remercier aussi Allan, de ne m'avoir jamais détesté... Il aurait été si excusable pour vous de haïr l'homme blanc et son argent, qui venait vous arracher, une fois de plus, ce domaine qui était vôtre.

Un bizarre et heureux destin a permis que le plus grand Indien que je connaisse devienne le grand-père de mon fils. J'en suis fier, et jamais plus grand honneur ne me fut décerné.

Je me le reprocherais dans l'au-delà si je ne vous demandais pas de veiller un peu sur ce fiston impulsif et violent que nous avons eu et qui n'a pas bénéficié, dans le partage de l'héritage, d'une seule once de votre sagesse.

Avant de vous adresser mes adieux, il ne me reste plus qu'à réparer une profonde injustice que ma race a commise envers la vôtre.

Bien que mon fils demeure le seul héritier de toutes ces forêts, la feuille ci-jointe vous en accorde la jouissance exclusive, et ce, aussi longtemps que vous vivrez. Ce qui veut dire que vous avez le droit demain d'interdire la coupe du bois et que Tommy n'y pourra rien.

Acceptez ce dédommagement avec mon amitié et ma reconnaissance.

Charles Grandmont.

Ces dernières paroles se brisaient encore dans la gorge de Tommy quand il remit la lettre à son aïeul. L'émotion et la déception divisaient son âme, et il tourna le dos à son grand-père pour dérober son regard au sien, de peur que celui-ci ne pût y lire que la déception...

Tommy eut honte de lui, et ce n'est qu'après réflexion qu'il trouva la force d'admettre que son père avait raison.

Il se retourna, et c'est alors qu'il vit son grand-père brûler la lettre tandis que de douces larmes coulaient sur ses joues.

C'était la première fois que cet Indien pleurait la mort d'un homme blanc.

Achevé d'imprimer
en août mil neuf cent quatre-vingt
sur les presses de l'Imprimerie Gagné Ltée
Louiseville - Montréal.
Imprimé au Canada